Univers de

Sous la direc

L A F O   I N E

TOME 2
FABLES

Annotées et commentées

avec la Vie d'Esope le Phrygien, l'Avertissement, une analyse méthodique des fables

Livres VII à XII

par

Pierre MICHEL
Agrégé des Lettres

Maurice MARTIN
Agrégé des Lettres

Bordas

LA FONTAINE
par Largillière
(1656-1746)

CL. GIRAUDON

I.S.B.N. 2-04-016040-X;
I.S.S.N. 0249-7220

AVERTISSEMENT[1]
(1678)

1 VOICI un second recueil de fables que je présente au public. J'ai jugé à propos de donner à la plupart de celles-ci un air et un tour un peu différent de celui que j'ai donné aux premières, tant à cause de la différence des sujets, que pour remplir de plus de
5 variété mon ouvrage. Les traits familiers, que j'ai semés avec assez d'abondance dans les deux autres parties, convenaient bien mieux aux inventions d'Ésope qu'à ces dernières, où j'en use plus sobrement pour ne pas tomber en des répétitions : car le nombre de ces traits n'est pas infini. Il a donc fallu que j'aie cherché d'autres enrichis-
10 sements, et étendu[2] davantage les circonstances[3] de ces récits, qui d'ailleurs me semblaient le demander de la sorte. Pour peu que le lecteur y prenne garde, il le reconnaîtra lui-même ; ainsi je ne tiens pas qu'il soit nécessaire d'en étaler ici les raisons, non plus que de dire où j'ai puisé ces derniers sujets. Seulement je
15 dirai, par reconnaissance, que j'en dois la plus grande partie à Pilpay, sage Indien. Son livre a été traduit en toutes les langues. Les gens du pays le croient fort ancien, et original à l'égard d'Ésope, si ce n'est Ésope lui-même sous le nom du sage Locman. Quelques autres m'ont fourni des sujets assez heureux. Enfin
20 j'ai tâché de mettre en ces deux dernières parties toute la diversité dont j'étais capable.

Il s'est glissé quelques fautes dans l'impression ; j'en ai fait faire un *Errata ;* mais ce sont de légers remèdes pour un défaut considérable. Si on veut avoir quelque plaisir de la lecture de
25 cet ouvrage, il faut que chacun fasse corriger ces fautes à la main dans son exemplaire, ainsi qu'elles sont marquées par chaque *errata*, aussi bien pour les deux premières parties que pour les dernières.

1. La Fontaine réimprime (tomes I et II) son recueil de 1668, et place cet *Avertissement* au début du tome III, donc de son second recueil, publié en deux parties, les livres VII et VIII en 1678, les livres IX, X, XI en 1679. — 2. Développé. — 3. On peut s'appuyer sur le sens donné par Littré (3e) et voir, dans le mot, un terme de rhétorique : « ce qui a rapport à la personne, à la chose, au lieu, aux moyens, aux motifs, à la manière et au temps ».

A MADAME DE MONTESPAN

1 L'APOLOGUE est un don qui vient des Immortels ;
Ou si c'est un présent des hommes,
Quiconque nous l'a fait mérite des autels :
Nous devons, tous tant que nous sommes,
5 Ériger en divinité
Le sage[1] par qui fut ce bel art inventé.
C'est proprement un charme[2] : il rend l'âme attentive,
Ou plutôt il la tient captive,
Nous attachant à des récits
10 Qui mènent à son gré les cœurs et les esprits.
O vous qui l'imitez[3], Olympe, si ma Muse
A quelquefois pris place à la table des dieux[4],
Sur ses dons aujourd'hui daignez porter les yeux ;
Favorisez les jeux où[5] mon esprit s'amuse.
15 Le temps qui détruit tout, respectant votre appui,
Me laissera franchir les ans dans cet ouvrage :
Tout auteur qui voudra vivre encore après lui[6]
Doit s'acquérir votre suffrage.
C'est de vous que mes vers attendent tout leur prix :
20 Il n'est beauté dans nos écrits
Dont vous ne connaissiez jusques aux moindres traces.
Eh ! qui connaît que vous[7] les beautés et les grâces ?
Paroles et regards, tout est charme dans vous.
Ma Muse, en un sujet si doux,
25 Voudrait s'étendre[8] davantage ;
Mais il faut réserver à d'autres cet emploi,
Et d'un plus grand maître[9] que moi
Votre louange est le partage.
Olympe, c'est assez qu'à mon dernier ouvrage
30 Votre nom serve un jour de rempart et d'abri.
Protégez désormais le livre favori[10]
Par qui j'ose espérer une seconde vie ;

1. Ésope. — 2. Puissance magique. — 3. Qui avez la même puissance que ce charme. — 4. La muse de La Fontaine s'est assise à la table des dieux de ce monde (le Roi, le Dauphin...), comme les Muses, selon Homère, étaient admises à la table des dieux. — 5. Auxquels. — 6. Après lui-même. — 7. Si ce n'est *vous*. — 8. Développer. — 9. Équivoque volontaire : *un plus grand* poète ou... Louis XIV ? — 10. De La Fontaine ou de Mme de Montespan ? Peut-être du premier si ce livre devient le *livre favori* de la seconde.

Sous vos seuls auspices[11], ces vers
Seront jugés, malgré l'envie,
35 Dignes des yeux de l'univers.
Je ne mérite pas une faveur si grande :
La fable en son nom la demande.
Vous savez quel crédit ce mensonge[12] a sur nous.
S'il procure à mes vers le bonheur de vous plaire,
40 Je croirai lui devoir un temple pour salaire ;
Mais je ne veux bâtir des temples que pour vous.

11. Votre seule protection. — 12. Cette fiction.

● **La favorite** — Françoise-Athénaïs de Rochechouart de Mortemart, marquise de MONTESPAN, maîtresse du Roi, a trente-sept ans en 1678. Elle et sa sœur, Mme de Thiange, protègent La Fontaine. Notre poète figure dans la « Chambre du sublime », jouet érudit que Mme de Thiange offrit au jeune duc du Maine, fils du Roi et de la favorite, et qui représentait, dans un salon autour du duc du Maine, des illustrations de la littérature, dont Racine, Boileau, Bossuet. Lettrée et spirituelle, Mme de Montespan brillait dans la conversation : « l'esprit des Mortemart » était passé en proverbe. Elle aimait à protéger les beaux esprits. Sa liaison avec le Roi cessera définitivement en 1683. Elle mourra en 1707.

CL. N. D. GIRAUDON

LIVRE PREMIER.

FABLE I.

Les Animaux malades de la peſte.

N mal qui répand la terreur,
Mal que le Ciel en ſa fureur
Inventa pour punir les crimes
de la terre,

Illustration de François Chauveau (1613-1676)
Édition de 1678

FABLES

LIVRE SEPTIÈME

fable 1 *Les Animaux malades de la peste*[1]

1 UN mal qui répand la terreur,
Mal que le Ciel en sa fureur[2]
Inventa pour punir les crimes de la terre,
La peste (puisqu'il faut l'appeler par son nom),
5 Capable d'enrichir en un jour l'Achéron[3],
Faisait aux animaux la guerre.
Ils ne mouraient pas tous, mais tous étaient frappés[4] :
On n'en voyait point d'occupés
A chercher le soutien d'une mourante vie ;
10 Nul mets n'excitait leur envie ;
Ni loups ni renards n'épiaient
La douce et l'innocente proie.
Les tourterelles se fuyaient :
Plus d'amour, partant[5] plus de joie .
15 Le Lion tint conseil, et dit : « Mes chers amis,
Je crois que le Ciel a permis
Pour nos péchés[6] cette infortune.
Que le plus coupable de nous
Se sacrifie aux traits[7] du céleste courroux ;
20 Peut-être il obtiendra la guérison commune.
L'histoire nous apprend qu'en de tels accidents[8]
On fait de pareils dévouements[9].
Ne nous flattons[10] donc point ; voyons sans indulgence
L'état de notre conscience.

---

1. Voir *les Sources*, p. 21. — 2. « Se dit quelquefois de la colère de Dieu » (*Dict. de l'Acad.*, 1694). — 3. Le fleuve des Enfers. La *peste* est capable de remplir les Enfers en un seul jour. C'est une réminiscence de Sophocle (*Œdipe-Roi*, v. 30) décrivant la peste de Thèbes. — 4. Atteints par la maladie. — 5. Par conséquent, donc...; du latin *per tantum* (à cause de). — 6. Il s'agit donc d'une confession publique. — 7. Ce qui pique, blesse, comme un *trait* d'arbalète. — 8. « Cas fortuit, ce qui arrive par hasard. Il se prend presque toujours en mauvaise part » (*Acad.*, 1694). Ici : calamité publique. — 9. Furetière explique le « dévouement » comme « une cérémonie qui se faisait chez les Romains, quand un homme se sacrifiait pour la patrie, comme fit Décius, qui, après s'être dévoué, se jeta à corps perdu sur les ennemis et fut tué ». — 10. Flatter : « traiter avec trop de douceur et de ménagement » (*Acad.*, 1694); « excuser par complaisance les défauts qui sont en quelqu'un » (*Dict.* de Furetière, 1690).

25 Pour moi, satisfaisant mes appétits[11] gloutons,
J'ai dévoré force moutons.
Que m'avaient-ils fait ? Nulle offense.
Même il m'est arrivé quelquefois de manger
Le berger.
30 Je me dévouerai donc, s'il le faut : mais je pense
Qu'il est bon que chacun s'accuse ainsi que moi :
Car on doit souhaiter, selon toute justice,
Que le plus coupable périsse.
— Sire, dit le Renard, vous êtes trop bon roi ;
35 Vos scrupules font voir trop de délicatesse.
Eh bien ! manger moutons, canaille[12], sotte espèce[13],
Est-ce un péché ? Non, non. Vous leur fîtes, Seigneur,
En les croquant, beaucoup d'honneur ;
Et quant au berger, l'on peut dire
40 Qu'il était digne de tous maux,
Étant de ces gens-là qui sur les animaux
Se font un chimérique empire. »
Ainsi dit le Renard, et flatteurs d'applaudir.
On n'osa trop approfondir
45 Du Tigre, ni de l'Ours, ni des autres puissances,
Les moins pardonnables offenses[14].
Tous les gens querelleurs, jusqu'aux simples mâtins[15],
Au dire de chacun étaient de petits saints.
L'Ane vint à son tour, et dit : « J'ai souvenance[16]
50 Qu'en un pré de moines passant,
La faim, l'occasion, l'herbe tendre, et, je pense,
Quelque diable aussi me poussant,
Je tondis de ce pré la largeur de ma langue.
Je n'en avais nul droit, puisqu'il faut parler net. »
55 A ces mots on cria haro[17] sur le Baudet.

---

11. « Inclination, faculté de l'âme par laquelle elle est capable de désirer » (*Acad.*, 1694); voir XII, 1, v. 81-82 : « Conte aux échos les appétits gloutons — Qui t'ont fait manger ses moutons. » — 12. Vile populace. — 13. « On ne le dit des hommes que par dérision, et quelquefois des choses » (*Acad.*, 1694). — 14. « Signifie en théologie : *péché* » (*Dict.* de Furetière, 1690). — 15. « Gros chien que l'on ne dresse pas à la chasse, mais à garder une cour, un troupeau » (*Acad.*, 1694). — 16. L'Académie signale que le mot vieillit, et Furetière qu'on ne l'emploie guère que dans l'expression « rire de souvenance... de quelque agréable pensée ». — 17. « Cri que l'on fait sur une personne, sur son cheval, etc. pour l'empêcher de faire quelque chose et l'obliger de venir devant le juge. Ce cri n'est en usage qu'en Normandie » (*Acad.*, 1694). « Crier haro sur quelqu'un, c'est demander secours contre une personne qui nous opprime ou nous maltraite, ou qui outrage autrui » (*Dict.* de Richelet, 1680).

Sources. Les prédicateurs du XVe s. ont traité des sujets analogues à celui de cette fable : ils s'en prenaient aux mauvais confesseurs, accommodants avec les puissants, impitoyables aux misérables. Il n'est pas sûr que La Fontaine ait connu ces sermons. Deux fables du XVIe s. ont sans doute inspiré La Fontaine (date de la composition : 1674) : l'une de **GUILLAUME HAUDENT, « De la Confession de l'âne, du renard et du loup » (Apologues,** II, fable 60, 1547); l'autre de **GUILLAUME GUÉROULT, « Fable morale du lion, du loup et de l'âne » (Le premier livre des Emblèmes,** p. 40-44, 1550).

Mais c'est de la fable de **GUÉROULT** que La Fontaine est le plus proche. Elle s'achève ainsi :

> Par quoi il appert que des grands on tient compte
> Et, malfaisants, qu'ils sont favorisés;
> Mais les petits sont toujours méprisés
> Et les fait-on souvent mourir à honte.

Enfin, une source orientale est vraisemblable : une fable du **Livre des Lumières** (p.118-122), « le Lion, ses Ministres et le Chameau », nous rapporte qu'un lion avait accordé sa protection à un chameau. Mais le le lion est blessé. Ses trois ministres, une panthère, un cheval, une corneille, emploient un subterfuge pour lui permettre de violer sa parole. Ils offrent leur vie au lion, qui la refuse. Le chameau les imite, et il est dévoré.

① Saint-Marc Girardin (VIIIe leçon, t. I, p. 272) écrit : « Tout est supérieur dans La Fontaine, et d'une supériorité d'autant plus remarquable que les deux fables du XVIe siècle sont excellentes ». Montrez en quoi la conception du sujet est supérieure chez La Fontaine.

● **Une doctrine sociale?** Chamfort écrivait déjà de cette fable : « C'est presque l'histoire de toute société humaine. »
Georges Couton écrit (*La Politique de La Fontaine*, p. 37) : « Si donc nous osons chercher une doctrine sociale de La Fontaine, *les Animaux malades de la peste* en contiennent un élément d'importance. La société est faite d'un étagement de « puissances » [...]. Les puissances peuvent bien se déchirer à l'occasion, sans suivre d'autre loi que la loi de la jungle; contre l'âne, ce *misérable*, elles font bloc. »

② Vous discuterez cette opinion.

● **L'art**

③ Dans la description de la peste qui forme le début de la fable (v. 1-14), montrez, par l'étude du style et du rythme, comment l'éloquence et la poésie s'unissent pour créer le pathétique.

④ Le vers 29 (*le berger*) doit permettre au lion, si l'on en croit Chamfort, d' « escamoter un péché aussi énorme »; en revanche, Pierre Clarac cite d'autres exemples de ces rimes en écho chez La Fontaine et il estime que ce rythme « ne vise ni à rendre une impression, ni un sentiment et n'a qu'une valeur musicale ». Quelle est votre impression sur ce point?

Un Loup, quelque peu clerc[18], prouva par sa harangue
Qu'il fallait dévouer ce maudit animal,
Ce pelé, ce galeux, d'où venait tout leur mal.
Sa peccadille fut jugée un cas pendable.
60 Manger l'herbe d'autrui ! quel crime abominable !
Rien que la mort[19] n'était capable
D'expier[20] son forfait : on le lui fit bien voir.
Selon que vous serez puissant ou misérable,
Les jugements de cour[21] vous rendront blanc ou noir.

18. « Habile, qui est savant » (*Dict.* de Richelet, 1680). — 19. *Rien,* sauf *la mort.* — 20. « Effacer les péchés » (*Dict.* de Furetière, 1690). — 21. *Cour* de justice.

2 *Le Mal Marié*

1 QUE[1] le bon soit toujours camarade du beau,
Dès demain je chercherai femme ;
Mais comme le divorce entre eux n'est pas nouveau,
Et que peu de beaux corps, hôtes[2] d'une belle âme,
5 Assemblent l'un et l'autre point[3],
Ne trouvez pas mauvais que je ne cherche point.
J'ai vu beaucoup d'hymens ; aucuns[4] d'eux ne me tentent ;
Cependant des humains presque les quatre parts[5]
S'exposent hardiment au plus grand des hasards[6] ;
10 Les quatre parts aussi des humains se repentent.
J'en vais alléguer[7] un[8] qui, s'étant repenti,
Ne put trouver d'autre parti
Que de renvoyer son épouse
Querelleuse, avare et jalouse.
15 Rien ne la contentait, rien n'était comme il faut :
On se levait[9] trop tard, on se couchait trop tôt ;
Puis du blanc, puis du noir, puis encore autre chose.

Source. ÉSOPE, le Mari et la Femme (Nevelet, p. 165) ; mais La Fontaine n'a pas retenu la plate moralité de la fable d'Ésope.

1. Si l'on peut faire *que...* — 2. *Corps* qui donnent l'hospitalité à... — 3. « Ce qu'il y a de principal dans une affaire, dans une question, dans une difficulté » (*Dict. de l'Acad.,* 1694). — 4. Sens négatif au pluriel. — 5. Parties. — 6. *Hasard :* « Péril, risque » (*Acad.,* 1694). — 7. Citer comme preuve. — 8. *Un* des humains. — 9. Passage au style indirect (voir VII, 3, v. 16).

Les valets enrageaient[10] ; l'époux était à bout :
« Monsieur ne songe à rien, Monsieur dépense tout,
20 Monsieur court, Monsieur se repose. »
Elle en dit tant, que Monsieur, à la fin,
Lassé d'entendre un tel lutin[11],
Vous la renvoie à la campagne
Chez ses parents. La voilà donc compagne
25 De certaines Philis[12] qui gardent les dindons
Avec les gardeurs de cochons.
Au bout de quelque temps, qu'on la crut adoucie,
Le mari la reprend. « Eh bien ! qu'avez-vous fait ?
Comment passiez-vous votre vie ?
30 L'innocence des champs est-elle votre fait[13] ?
— Assez, dit-elle ; mais ma peine
Était de voir les gens plus paresseux qu'ici :
Ils n'ont des troupeaux nul souci.
Je leur[14] savais bien dire, et m'attirais la haine
35 De tous ces gens si peu soigneux.
— Eh ! Madame, reprit son époux tout à l'heure[15],
Si votre esprit est si hargneux,
Que le monde qui ne demeure
Qu'un moment avec vous et ne revient qu'au soir
40 Est déjà lassé de vous voir,
Que feront des valets qui toute la journée
Vous verront contre eux déchaînée ?
Et que pourra faire un époux
Que vous voulez qui soit[16] jour et nuit avec vous ?
45 Retournez au village : adieu. Si, de ma vie,
Je vous rappelle et qu'il m'en prenne envie,
Puissé-je chez les morts avoir pour mes péchés
Deux femmes comme vous sans cesse à mes côtés. »

10. Boileau (*Satire* X, v. 354-356) a pu se souvenir de ce passage. — 11. « Espèce de démon ou d'esprit follet qu'on croit voir revenir dans une maison pour faire des malices, du désordre et de la peine... » (*Dict.* de Furetière, 1690). — 12. Contraste burlesque. *Philis* est un nom de bergère dans la pastorale ou la poésie galante. — 13. « Ce qui est propre et convenable à quelqu'un... » (*Acad.*, 1694). — 14. Absence du pronom complément de la 3e personne devant *leur*. On dirait aujourd'hui : Je savais bien le leur dire. — 15. A l'instant même. — 16. Tour vieilli pour : dont vous voulez qu'il soit.

3 *Le Rat qui s'est retiré du monde*

1 LES Levantins[1] en leur légende[2]
Disent qu'un certain Rat, las des soins[3] d'ici-bas,
Dans un fromage de Hollande
Se retira loin du tracas.
5 La solitude était profonde,
S'étendant partout à la ronde.
Notre ermite nouveau[4] subsistait là-dedans.
Il fit tant, de pieds et de dents,
Qu'en peu de jours il eut au fond de l'ermitage
10 Le vivre et le couvert : que faut-il davantage ?
Il devint gros et gras : Dieu prodigue ses biens
A ceux qui font vœu d'être siens.
Un jour, au dévot personnage
Des députés du peuple rat
15 S'en vinrent demander quelque aumône légère :
Ils allaient[5] en terre étrangère
Chercher quelque secours contre le peuple chat ;
Ratopolis était bloquée :
On les avait contraints de partir sans argent,
20 Attendu l'état indigent
De la république attaquée.
Ils demandaient fort peu, certains que le secours
Serait prêt dans quatre ou cinq jours.
« Mes amis, dit le solitaire,
25 Les choses d'ici-bas ne me regardent plus :
En quoi peut un pauvre reclus
Vous assister ? que peut-il faire
Que de prier le Ciel qu'il vous aide en ceci ?
J'espère qu'il aura de vous quelque souci. »

Source. Cette fable (achevée en mai 1675) semble bien être de l'invention de La Fontaine, ce qui n'exclut peut-être pas certains souvenirs, en particulier celui de ce rat de **PILPAY** (III, 212) qui choisit « un lieu retiré du bruit et du tracas du monde pour vivre sans inquiétude, en la compagnie de quelques rats qui avaient pris la même résolution ».

---

1. Peuples de l'Orient. — 2. Du latin *legenda :* ce qu'on doit lire; c'est primitivement le recueil des récits de la vie des saints. Le sens s'est étendu à des récits merveilleux d'autres traditions que le christianisme. — 3. Soucis. — 4. D'une nouvelle espèce. — 5. Imparfait de style indirect : les députés dirent qu'*ils allaient*...

● **L'occasion** — En l'absence de sources livresques, l'histoire contemporaine fournissait à La Fontaine un incident qui est certainement à l'origine de cette fable. C'est en effet en 1675 que le clergé régulier protesta, devant l'assemblée du clergé, contre la participation de 300 000 livres qu'on voulait lui imposer à un « don gratuit » pour la guerre de Hollande : voir l'éd. des *Fables* par Radouant (p. 234), et Georges Couton, *la Politique de La Fontaine* (p. 24).

① Quels détails de la fable permettent de rapporter à cet incident l'intention satirique de La Fontaine?

② Les attaques contre les moines et les couvents n'étaient pas nouvelles. En connaissez-vous des exemples antérieurs à La Fontaine? Estimez-vous que La Fontaine fit preuve de témérité en renouvelant ces attaques à l'époque de Louis XIV?

● **L'esprit et le style**

③ Dans la première partie de la fable (l'installation du rat dans son fromage, v. 1-12), dégagez d'une étude de détail l'ironie malicieuse du poète.

④ Commentez ce jugement de Georges Couton (*op. cit.*, p. 24-25) : « ... Les mots mêmes du solitaire et le tour de ses phrases supposent une mimique et animent un portrait physique et moral : une bienveillance trop universelle pour être agissante aboutit à une fin de non recevoir; le rythme est coulant d'abord, onctueux, comme celui d'une homélie familière, coupée par un grand élan d'oraison; finalement des vers fort secs claquent comme une porte retombe sur un quémandeur. La morale, avec sa malice à double détente, voile l'amertume sous un mépris souriant. »

Tableau de Philippe Rousseau (1816-1887)

CL. GIRAUDON

30 Ayant parlé de cette sorte,
Le nouveau saint ferma sa porte.
Qui désignai-je[6], à votre avis,
Par ce Rat si peu secourable ?
Un moine ? Non, mais un dervis[7] :
35 Je suppose qu'un moine est toujours charitable.

---

6. Peut-être passé défini, mais plus probablement présent de l'indicatif à la forme interrogative. Aujourd'hui : désigné-je. — 7. « Religieux turc. Les dervis font profession de pauvreté et mènent une vie austère » (*Dict.* de Richelet, 1680); on dit aussi : derviche.

CL. BULLOZ

Tapisserie de Beauvais d'après Oudry

4 *et* 5 *Le Héron* *La Fille*

1 Un jour, sur ses longs pieds, allait, je ne sais où,
Le Héron au long bec emmanché d'un long cou.
Il côtoyait une rivière.
L'onde était transparente ainsi qu'aux plus beaux jours ;
5 Ma commère la carpe[1] y faisait mille tours
Avec le Brochet son compère[2].
Le Héron en eût fait aisément son profit :
Tous approchaient du bord, l'oiseau n'avait qu'à prendre.
Mais il crut mieux faire d'attendre
10 Qu'il eût un peu plus d'appétit :
Il vivait de régime[3], et mangeait à ses heures.
Après quelques moments, l'appétit vint ; l'oiseau,
S'approchant du bord, vit sur l'eau
Des tanches qui sortaient du fond de ces demeures.
15 Le mets ne lui plut pas ; il s'attendait à mieux,
Et montrait un goût dédaigneux,
Comme le rat[4] du bon Horace.
« Moi, des tanches ? dit-il, moi, Héron, que je fasse
Une si pauvre chère[5] ? Et pour qui me prend-on ? »
20 La tanche rebutée[6], il trouva du goujon.
« Du goujon ? c'est bien là le dîner d'un Héron !
J'ouvrirais pour si peu le bec ! Aux dieux ne plaise ! »
Il l'ouvrit pour bien moins : tout alla de façon
Qu'il ne vit plus aucun poisson.
25 La faim le prit ; il fut tout heureux et tout aise
De rencontrer un limaçon.

Ne soyons pas si difficiles :
Les plus accommodants, ce sont les plus habiles ;
On hasarde de perdre en voulant trop gagner.
30 Gardez-vous de rien dédaigner,
Surtout quand vous avez à peu près votre compte[7].

1. Voir *les Sources*, p. 29. — 2. C'est sans doute une allusion à la lettre célèbre de la carpe à « mon compère le brochet » : La Fontaine admirait Voiture. — 3. En suivant les règles; *de* marque la manière. — 4. Le rat de ville d'Horace (*Satires*, livre II, 6, v. 87) prend le même air dédaigneux devant le menu du rat des champs. — 5. Un si mauvais repas. — 6. Refusée. — 7. Ce sur quoi vous pouvez moralement compter.

Bien des gens y sont pris. Ce n'est pas aux hérons
Que je parle ; écoutez, humains, un autre conte :
Vous verrez que chez vous j'ai puisé ces leçons.

35 CERTAINE Fille, un peu trop fière,
Prétendait trouver un mari
Jeune, bien fait et beau, d'agréable manière[8],
Point froid et point jaloux : notez ces deux points-ci[9].
Cette Fille voulait aussi
40 Qu'il eût du bien, de la naissance,
De l'esprit, enfin tout. Mais qui peut tout avoir ?
Le Destin se montra soigneux de la pourvoir[10] :
Il vint des partis d'importance.
La belle les trouva trop chétifs[11] de moitié.
45 « Quoi ! moi ? quoi ! ces gens-là ? L'on radote, je pense.
A moi les proposer ! Hélas ! ils font pitié.
Voyez un peu la belle espèce[12] ! »
L'un n'avait[13] en l'esprit nulle délicatesse ;
L'autre avait le nez fait de cette façon-là ;
50 C'était ceci, c'était cela,
C'était tout[14], car les précieuses
Font dessus[15] tout les dédaigneuses.
Après les bons partis, les médiocres[16] gens
Vinrent se mettre sur les rangs.
55 Elle de se moquer. « Ah ! vraiment je suis bonne
De leur ouvrir la porte ! Ils pensent que je suis
Fort en peine de ma personne.
Grâce à Dieu, je passe les nuits
Sans chagrin, quoique en solitude. »
60 La belle se sut gré de tous ces sentiments.
L'âge la fit déchoir : adieu tous les amants[17].
Un an se passe, et deux, avec inquiétude.
Le chagrin[18] vient ensuite : elle sent chaque jour

8. *Manière* d'être. Il doit avoir « bon genre ». — 9. Jeu de mots curieux. — 10. « Établir par un mariage... » (*Dict. de l'Acad.*, 1694). — 11. *Chétif :* « Vil, méprisable » (*Dict. de l'Acad.*, 1694). — 12. « ... On ne le dit d'un homme que par dérision » (*Acad.*, 1694; voir VII, 1, v. 36). — 13. L'imparfait marque le passage au style indirect (voir VII, 2, v. 16). — 14. Réplique de La Fontaine. — 15. Sur toutes choses; l'adverbe est employé comme préposition. — 16. *Médiocre :* « qui est entre le grand et le petit, entre le bon et le mauvais » (*Acad.*, 1694). — 17. Prétendants. — 18. « Fâcheuse, mauvaise humeur » (*Acad.*, 1694), sans idée d'affliction ni d'ennui.

Déloger[19] quelques ris, quelques jeux, puis l'Amour[20] ;
65 Puis ses traits choquer et déplaire ;
Puis[21] cent sortes de fards. Ses soins ne purent faire
Qu'elle échappât au temps, cet insigne larron[22].
Les ruines d'une maison
Se peuvent réparer : que n'est[23] cet avantage

19. S'en aller. — 20. « Rires, au pluriel, avec *jeux* ou danses ou *amours* signifie : les jeux, les grâces et les compagnons de l'amour » (*Dict.* de Richelet, 1680). — 21. *Puis* viennent *cent sortes de fards.* — 22. Peut-être souvenir d'Horace (*Épitres*, II, 2, v. 56) : « Les années... m'ont arraché les jeux, l'amour... — 23. Pourquoi n'y a-t-il pas...

Sources. Un sujet analogue se trouve traité dans **ABSTEMIUS, l'Oiseleur et le Pinson** (Nevelet, p. 550), et dans l'imitation d'**HAUDENT, D'un oiseleur et d'une bérée** (II, 98). L'oiseleur qui a tendu au matin ses filets dédaigne, pendant toute la journée, de les lever : les oiseaux lui semblent trop peu nombreux. Au soir, il doit se contenter d'un seul pinson. Une histoire semblable est contée dans les fables de **CAMERARIUS** (1544). Ces sources concernent plus particulièrement **le Héron.** Pour **la Fille,** La Fontaine a pu en outre se souvenir d'une épigramme du poète latin **MARTIAL** (V, 17) et aussi de vers inédits de **CONRART** avec lequel il était lié. Mais le choix du héron appartient à La Fontaine, et aussi l'idée de mettre en scène d'abord des animaux (une véritable fable) et ensuite des humains (un petit conte).

- **La moralité** (v. 27-34) sert à la fois d'épilogue au *Héron* et de prologue à *la Fille.* Elle assure ainsi l'unité de l'ensemble.

  ① Que pensez-vous de la leçon qui s'en dégage? Vous paraît-elle en harmonie avec la vie de La Fontaine?

- **La fable et le conte —** Autour de cette moralité, le poète a construit deux récits parallèles. Il souligne d'ailleurs ce parallélisme en reprenant les mêmes formules à la fin de chaque récit. Cependant, le second est sensiblement plus long que le premier. La fable paraît plus concentrée; le conte, plus nuancé...

  ② D'une comparaison entre les deux récits, dégagez donc avec précision leurs caractères communs et leurs traits particuliers.

- **La poésie**

  ③ Analysez le rythme des vers 1 et 2 du *Héron.*

  ④ « Mieux qu'autrefois encore », écrit Pierre Clarac (*La Fontaine*, p. 116), il sait enfermer dans un vers le mystère des eaux :

  Des tanches qui sortaient du fond de ces demeures...

  ... Le vers 4 du *Héron* est, lui aussi, justement célèbre. » Pouvez-vous analyser l'impression que vous laisse ce vers? Pouvez-vous citer d'autres vers évoquant, eux aussi, le « mystère des eaux »?

- **La composition dramatique —** Dans *la Fille*, à propos des vers 27 et suivants, René Groos signale (Pléiade, I, p. 729) que le mouvement est inverse de celui de *la Jeune Veuve* (VI, 21).

  ⑤ Montrez-le en comparant les deux passages.

70 Pour les ruines du visage !
Sa préciosité changea lors[24] de langage.
Son miroir lui disait : « Prenez vite un mari. »
Je ne sais quel désir le lui disait aussi :
Le désir peut loger chez une précieuse[25].
75 Celle-ci fit un choix qu'on n'aurait jamais cru,
Se trouvant à la fin tout aise et tout heureuse
De rencontrer un malotru[26].

24. A ce moment-là. — 25. Qu'on se souvienne des *Précieuses ridicules* (sc. 1 et 4), des dégoûts affectés d'Armande dans *les Femmes savantes*... La Fontaine lui aussi avait mis en scène une précieuse dans sa comédie *Clymène* (1671). — 26. « Terme populaire, qui se dit des gens mal faits, mal bâtis et incommodés soit en leur personne, soit en leur fortune » (*Dict.* de Furetière, 1690).

6 *Les Souhaits*

Il est au Mogol[1] des follets[2]
Qui font office de valets,
Tiennent la maison propre, ont soin de l'équipage[3],
Et quelquefois du jardinage.
5 Si vous touchez à leur ouvrage,
Vous gâtez tout. Un d'eux près du Gange autrefois
Cultivait le jardin d'un assez bon bourgeois[4].
Il travaillait sans bruit, avait beaucoup d'adresse,
Aimait le maître et la maîtresse,
10 Et le jardin surtout. Dieu sait si les Zéphirs[5],
Peuple ami du Démon[6], l'assistaient dans sa tâche !
Le follet, de sa part[7], travaillant sans relâche,
Comblait ses hôtes de plaisirs.

Sources. Le conte des **Trois souhaits** se trouve dans **les Paraboles de Sandabar** (en hébreu), mais la traduction latine de l'érudit Gaulmin était inédite. Il est douteux que La Fontaine ait connu cette version. Cependant, il a pu tenir de **BERNIER** un conte qui appartenait au folklore. Il a d'ailleurs subi d'autres influences. Pour le début de la fable : **RONSARD, les Hymnes** (livre I, « Hymne aux daimons », v. 207-212). Pour la moralité, le Nouveau Prologue du **Quart Livre**, de **RABELAIS**, « contre les vœux exagérés des hommes ».

1. L'empire du Grand *Mogol* qui s'étendait sur l'Asie centrale et l'Inde — 2. *Follet :* « Sorte de lutin qu'on dit qu'il se divertit sans faire de mal » (*Dict. de l'Acad.*, 1694). — 3. « Tout le meuble d'un particulier » (*Dict.* de Richelet 1680), par conséquent tous les objets présents dans la maison. — 4. D'un *bourgeois* aisé. — 5. « Vent doux et tiède » (*Acad.*, 1694). — 6. « Génie, esprit soit bon, soit mauvais » (*Acad.*, 1694). — 7. Quant à lui.

Pour plus de marques de son zèle,
15 Chez ces gens pour toujours il se fût arrêté[8],
Nonobstant la légèreté
A ses pareils si naturelle ;
Mais ses confrères les esprits
Firent tant que le chef de cette république,
20 Par caprice ou par politique[9],
Le changea bientôt de logis.
Ordre lui vient d'aller au fond de la Norvège
Prendre le soin d'une maison
En tout temps couverte de neige ;
25 Et d'Indou qu'il était on vous le fait Lapon.
Avant que de[10] partir, l'esprit dit à ses hôtes :
« On m'oblige de vous quitter,
Je ne sais pas pour quelles fautes ;
Mais enfin il le faut. Je ne puis arrêter
30 Qu'un temps fort court, un mois, peut-être une semaine.
Employez-la ; formez trois souhaits, car je puis
Rendre trois souhaits accomplis[11],
Trois sans plus. » Souhaiter, ce n'est pas une peine
Étrange[12] et nouvelle aux humains.
35 Ceux-ci, pour premier vœu, demandent l'abondance ;
Et l'abondance, à pleines mains,
Verse en leurs coffres la finance[13],
En leurs greniers le blé, dans leurs caves les vins :
Tout en crève. Comment ranger cette chevance[14] ?
40 Quels registres, quels soins, quel temps il leur fallut !
Tous deux sont empêchés[15] si jamais on le fut.
Les voleurs contre eux complotèrent ;
Les grands seigneurs leur empruntèrent ;
Le prince les taxa. Voilà les pauvres gens
45 Malheureux par trop de fortune.
« Otez-nous de ces biens l'affluence importune,
Dirent-ils l'un et l'autre ; heureux les indigents !
La pauvreté vaut mieux qu'une telle richesse.
Retirez-vous, trésors, fuyez ; et toi, déesse,
50 Mère du bon esprit, compagne du repos,

---

8. *Il se fût* fixé. — 9. Calcul (opposé à *caprice*). — 10. Avant de. — 11. *Rendre* suivi d'un participe passé est un véritable auxiliaire. Le sens est : *je puis* accomplir. — 12. Extraordinaire. — 13. « Argent comptant... dans le style familier et en plaisanterie » (*Dict. de l'Acad.*, 1694). — 14. « Vieux mot et hors d'usage, qui signifiait autrefois le bien d'une personne » (*Dict.* de Furetière, 1690). — 15. « Embarrassés » (*Acad.*, 1694).

O Médiocrité[16], reviens vite. » A ces mots,
La Médiocrité revient ; on lui fait place ;
Avec elle ils rentrent en grâce,
Au bout de deux souhaits étant aussi chanceux[17]
55 Qu'ils étaient, et que sont tous ceux
Qui souhaitent toujours et perdent en chimères
Le temps qu'ils feraient mieux de mettre à leurs affaires.
Le follet en rit avec eux.
Pour profiter de sa largesse,
60 Quand il voulut partir et qu'il fut sur le point[18],
Ils demandèrent la sagesse :
C'est un trésor qui n'embarrasse point.

16. Marque une idée non de pauvreté, mais de juste mesure, donc ici d'aisance raisonnable. — 17. *Aussi* peu *chanceux*. — 18. Au moment précis du départ.

7 *La Cour du Lion*[1]

1 SA Majesté Lionne[2] un jour voulut connaître
De quelles nations le Ciel l'avait fait maître.
Il manda donc par députés
Ses vassaux de toute nature,
5 Envoyant de tous les côtés
Une circulaire écriture[3]
Avec son sceau[4]. L'écrit portait
Qu'un mois durant le Roi tiendrait
Cour plénière[5], dont l'ouverture
10 Devait être un fort grand festin,
Suivi des tours de Fagotin[6].
Par ce trait de magnificence
Le Prince à ses sujets étalait sa puissance.
En son Louvre[7] il les invita.
15 Quel Louvre ! un vrai charnier[8], dont l'odeur se porta

1. Une lettre de Mme de Sévigné au comte de Grignan fait allusion à cette fable, le 22 mai 1674. — 2. Formation libre et plaisante d'un adjectif. L'expression imite malicieusement « Sa majesté très chrétienne ». — 3. Nous disons aujourd'hui simplement « une circulaire », en faisant de l'adjectif un nom. — 4. Le *sceau* authentifie l'acte. — 5. « Les rois tenaient autrefois leur *cour plénière* quand ils mandaient les principaux de leur état auprès d'eux » (*Dict.* de Furetière, 1690). — 6. Nom d'un singe savant du théâtre de Brioché, montreur de marionnettes près de la Porte de Nesle. Le nom fut ensuite donné aux singes qu'exhibaient des bateleurs. Voir *Tartuffe* (v. 666) : « Et parfois Fagotin et les marionnettes. » — 7. « S'est dit premièrement du palais magnifique qui est à Paris. Depuis il s'est dit des autres demeures royales » (Furetière). — 8. « Galerie qui est ordinairement autour des cimetières, au-dessus de laquelle on mettait autrefois les os décharnés des morts » (Furetière).

D'abord[9] au nez des gens. L'ours boucha sa narine :
Il se fût bien passé[10] de faire cette mine.
Sa grimace déplut : le monarque irrité
L'envoya chez Pluton faire le dégoûté.
20 Le singe approuva fort cette sévérité,
Et flatteur excessif, il loua la colère
Et la griffe du prince, et l'antre, et cette odeur :
Il n'était ambre[11], il n'était fleur
Qui ne fût ail au prix. Sa sotte flatterie
25 Eut un mauvais succès[12], et fut encor punie.
Ce Monseigneur du Lion-là
Fut parent de Caligula[13].
Le renard étant proche : « Or ça, lui dit le Sire[14],
Que sens-tu ? dis-le moi. Parle sans déguiser[15] »
30 L'autre aussitôt de s'excuser[16],
Alléguant un grand rhume : il ne pouvait que dire
Sans odorat. Bref, il s'en tire.
Ceci vous sert d'enseignement :
Ne soyez à la cour, si vous voulez y plaire,
35 Ni fade adulateur, ni parleur trop sincère,
Et tâchez quelquefois de répondre en Normand[17].

---

9. « Incontinent, aussitôt » (*Dict.* de Richelet, 1680). — 10. Locution familière : il eût mieux fait de ne pas... — 11. Style indirect libre (voir VII, 3, v. 16). — 12. « Issue d'une affaire. Il se dit en bonne et en mauvaise part » (Furetière). — 13. L'empereur *Caligula*, après la mort de sa sœur, fit mettre à mort non seulement les courtisans qui ne pleuraient pas, mais encore ceux qui pleuraient : offense à la morte, puisqu'elle était devenue déesse. — 14. Le mot s'applique bien au roi; mais une nuance d'ironie s'y attache, comme pour *Sa Majesté Lionne*. — 15. De *guise* qui signifie « manière, façon... changer la guise... défigurer, déformer, dénaturer » (Furetière). — 16. « Signifie aussi : refuser honnêtement » (*Acad.*, 1694). — 17. « On dit qu'un homme répond *en Normand* lorsqu'il ne dit ni oui ni non, qu'il a crainte d'être surpris, de s'engager » (Furetière).

Sources. La fable de **PHÈDRE, Leo regnans,** étant mutilée, doit être rejetée. Dans le **Romulus,** recueil du Moyen Age, une fable reprend le sujet avec le même titre (Nevelet, p. 435). Le lion, despote astucieux, s'était engagé à ne plus dévorer ses sujets. Mais il les interroge sur son haleine et les mange pour crime de lèse-majesté ou de flatterie mensongère. Il n'épargne le singe (qui a prétendu que la bouche du monarque fleurait la cinnamone) que pour se faire conseiller par ses médecins une nourriture légère : la chair d'un singe. Dans une fable en prose, le sujet est enrichi. Le lion, voulant voir d'autres rives, a fait élire son successeur. Les animaux ont choisi le loup, mais sur le conseil du lion, politique prudent, ils ont fait jurer au nouveau roi de s'abstenir de viande. La fable se développe ensuite comme la précédente, le loup mangeant le chevreau

Miniature allemande du XVe siècle pour les Fables de Pilpay

et la biche. Le singe n'ayant rien dit, ni en bien ni en mal de l'haleine du loup, sa réponse de Normand ne le sauvera pas. La santé du roi exige la viande de singe, et les courtisans unanimes relèvent le loup de son serment. « Mangez le singe, Sire, et vivez » (Commentaires de **SAINT-MARC GIRARDIN,** VIIe leçon, t. I).

Mais si ces fables permettent des rapprochements intéressants, les vraies sources de La Fontaine semblent être **GUÉROULT** (Premier livre des **Emblèmes**, p. 31-33), **Du Lion, du Renard et de la Brebis,** et **JACQUES RÉGNIER** (**Apologi Phaedrii**, 1643), **Leo, Asinus, Lupus et Vulpes** (I, 33). De la première de ces fables, La Fontaine a pu tirer l'idée de la cour plénière. Dans les deux fables, c'est le renard qui, interrogé le dernier, se sauve par son habileté. La composition et le mouvement de la fable de Jacques Régnier la rapprochent davantage de celle de La Fontaine.

● **La morale** peut paraître superficielle. Saint-Marc Girardin préfère la morale de la fable latine à celle de La Fontaine. « Le drame est complet : le tyran hypocrite, le despote sophiste, les courtisans sans honneur et sans justice, les juges sans conscience et sans courage, le mépris du serment, l'empressement de la cour... » Mais La Fontaine a su dégager une telle morale dans *les Animaux malades de la peste* (VII, 1). Ici, son but est plus modeste.

① Montrez la signification réelle de la moralité, en vous inspirant de l'opinion de Mme de Sévigné (lettre du 22 mai 1674) : « Connaissez-vous quelqu'un qui soit aussi bon courtisan que le renard ? » Et aussi de celle de Taine (*La Fontaine et ses fables*, p. 95-96) qui déclare : « L'enthousiasme outré paraît hypocrite et offense. »

② Dans quelle mesure cette moralité paraît-elle inspirée par les mœurs du temps ? (Saint-Simon raconte que l'abbé de Polignac se promenant à Marly avec le Roi, par un mauvais temps, disait que la pluie de Marly ne mouillait pas. Cela parut si fade qu'il déplut au Roi lui-même. Mme de Sévigné raconte comment le courtisan Saint-Aignan divertit le Roi en louant un sonnet qu'il avait trouvé d'abord mauvais — quand il sut que le sonnet était de Louis XIV. Citez d'autres fables de La Fontaine où la flatterie est raillée.

● **Le caractère du lion —** C'est le personnage qui conduit le récit : la convocation; le palais; la colère contre l'ours, puis le singe; la question directe au renard...

③ Montrez quelles nuances de style mettent en relief les différents aspects de son caractère.

● **Le rythme**

④ Analysez les vers 26 et 27.

8 *Les Vautours et les Pigeons*

1 MARS autrefois mit tout l'air en émute[1].
Certain sujet fit naître la dispute
Chez les oiseaux, non ceux que le Printemps
Mène à sa cour, et qui, sous la feuillée,
5 Par leur exemple et leurs sons éclatants,
Font que Vénus est en nous réveillée ;
Ni ceux encor que la mère d'Amour
Met à son char[2]; mais le peuple Vautour[3],
Au bec retors [4], à la tranchante serre,
10 Pour un chien mort se fit, dit-on, la guerre.
Il plut du sang ; je n'exagère point.
Si je voulais conter de point en point
Tout le détail, je manquerais d'haleine.
Maint chef périt, maint héros expira ;
15 Et sur son roc Prométhée[5] espéra
De[6] voir bientôt une fin à sa peine.
C'était plaisir d'observer leurs efforts ;
C'était pitié de voir tomber les morts.
Valeur, adresse, et ruses, et surprises,
20 Tout s'employa. Les deux troupes, éprises[7]
D'ardent courroux, n'épargnaient nuls moyens
De peupler l'air que respirent les ombres :
Tout élément[8] remplit de citoyens[9]
Le vaste enclos qu'ont[10] les royaumes sombres.
25 Cette fureur mit la compassion
Dans les esprits d'une autre nation
Au col changeant, au cœur tendre et fidèle.
Elle employa sa médiation
Pour accorder une telle querelle.

Source. ABSTEMIUS (fable 96), **les Vautours ennemis réconciliés par les Colombes** (Nevelet, p. 574). Le sens général du récit et celui de la moralité sont les mêmes que chez La Fontaine.

1. Émeute : *ému* vient de la suppression de l'hiatus dans *émeu*. — 2. Les oiseaux du *char* de *Vénus* sont les colombes. — 3. Nom employé comme adjectif. — 4. « Qui est en forme de crochet » (Littré). Participe passé de *retordre*, devenu adjectif. — 5. Il était attaché sur un rocher du Caucase. Son foie était sans cesse rongé par un vautour. — 6. Construction indirecte du verbe *espérer*. — 7. Enflammées; *épris :* « agité d'une violente passion » (*Dict.* de Furetière, 1690). — 8. Il y a une partie des Enfers réservée à chaque *élément* (le ciel, la terre, l'eau). — 9. *Citoyen :* « Bourgeois, habitant d'une cité » (*Dict. de l'Acad.*, 1694). — 10. Que comprennent.

30 Ambassadeurs par le peuple pigeon
Furent choisis, et si bien travaillèrent,
Que les Vautours plus ne se chamaillèrent[11].
Ils firent trêve[12] ; et la paix s'ensuivit.
Hélas ! ce fut aux dépens de la race
35 A qui la leur aurait dû rendre grâce.
La gent[13] maudite aussitôt poursuivit
Tous les Pigeons, en fit ample carnage,
En dépeupla les bourgades, les champs.
Peu de prudence eurent les pauvres gens,
40 D'accommoder[14] un peuple si sauvage.
Tenez toujours divisés les méchants :
La sûreté du reste de la terre
Dépend de là. Semez entre eux la guerre,
Ou vous n'aurez avec eux nulle paix.
45 Ceci soit dit en passant. Je me tais.

11. « Verbe neutre. Se battre, se frapper les uns les autres à coups d'épée, de pique, de bâton, etc. On le fait quelquefois actif en y joignant le pronom personnel » (*Acad.*, 1694). Le verbe n'a alors rien de familier. — 12. L'absence de l'article crée une locution verbale indissociable. — 13. Race, nation. Ce mot est « un peu vieux et a meilleure grâce dans le burlesque que dans le beau style » (*Dict.* de Richelet, 1680). — 14. Réconcilier.

Gravure du Nevelet, 1610

9 *Le Coche et la Mouche*[1]

1 DANS un chemin montant, sablonneux, malaisé,
Et de tous les côtés au soleil exposé,
Six forts chevaux tiraient un coche[2].
Femmes, moine[3], vieillards, tout était descendu ;
5 L'attelage suait, soufflait, était rendu[4].
Une Mouche survient, et des chevaux s'approche,
Prétend[5] les animer par son bourdonnement,
Pique l'un, pique l'autre, et pense à tout moment
Qu'elle fait aller la machine[6],
10 S'assied sur le timon[7], sur le nez du cocher.
Aussitôt que le char chemine[8],
Et qu'elle voit les gens marcher,
Elle s'en attribue uniquement la gloire,
Va, vient, fait l'empressée : il semble que ce soit
15 Un sergent de bataille[9] allant en chaque endroit
Faire avancer ses gens et hâter la victoire.
La Mouche, en ce commun besoin,
Se plaint qu'elle agit seule, et qu'elle a tout le soin[10] ;
Qu'aucun n'aide[11] aux chevaux à se tirer d'affaire.
20 Le moine disait son bréviaire :
Il prenait[12] bien son temps[13] ! Une femme chantait :
C'était bien de chansons qu'alors il s'agissait !
Dame[14] Mouche s'en va chanter à leurs oreilles,
Et fait cent sottises pareilles[15].
25 Après bien du travail, le Coche arrive au haut.
« Respirons maintenant, dit la Mouche aussitôt :
J'ai tant fait que nos gens sont enfin dans la plaine[16].
Çà, Messieurs les Chevaux, payez-moi de ma peine. »

---

1. Fable publiée en 1671 dans le recueil *Fables nouvelles et autres poésies*. — 2. « Voiture posée sur quatre roues, qui est en forme de carrosse, à la réserve qu'il est plus grand et qu'il n'est point suspendu. On s'en sert pour aller de ville en ville » (*Dict.* de Furetière, 1690). — 3. Var (1688) : « moines »; mais le vers 20 montre qu'il n'y a qu'un moine. — 4. Était épuisé. — 5. *Prétendre :* « Avoir intention, avoir dessein » (*Dict. de l'Acad.*, 1694). — 6. « Se dit aussi des choses pesantes et difficiles à mouvoir » (Furetière). — 7. Reprise de l'amusante notation latine : *Musca in temone sedit* (Phèdre, v. 1). — 8. Marque une marche lente et régulière, parfois pénible (voir I, 4, v. 1). — 9. « C'est un officier considérable qui, dans un jour de combat, reçoit en général le plan de la forme qu'il veut donner à son armée » (*Dict.* de Richelet, 1680). — 10. Effort, tracas. — 11. Noter la construction transitive indirecte du verbe. — 12. Style indirect libre; voir VII, 3, v. 16. — 13. *Prendre son temps :* « Épier l'occasion et ne pas la manquer » (Richelet). — 14. Voir I, 7 : « *Dame* baleine... » — 15. Du même genre. — 16. Sur terrain plat.

Ainsi certaines gens, faisant les empressés,
30 S'introduisent dans les affaires.
Ils font partout les nécessaires,
Et, partout importuns, devraient être chassés.

① **Fable 9.** Commentez ce jugement de Taine (*La Fontaine et ses fables*, p. 244-245) : « La Fontaine ne décrit pas seulement les mouvements de l'âme. Il sent que l'imagination de l'homme est toute corporelle; que, pour comprendre le déploiement des sentiments, il faut suivre la diversité des gestes et des attitudes, que nous ne voyons l'esprit qu'à travers le corps. Pour sentir l'importunité de la mouche, il faut être importuné de ses allées, de ses venues, de ses piqûres, de son bourdonnement [...]. La critique est en action et le ridicule palpable, parce que la sottise tombe du moral dans le physique et que l'impertinence des pensées et des sentiments devient l'impertinence des gestes et des mouvements. »

10 *La Laitière et le Pot au lait*

1 PERRETTE, sur sa tête ayant un pot au lait
Bien posé sur un coussinet,
Prétendait[1] arriver sans encombre à la ville.
Légère et court[2] vêtue, elle allait à grands pas,
5 Ayant mis ce jour-là, pour être plus agile,
Cotillon[3] simple et souliers plats.
Notre laitière ainsi troussée[4]
Comptait déjà dans sa pensée
Tout le prix de son lait, en employait l'argent;
10 Achetait un cent d'œufs, faisait triple couvée[5],
La chose allait à bien par son soin diligent[6].
« Il m'est, disait-elle, facile
D'élever des poulets autour de ma maison;
Le renard sera bien habile

1. Espérait. — 2. Adverbe. — 3. « Petite jupe ou cotte de dessous. On le dit particulièrement de celle des enfants, des paysannes, ou des petites gens » (*Dict.* de Furetière, 1690). La cotte est définie « la partie du vêtement des femmes qui s'attache à la ceinture et qui descend jusqu'en bas ». Les adjectifs *simple* et *plats* (sans talons) soulignent la modestie de la tenue. — 4. *Ainsi* arrangée, avec une idée de familiarité élégante. — 5. Il faut sans doute comprendre : faisait couver trois poules à la fois. — 6. *Diligence :* application méticuleuse.

15 S'il ne m'en laisse assez pour avoir un cochon.
Le porc à s'engraisser[7] coûtera peu de son ;
Il était, quand je l'eus, de grosseur raisonnable ;
J'aurai, le revendant[8], de l'argent bel et bon.
Et qui m'empêchera de mettre en notre étable,
20 Vu le prix dont il[9] est, une vache et son veau,
Que je verrai sauter au milieu du troupeau ? »
Perrette là-dessus saute aussi, transportée :
Le lait tombe ; adieu veau, vache, cochon, couvée.
La dame[10] de ces biens, quittant d'un œil marri[11]
25 Sa fortune ainsi répandue,
Va s'excuser à[12] son mari,
En grand danger d'être battue.
Le récit en farce[13] en fut fait ;
On l'appela *le Pot au lait.*
30 Quel esprit ne bat la campagne[14] ?
Qui ne fait châteaux en Espagne ?
Picrochole, Pyrrhus[15], la Laitière, enfin tous,
Autant les sages que les fous.
Chacun songe en veillant[16] ; il n'est rien de plus doux ;
35 Une flatteuse erreur[17] emporte alors nos âmes :
Tout le bien du monde est à nous,
Tous les honneurs, toutes les femmes.
Quand je suis seul, je fais au plus brave un défi ;
Je m'écarte[18], je vais détrôner le Sophi[19] ;
40 On m'élit roi, mon peuple m'aime ;
Les diadèmes vont sur ma tête pleuvant[20] :
Quelque accident fait-il que je rentre en moi-même,
Je suis Gros-Jean comme devant[21].

---

7. Pour *s'engraisser.* — 8. En *le revendant.* — 9. *Il* représente *le porc.* — 10. Maîtresse (nuance ironique). — 11. Repentant, fâché. — 12. Auprès de. — 13. Comédie populaire (peut-être simple tradition verbale). — 14. *Battre la campagne :* errer sans but précis, divaguer. — 15. Voir Rabelais *(Gargantua)*, Boileau *(Satire I)*; types d'ambition démesurée (le second est historique). — 16. Antithèse expressive; chacun rêve tout éveillé. — 17. « Méprise, vision » (*Dict.* de Richelet, 1680); *une flatteuse erreur :* une illusion qui nous séduit. — 18. Je m'égare. — 19. Le Schah de Perse. — 20. Le verbe (*aller* avec le participe) marque le caractère progressif de l'action. — 21. Auparavant.

Sources des deux fables jumelles. La méditation finale de la fable **le Curé et le Mort** unit les deux récits. Leur composition est parallèle. Il semble que **le Curé et le Mort** ait été composé très peu avant **la Laitière et le Pot au lait** (Mme de Sévigné en parle dans une lettre du 9 mars 1672, et l'édition originale ne parle que de la « farce du pot au lait » qu'évoquait déjà **RABELAIS** dans le chapitre 33 de **Gargantua**). L'origine de **la Laitière et le Pot au lait** est sans doute dans une nouvelle de **BONAVENTURE DES PÉRIERS : Comparaison des alquemistes à la bonne femme qui portait une potée**

de lait au marché. La comparaison avec les alchimistes n'a pas été reprise par La Fontaine, mais l'aventure de la bonne femme est celle de Perrette, depuis les deux liards qu'elle espère de sa potée de lait, jusqu'à la ruade de son poulain. « La bonne femme [...] se prit à faire la ruade que ferait son poulain, et en ce faisant, sa potée de lait va tomber et se répandit toute. » En revanche, c'est l'actualité qui a fourni au poète le sujet de l'autre fable : « Monsieur de Boufflers a tué un homme après sa mort. Il était dans sa bière et en carrosse; on le menait à une lieue de Boufflers pour l'enterrer; son curé était avec le corps. On verse; la bière coupe le cou au pauvre curé » (Lettre de Mme de Sévigné, 26 février 1672).

● **L'imagination** — Les deux fables font le procès de l'imagination. Trois personnages : Perrette, le curé, La Fontaine.

PERRETTE — Le rêve est à sa mesure. Détails simples et familiers : connaissance des choses de la campagne. Idéal de paysanne, en harmonie avec la silhouette de Perrette. Rêve sympathique au poète, qui pardonne et se sent complice. Un sourire.

LE CURÉ — Le rêve se joue sur un cercueil. Détails aussi simples et familiers, mais la circonstance les rend joyeusement féroces. Aucune sympathie pour Jean Chouart. Un ricanement.

LA FONTAINE — Rêve de poète, qui dépasse le réel. La Fontaine s'enchante de son imagination, où il reconnaît son génie, même en le raillant. « D'un conte qui tendait à ridiculiser les chimères il tire avec une hardiesse imprévue l'éloge des rêves qui consolent de la vie » (Pierre Clarac, *La Fontaine*, p. 119).

● **Philosophie de la vie**

① Montrez la portée de la méditation finale. Quel changement de ton la souligne?

● **Le rythme et le style**

② Étudiez la versification des deux fables. Montrez comment l'impression générale qui se dégage du rythme de chacune d'elles est en accord avec l'intention du poète : légèreté dans le premier cas, cruauté dans le second.

③ Comment se traduit le mouvement de l'imagination dans les vers 9-23 (VII, 10) et dans les vers 21-30 (VII, 11)?

④ Commentez ce jugement de Georges Couton (*La Politique de La Fontaine*, p. 21-22) : « Le portrait du curé s'anime de telle façon que je ne sais s'il existe meilleur La Fontaine. La superposition des rythmes suffit à lui donner la vie : les psalmodies d'un *De profondis* luttent mal contre les fredons envahissants d'une chanson alerte, orgue contre accordéon. Ajoutez la superposition des mots et la surimpression des images, une liturgie funéraire avec sa composition, et par ailleurs un bruit de gros sous, une feuillette de vin et du meilleur, une nièce jeunette, une chambrière d'âge non canonique, des cotillons... »

11 *Le Curé et le Mort*

1 UN mort s'en allait tristement
S'emparer de[1] son dernier gîte ;
Un Curé s'en allait gaiement
Enterrer ce mort au plus vite.
5 Notre défunt était en carrosse porté,
Bien et dûment[2] empaqueté[3],
Et vêtu d'une robe, hélas ! qu'on nomme bière,
Robe d'hiver, robe d'été,
Que les morts ne dépouillent guère.
10 Le Pasteur était à côté,
Et récitait, à l'ordinaire[4],
Maintes dévotes oraisons,
Et des psaumes et des leçons,
Et des versets et des répons[5] :
15 « Monsieur le Mort, laissez-nous faire,
On vous en donnera de toutes les façons ;
Il ne s'agit que du[6] salaire. »
Messire[7] Jean Chouart[8] couvait des yeux son mort
Comme si l'on eût dû lui ravir ce trésor,
20 Et des regards semblait lui dire :
« Monsieur le Mort, j'aurai de vous
Tant en argent, et tant en cire[9],
Et tant en autres menus coûts[10]. »
Il fondait là-dessus l'achat d'une feuillette[11]
25 Du meilleur vin des environs ;
Certaine nièce assez propette[12]
Et sa chambrière[13] Pâquette
Devaient avoir des cotillons.
Sur cette agréable pensée,
30 Un heurt[14] survient : adieu le char.

1. Occuper (nuance ironique). — 2. « Comme il est *dû* » (Littré). — 3. Enveloppé dans son suaire, comme un *paquet*. — 4. « Suivant la manière accoutumée » (*Dict. de l'Acad.*, 1694). — 5. Les *psaumes* sont les chants liturgiques (de la pénitence). Les *versets* sont dits par l'officiant (leçons) ou chantés par l'assistance *(répons)*. — 6. Il n'est question que de. — 7. « Titre ou qualité que prennent les nobles et les personnes de qualité » (*Dict.* de Furetière, 1690). Ici, le titre est donné plaisamment au curé. — 8. Nom emprunté à Rabelais. — 9. Les cierges de l'enterrement : ils font partie du bénéfice du curé. — 10. Menues dépenses. — 11. Barrique. — 12. Élégante ; « ce mot [on disait aussi *proprette*] se dit des personnes et signifie qui a une propreté étudiée » (*Dict.* de Richelet, 1680). — 13. « Servante de personnes de petite condition » (*Acad.*, 1694). — 14. Un choc : le char se brise.

Voilà Messire Jean Chouart
Qui du choc de son mort a la tête cassée :
Le paroissien en plomb[15] entraîne son pasteur ;
Notre curé suit son seigneur ;
35 Tous deux s'en vont de compagnie.

Proprement[16] toute notre vie
Est le curé Chouart, qui sur son mort comptait,
Et la fable du *Pot au lait.*

15. Dans le plomb de son cercueil; « *plomb* se dit proverbialement en ces phrases : *Cet homme est en plomb* pour dire qu'il est mort » (Furetière). — 16. Exactement.

12 *L'Homme qui court après la Fortune, et l'Homme qui l'attend dans son lit*

1 QUI ne court après la Fortune ?
Je voudrais être en lieu d'où je pusse aisément
Contempler la foule importune
De ceux qui cherchent vainement
5 Cette fille du Sort de royaume en royaume,
Fidèles courtisans d'un volage fantôme[1].
Quand ils sont près du bon moment,
L'inconstante aussitôt à leurs désirs échappe ;
Pauvres gens ! Je les plains, car on a pour les fous
10 Plus de pitié que de courroux.
« Cet homme, disent-ils, était planteur de choux,
Et le voilà devenu pape[2] :
Ne le valons-nous pas ? » Vous valez cent fois mieux ;
Mais que[3] vous sert votre mérite ?
15 La Fortune a-t-elle des yeux ?
Et puis la papauté vaut-elle ce qu'on quitte,
Le repos, le repos, trésor si précieux
Qu'on en faisait jadis le partage des dieux[4] ?

1. Être fictif. — 2. Simple boutade du poète; le *pape* Innocent XI n'était pas planteur de choux, mais d'autres avaient été fils de pêcheur, de berger, de savetier. — 3. A quoi. — 4. Selon la doctrine épicurienne.

Rarement la Fortune à ses hôtes[5] le laisse.
20 Ne cherchez point cette déesse,
Elle vous cherchera : son sexe en use[6] ainsi.
Certain couple d'amis, en un bourg établi,
Possédait quelque bien. L'un soupirait sans cesse
Pour la Fortune ; il dit à l'autre un jour :
25 « Si nous quittions notre séjour[7] ?
Vous savez que nul n'est prophète
En son pays, cherchons notre aventure[8] ailleurs.
— Cherchez, dit l'autre ami ; pour moi je ne souhaite
Ni climats[9] ni destins meilleurs.
30 Contentez-vous[10] ; suivez votre humeur inquiète[11] :
Vous reviendrez bientôt. Je fais vœu cependant
De dormir en vous attendant. »
L'ambitieux, ou, si l'on veut, l'avare[12]
S'en va par voie et par chemin.
35 Il arriva le lendemain
En un lieu que devait la déesse bizarre[13]
Fréquenter sur[14] tout autre ; et ce lieu, c'est la cour.
Là donc pour quelque temps il fixe son séjour,
Se trouvant au coucher, au lever[15], à ces heures
40 Que l'on sait être les meilleures ;
Bref, se trouvant à tout, et n'arrivant à rien.
« Qu'est ceci ? se dit-il. Cherchons ailleurs du bien.
La Fortune pourtant habite ces demeures ;
Je la vois tous les jours entrer chez celui-ci,
45 Chez celui-là. D'où vient qu'aussi[16]
Je ne puis héberger cette capricieuse ?
On me l'avait bien dit, que des gens de ce lieu
L'on n'aime pas toujours l'humeur[17] ambitieuse.
Adieu, Messieurs de cour ; Messieurs de cour, adieu.
50 Suivez[18] jusques au bout une ombre qui vous flatte[19].
La Fortune a, dit-on, des temples à Surate[20] ;

5. A ceux chez lesquels elle habite. — 6. Se comporte. — 7. Le lieu que nous habitons. — 8. « Accident, ce qui arrive inopinément » (*Dict. de l'Acad.*, 1694); ici, en bien. — 9. « Pays, contrée » (*Dict.* de Richelet, 1680). — 10. Satisfaites vos désirs. — 11. Votre caractère inconstant; *inquiet* « se dit aussi d'un homme inconstant, qui ne peut demeurer en place » (*Dict.* de Furetière, 1690). — 12. Du latin *avarus :* cupide, plein de convoitise. — 13. *Bizarre :* « fantasque, bourru, capricieux, fâcheux, importun, désagréable » (Richelet). — 14. Plus que. — 15. *Au coucher, au lever...* du roi. — 16. *Aussi* bien qu'eux. — 17. Le caractère. — 18. Poursuivez. — 19. Vous abuse par un espoir fallacieux. — 20. Comptoir des Indes, fondé par Colbert en 1669; débouché commercial très important.

Allons là. » Ce fut un[21] de dire et s'embarquer.
Ames de bronze, humains, celui-là fut sans doute[22]
Armé de diamant, qui tenta cette route,
55 Et le premier osa l'abîme défier[23].
Celui-ci, pendant son voyage,
Tourna les yeux vers son village
Plus d'une fois, essuyant les dangers
Des pirates, des vents, du calme[24] et des rochers,
60 Ministres de la Mort. Avec beaucoup de peines
On s'en va la chercher en des rives lointaines,
La trouvant[25] assez tôt sans quitter la maison.
L'homme arrive au Mogol ; on lui dit qu'au Japon
La Fortune pour lors distribuait ses grâces :
65 Il y court. Les mers étaient lasses
De le porter ; et tout le fruit
Qu'il tira de ses longs voyages,
Ce fut cette leçon que donnent les sauvages :
« Demeure en ton pays, par la nature instruit. »
70 Le Japon ne fut pas plus heureux à cet homme
Que le Mogol l'avait[26] été ;
Ce qui lui fit conclure en somme
Qu'il avait à grand tort son village quitté.
Il renonce aux courses ingrates,
75 Revient en son pays, voit de loin ses pénates,
Pleure de joie, et dit : « Heureux qui vit chez soi,
De régler ses désirs faisant tout son emploi[27] !
Il ne sait que par ouïr[28] dire
Ce que c'est que la cour, la mer, et ton empire,
80 Fortune, qui nous fais passer devant les yeux
Des dignités, des biens, que jusqu'au bout du monde
On suit, sans que l'effet aux promesses réponde.
Désormais je ne bouge[29], et ferai cent fois mieux. »
En raisonnant de cette sorte,
85 Et contre la Fortune ayant pris ce conseil[30],
Il la trouve assise à la porte
De son ami, plongé dans un profond sommeil.

---

21. *Ce fut* une seule chose. — 22. *Sans* aucun *doute*. — 23. Se souvenir des vers fameux d'Horace (*Odes*, I, 3, v. 9-12). — 24. Absence de vent qui immobilise le navire. — 25. *La trouvant :* elle qu'on trouve pourtant. — 26. *Que le Mogol* ne *l'avait été :* omission de la négation. — 27. Son occupation. — 28. Par ouï dire. — 29. Omission de *pas*, ou *point*, assez fréquente au XVIIe s. — 30. Cette « résolution » (Furetière).

Gravure du Nevelet 1610

13 *Les Deux Coqs*

1 DEUX Coqs vivaient en paix : une poule survint,
Et voilà la guerre allumée.
Amour, tu perdis Troie[1] ; et c'est de toi que vint
Cette querelle envenimée
5 Où du sang des dieux même on vit le Xanthe[2] teint.
Longtemps entre nos Coqs le combat se maintint[3].
Le bruit s'en répandit par tout le voisinage.
La gent[4] qui porte crête au spectacle accourut;
Plus d'une Hélène au beau plumage[5]
10 Fut le prix[6] du vainqueur ; le vaincu disparut.
Il alla se cacher au fond de sa retraite[7],
Pleura sa gloire et ses amours,
Ses amours qu'un rival, tout fier de sa défaite,
Possédait à ses yeux. Il voyait tous les jours
15 Cet objet[8] rallumer sa haine et son courage;
Il aiguisait son bec, battait l'air et ses flancs,
Et, s'exerçant contre les vents,
S'armait d'une jalouse rage.

---

1. L'enlèvement d'Hélène par Pâris fut la cause de la guerre de Troie. — 2. Fleuve de la plaine de Troie. Mars et Vénus furent blessés par Diomède (*Iliade*, ch. V, v. 30). — 3. Demeura indécis. — 4. Nation; voir la fable VII, 8, note 13. — 5. Épithète homérique; cf. « Andromaque aux bras blancs ». — 6. La récompense. — 7. Dans *les Géorgiques* de Virgile (VII, v. 224-232), le taureau vaincu s'exile ainsi, en préparant sa revanche. — 8. Ce spectacle, « ce qui est opposé à notre vue » (*Dict.* de Furetière, 1690).

Il n'en eut pas besoin. Son vainqueur sur les toits
20 S'alla[9] percher, et chanter sa victoire.
Un vautour entendit sa voix :
Adieu les amours et la gloire ;
Tout cet orgueil périt sous l'ongle du vautour.
Enfin, par un fatal[10] retour,
25 Son rival autour de la poule
S'en revint faire le coquet[11] :
Je laisse à penser quel caquet,
Car il eut des femmes en foule.
La Fortune se plaît à faire de ces coups :
30 Tout vainqueur insolent à sa perte travaille.
Défions-nous du sort, et prenons garde à nous
Après le gain d'une bataille[12].

9. Alla se percher. — 10. Inévitable; « qui doit arriver nécessairement » (Furetière). — 11. Le galant; jeu de mots sur l'étymologie : petit *coq*. — 12. Conseil à prendre d'une manière très générale. Les explications par la défaite de Créqui à Consarbruck (1675) ou, au contraire, par les victoires de Louis XIV sont très douteuses.

Fable 13 : source. **ÉSOPE**, **les Coqs et l'Aigle** (Nevelet, p. 207), fable plusieurs fois imitée (**APHTONIUS**, exhortation à la modération dans le succès, sans revanche du vaincu; **HAUDENT**; un quatrain de **BENSSERADE...**). Une fable d'**ABSTEMIUS** est intéressante par sa moralité différente : « la jalousie sage » du vaincu lui permet de prendre sa revanche sans qu'il soit besoin du vautour.

● **Le burlesque** repose sur un contraste entre la vulgarité du sujet et l'emphase de l'expression.

① Expliquez les termes qui marquent ce contraste.

② Relevez le même procédé dans d'autres fables de La Fontaine.

③ Chamfort estime que La Fontaine aurait dû arrêter sa fable au vers 23. Êtes-vous de cet avis?

14 *L'Ingratitude et l'Injustice des hommes envers la Fortune*

1 UN trafiquant sur mer, par bonheur[1], s'enrichit.
Il triompha des vents pendant plus d'un voyage ;

Source. ABSTEMIUS (fable 199), **l'Homme qui disait qu'il était la cause de son bonheur et que la fortune était la cause de son malheur** (Nevelet, p. 617). La Fontaine a respecté le sens de l'apologue, et le développement du récit, mais en supprimant l'apparition de la Fortune.

1. Par l'intervention de la Fortune.

Gouffre, banc[2], ni[3] rocher, n'exigea de péage[4]
D'aucun de ses ballots ; le sort l'en affranchit.
5 Sur tous ses compagnons Atropos[5] et Neptune
Recueillirent leur droit, tandis que la Fortune
Prenait soin d'amener son marchand[6] à bon port.
Facteurs[7], associés, chacun lui fut fidèle.
Il vendit son tabac, son sucre, sa canèle[8],
10 Ce qu'il voulut[9], sa porcelaine[10] encor.
Le luxe et la folie[11] enflèrent son trésor ;
Bref, il plut dans son escarcelle[12].
On ne parlait chez lui que par doubles ducats[13] ;
Et mon homme d'avoir chiens, chevaux et carrosses.
15 Ses jours de jeûne étaient des noces[14].
Un sien ami, voyant ces somptueux repas,
Lui dit : « Et d'où vient donc un si bon ordinaire ?
— Et d'où me viendrait-il que[15] de mon savoir-faire ?
Je n'en dois rien qu'à moi, qu'à mes soins[16], qu'au talent
20 De risquer à propos, et bien placer l'argent. »
Le profit lui semblant une fort douce chose,
Il risqua de nouveau le gain qu'il avait fait ;
Mais rien, pour cette fois, ne lui vint à souhait[17].
Son imprudence en fut la cause :
25 Un vaisseau mal frété[18] périt au premier vent ;
Un autre, mal pourvu des armes nécessaires,
Fut enlevé par les corsaires ;
Un troisième au port arrivant,
Rien n'eut cours[19] ni débit. Le luxe et la folie
30 N'étaient plus tels qu'auparavant.
Enfin ses facteurs le trompant,
Et lui-même ayant fait grand fracas[20], chère lie[21],
Mis[22] beaucoup en plaisirs, en bâtiments beaucoup,
Il devint pauvre tout d'un coup.

---

2. *Banc* de sable. — 3. *Ni* est exprimé une seule fois : cas assez fréquent. — 4. Redevance : ici, perte par accident, redevance due à la fortune. — 5. La Parque qui coupait le fil de la vie. — 6. *Son* cher *marchand*. — 7. *Facteur :* « Commissionnaire de marchand, celui qui achète pour d'autres marchands des marchandises ou les revend en son nom » (*Dict.* de Furetière, 1690). — 8. *Cannelle :* « drogue aromatique qui vient de Ceylan » (Furetière). — 9. Le prix *qu'il voulut*. — 10. « Espèce de poterie fine et précieuse qui vient de la Chine » (Furetière). — 11. *Le luxe et la folie*... de ses clients. — 12. Grande bourse portée à la ceinture. — 13. Monnaie d'or, d'origine espagnole, valant environ le *double* du ducat d'argent. — 14. De grands repas. — 15. Sinon. — 16. Efforts. — 17. Selon ses désirs. — 18. Mal équipé. — 19. Succès; « se dit encore des choses qui sont en vogue » (*Dict. de l'Acad.*, 1694). — 20. Grand bruit dans le monde. — 21. Vie joyeuse. — 22. Dépensé.

35 Son ami, le voyant en mauvais équipage[23],
Lui dit : « D'où vient cela ? — De la Fortune, hélas !
— Consolez-vous, dit l'autre ; et s'il ne lui plaît pas
Que vous soyez heureux, tout au moins soyez sage[24]. »

Je ne sais s'il crut ce conseil ;
40 Mais je sais que chacun impute, en cas pareil,
Son bonheur à son industrie[25] ;
Et si de quelque échec notre faute est suivie,
Nous disons injures au sort.
Chose n'est [26] ici plus commune :
45 Le bien, nous le faisons ; le mal, c'est la Fortune ;
On a toujours raison, le destin toujours tort.

23. « En mauvais état pour ses affaires » (*Acad.*, 1694). — 24. Sensé. — 25. « Adresse de faire... quelque travail » (Furetière). — 26. Rien *n'est*.

● L'actualité dans la fable 14

① Quels détails précis témoignent de la curiosité de La Fontaine et de la sûreté de son information (les récits de Bernier)?

② N'y a-t-il pas des rapprochements à faire avec la fable 12? En particulier, quelles remarques nous inclinent à penser que les deux amis sont, dans l'imagination de La Fontaine, les mêmes dans l'une et l'autre fable?

● L'actualité dans la fable 15 — L'affaire des poisons (le procès de la Brinvilliers en 1676) et bientôt celle de la Voisin secouent l'opinion. De hauts personnages (Mme de Montespan, le duc de Luxembourg, la duchesse de Bouillon) seront mis en cause. Le nom de Racine sera prononcé. Diseuses de bonne aventure, vendeuses de « poudres de succession » (vers 11), sorcières (vers 39-40) constituaient un monde inquiétant : « Ne vous paraît-il pas de loin que nous ne respirons tous ici que du poison, que nous sommes dans les sacrilèges et les avortements? En vérité, cela fait horreur à toute l'Europe... » (Mme de Sévigné, 29 janvier 1680).

15 *Les Devineresses*

1 C'EST souvent du hasard que naît l'opinion,
Et c'est l'opinion qui fait toujours la vogue.

Je pourrais fonder ce prologue
Sur gens de tous états[1] : tout est prévention,
5 Cabale, entêtement[2] ; point ou peu de justice :
C'est un torrent ; qu'y faire ? Il faut qu'il ait son cours :
Cela fut et sera toujours.
Une femme, à Paris, faisait la pythonisse[3].
On l'allait consulter sur chaque événement :
10 Perdait-on un chiffon, avait-on un amant,
Un mari vivant trop, au gré de son épouse,
Une mère fâcheuse, une femme jalouse,
Chez la Devineuse on courait
Pour se faire annoncer ce que l'on désirait.
15 Son fait[4] consistait en adresse[5] ;
Quelques termes de l'art, beaucoup de hardiesse,
Du hasard quelquefois, tout cela concourait[6] :
Tout cela bien souvent faisait crier miracle.
Enfin, quoique ignorante à vingt et trois carats[7],
20 Elle passait pour un oracle.
L'oracle était logé dedans un galetas.
Là cette femme emplit sa bourse,
Et, sans avoir d'autre ressource,
Gagne de quoi donner un rang à son mari.
25 Elle achète un office[8], une maison aussi.
Voilà le galetas rempli
D'une nouvelle hôtesse, à qui toute la ville,
Femmes, filles, valets, gros[9] Messieurs, tout enfin,
Allait, comme autrefois, demander son destin :
30 Le galetas devint l'antre de la Sibylle[10].
L'autre femelle[11] avait achalandé[12] ce lieu.
Cette dernière femme eut beau faire, eut beau dire,
« Moi devine[13] ! on se moque. Eh ! Messieurs, sais-je lire ?
Je n'ai jamais appris que ma croix de par Dieu[14]. »

1. *État :* « situation sociale, condition, rang » (*Dict. de l'Acad.*, 1694). — 2. Engouement : « le mot n'a guère d'usage que pour signifier un grand attachement aux choses dont on est préoccupé » (*Acad.*, 1694). — 3. « Femme, sorcière et devineresse qui prédit les choses par la suggestion de l'esprit malin » (*Dict.* de Furetière, 1690). — 4. Sa conduite. — 5. Habileté. — 6. Concourir : « Agir conjointement... pour produire quelque chose » (*Dict.* de Furetière, 1690). — 7. L'or pur est de l'or à vingt-quatre carats. D'une manière figurée, à vingt-quatre carats signifie « au souverain degré » (*Acad.*, 1694); donc *à vingt-trois carats* signifie : presque complètement. — 8. *Office :* « charge, emploi » (*Acad.*, 1694). — 9. Importants. — 10. Virgile (*Énéide*, livre VI, v. 42 et suiv.) nous montre *la sibylle* de Cumes et nous fait entendre ses prophéties. — 11. « Ce mot se dit en burlesque et signifie fille ou femme » (*Dict.* de Richelet, 1680). — 12. *Achalander :* fournir de « chalands », donc de clients. — 13. Même sens que *devineuse* (v. 13). — 14. *Ma croix de par Dieu* « est une croix au-devant de l'alphabet du livre où l'on apprend aux enfants à connaître leurs lettres. On le dit aussi de l'alphabet même et du livre qui le contient » (Furetière).

35 Point de raison ; fallut[15] deviner et prédire,
Mettre à part force bons ducats,
Et gagner malgré soi plus que deux avocats.
Le meuble et l'équipage[16] aidaient fort à la chose :
Quatre sièges boiteux, un manche de balai ;
40 Tout sentait son sabbat et sa métamorphose[17].
Quand cette femme aurait dit vrai
Dans une chambre tapissée,
On s'en serait moqué : la vogue était passée
Au galetas ; il avait le crédit.
45 L'autre femme se morfondit[18].

L'enseigne fait la chalandise.
J'ai vu dans le Palais une robe mal mise[19]
Gagner gros : les gens l'avaient prise
Pour maître tel[20], qui traînait après soi
50 Force écoutants[21]. Demandez-moi pourquoi.

15. Il *fallut.* — 16. L'ensemble des objets. — 17. Le *sabbat* est « l'assemblée nocturne des sorciers le samedi... Les vieilles croient aller au sabbat sur un manche à balai » (Furetière). On croyait que les sorciers et les sorcières pouvaient se « métamorphoser » en animaux. — 18. Attendit en vain la *chalandise* (clientèle). — 19. Un avocat d'allure négligée. — 20. Maître un tel. — 21. « On appelle au palais des avocats *escoutants* ceux qui n'ont pas de pratique. qui ne plaident point » (Furetière).

16 *Le Chat, la Belette, et le Petit Lapin*[1]

1 Du palais d'un jeune Lapin
Dame[2] Belette, un beau matin,
S'empara : c'est une rusée.
Le maître étant absent, ce lui fut chose aisée.
5 Elle porta chez lui ses pénates[3], un jour
Qu'il était allé faire à l'Aurore sa cour
Parmi le thym et la rosée.
Après qu'il eut brouté, trotté, fait tous ses tours,
Janot Lapin retourne aux souterrains[4] séjours.
10 La Belette avait mis le nez à la fenêtre.
« O Dieux hospitaliers ! que vois-je ici paraître ?
Dit l'animal chassé du paternel logis.
O là, Madame la Belette,

1. Voir *Source*, p. 53. — 2. « Nom qui marque la seigneurie » (*Dict.* de Furetière, 1690). Ici emploi plaisant. — 3. Dieux domestiques. — 4. Construction expressive de l'adjectif avant le nom (cf. *paternel* au v. 12).

Que l'on déloge sans trompette[5],
15 Ou je vais avertir tous les rats[6] du pays. »
La dame au nez pointu répondit que la terre
Était au premier occupant[7].
« C'était un beau sujet de guerre
Qu'un logis où lui-même il n'entrait qu'en rampant !
20 Et quand ce serait un royaume,
Je voudrais bien savoir, dit-elle, quelle loi
En a pour toujours fait l'octroi[8]
A Jean, fils ou neveu de Pierre ou de Guillaume,
Plutôt qu'à Paul, plutôt qu'à moi. »
25 Jean Lapin allégua la coutume[9] et l'usage[10].
Ce sont, dit-il, leurs lois[11] qui m'ont de ce logis
Rendu maître et seigneur, et qui, de père en fils,
L'ont de Pierre à Simon, puis à moi Jean, transmis.
« Le premier occupant, est-ce une loi plus sage ?
30 — Or bien, sans crier davantage,
Rapportons-nous[12], dit-elle, à Raminagrobis[13]. »
C'était un Chat vivant comme un dévot ermite,
Un Chat faisant la chattemite[14],
Un saint homme de Chat, bien fourré[15] gros et gras,
35 Arbitre expert sur tous les cas.
Jean Lapin pour juge l'agrée.
Les voilà tous deux arrivés
Devant sa majesté fourrée.
Grippeminaud leur dit : « Mes enfants, approchez,
40 Approchez ; je suis sourd, les ans en sont la cause. »
L'un et l'autre approcha, ne craignant nulle chose.
Aussitôt qu'à portée il vit les contestants[16],
Grippeminaud, le bon apôtre[17],

5. « On dit qu'il faut déloger *sans trompette* quand on chasse quelqu'un, quand on l'oblige à s'enfuir avec précipitation » (Furetière). — 6. *Les rats* sont les ennemis des belettes : voir *le Combat des Rats et des Belettes* (IV, 6). — 7. « Les biens qui n'ont pas de maître sont, par nature, *au premier occupant* » (Furetière). — 8. *Octroi :* « concession de quelque grâce ou privilège, faite par le prince » (Furetière). — 9. Coutume : « ce qu'on pratique ordinairement en de certains pays » (*Dict. de l'Acad.*, 1694). — 10. La possession. — 11. « Commandements » (Furetière) : ceux de la *coutume* et de l'*usage*. — 12. Omission du pronom adverbial *en*. « S'en rapporter à : prendre pour arbitre » (*Dict.* de Richelet, 1680). — 13. *Raminagrobis :* « un vieux poète français », dans le *Tiers Livre* (chap. 21) de Rabelais. — 14. Littéralement : chatte douce; qui affecte une contenance douce, humble et flatteuse. — 15. Rabelais désigne les juges sous le nom de *chats-fourrés*, et l'archiduc des chats-fourrés s'appelle *Grippeminaud.* Mais ce nom était déjà dans Marot, et il avait pris le sens de « larron, fourbe, pipeur », selon Oudin (1642). — 16. Les plaideurs. — 17. *Bon apôtre :* « un bon compagnon ou un bon hypocrite » (*Acad.*, 1694). Ici, c'est le second sens (voir X, 3, v. 36).

Jetant des deux côtés la griffe en même temps,
45 Mit les plaideurs d'accord en croquant l'un et l'autre.

Ceci ressemble fort aux débats qu'ont parfois
Les petits souverains se rapportants aux rois.

Source. PILPAY, Du Chat et d'une Perdrix : « J'avais fait mon nid, dit le corbeau, sur un arbre auprès duquel il y avait une perdrix de belle taille et de belle humeur. Nous liâmes un commerce d'amitié et nous nous entretenions souvent ensemble. Elle s'absenta, je ne sais pour quel sujet, et demeura si longtemps sans paraître que je la croyais morte. Néanmoins elle revint, mais elle trouva sa maison occupée par un autre oiseau. Elle le voulut mettre dehors, mais il refusa d'en sortir, disant que l'occupation était juste. La perdrix de son côté prétendait rentrer dans son bien et tenait cette possession de nulle valeur. Je m'employai inutilement à les accorder. A la fin la perdrix dit : « Il y a ici près un chat très dévôt : il jeûne tous les jours, il ne fait de mal à personne et passe les nuits en prière : nous ne saurions trouver juge plus équitable. » L'autre oiseau y ayant consenti, ils allèrent tous deux trouver ce chat de bien. La curiosité de voir m'obligea de les suivre. En entrant, je vis un chat debout, très attentif à une longue prière, sans se tourner de côté ni d'autre, ce qui me fit souvenir de ce vieux proverbe : « Que la longue oraison devant le monde est la clef de l'enfer. » J'admirai cette hypocrisie et j'eus la patience d'attendre que ce vénérable personnage eût fini sa prière. Après cela, la perdrix et sa partie s'approchèrent de lui fort respectueusement et le supplièrent d'écouter leur différend et de les juger suivant sa justice ordinaire. Le chat, faisant le discret, écouta le plaidoyer de l'oiseau, puis s'adressant à la perdrix : « Belle fille, ma mie, lui dit-il, je suis vieux et n'entends pas de loin; approchez-vous et haussez votre voix afin que je ne perde pas un mot de tout ce que vous me direz. » La perdrix et l'autre oiseau s'approchèrent aussitôt avec confiance, le voyant si dévôt, mais il se jeta sur eux et les mangea l'un après l'autre. »

● **L'originalité de La Fontaine** — Dans la première partie de la fable (v. 1-31), La Fontaine a développé librement et étendu le récit de Pilpay.

① Dégagez cette originalité par une étude du cadre, des personnages, de la mise en scène et du dialogue.

② Étudiez l'esprit et le style : montrez, par une analyse du détail, comment le pittoresque s'allie heureusement à un effet de contraste entre la recherche du langage et l'humilité des personnages.

La deuxième partie de la fable, la plus étendue chez Pilpay, est la plus brève chez La Fontaine. Notre poète suggère, dès le début, ce que Pilpay explique.

③ Préférez-vous la manière de La Fontaine, et, si oui, pourquoi?

● **Le débat juridique**

④ « A propos de cette belette révolutionnaire, Taine a évoqué Rousseau. Il n'a pas tort » (Couton, *op. cit.*, p. 60). Comment peut-on soutenir cette opinion en analysant les arguments de la Belette?

● **La moralité**

⑤ Elle appartient à La Fontaine, et se situe dans le domaine de la politique. La portée de la fable se limite-t-elle à cette moralité?

17 *La Tête et la Queue du serpent*

1 Le serpent a deux parties
Du genre humain ennemies,
Tête et Queue[1] ; et toutes deux
Ont acquis un nom[2] fameux
5 Auprès des Parques cruelles ;
Si bien qu'autrefois entre elles
Il survint de grands débats
Pour le pas[3].
La Tête avait toujours marché devant la Queue.
10 La Queue au Ciel se plaignit,
Et lui dit :
« Je fais mainte et mainte lieue
Comme il plaît à celle-ci :
Croit-elle que toujours j'en veuille user[4] ainsi ?
15 Je suis son humble servante[5].
On m'a faite, Dieu merci,
Sa sœur, et non sa suivante.
Toutes deux[6] de même sang,
Traitez-nous de même sorte :
20 Aussi bien qu'elle je porte
Un poison prompt et puissant.
Enfin voilà ma requête :
C'est à vous de commander ;
Qu'on me laisse précéder
25 A mon tour ma sœur la Tête.
Je la conduirai si bien
Qu'on ne se plaindra de rien. »
Le Ciel eut pour ces vœux une bonté cruelle.
Souvent sa complaisance a de méchants[7] effets.
30 Il devrait être sourd aux aveugles souhaits.
Il ne le fut pas lors[8] ; et la guide[9] nouvelle,

1. *In cauda venenum*, disaient les Latins. On croyait que le venin du serpent se formait dans la queue, comme celui du scorpion. — 2. *Nom :* « réputation » (*Dict. de l'Acad.*, 1694). — 3. *Le pas* « se dit d'un certain point d'honneur qu'on observe pour la marche entre ceux qui ont quelque prééminence l'un sur l'autre » (*Dict.* de Furetière, 1690). — 4. « Agir » (*Acad.*, 1694). — 5. *Servante :* « on dit par ironie à quelqu'un, qu'on est son serviteur, pour dire qu'on se moque de lui, qu'on ne se soucie point de lui... » (*Acad.*, 1694). — 6. Vu que nous sommes *toutes deux*. — 7. *Méchant :* « mauvais, qui n'est pas bon, qui ne vaut rien dans son genre » (*Acad.*, 1694). — 8. Alors. — 9. « Ce mot signifiant chose qui guide ou qui conduit, est féminin » (*Dict.* de Richelet, 1680).

Qui ne voyait, au grand jour,
Pas plus clair que dans un four,
Donnait tantôt contre un marbre,
35 Contre un passant, contre un arbre.
Droit aux ondes du Styx elle mena sa sœur.

Malheureux les États tombés dans son erreur !

Fable 18 : source. ÉSOPE **la Tête et la Queue du serpent** (Nevelet, p. 299), fable utilisée par **PLUTARQUE** dans la **Vie d'Agis et de Cléomène.** La conclusion est politique (voir la traduction de Plutarque par Amyot : « Nous voyons le même être advenu à plusieurs qui, au gouvernement de la chose publique, ont voulu faire toutes choses au gré de la multitude. »).

① Commentez l'opinion suivante (Couton, *op. cit.*, p. 5) : « La moralité ne permet guère de douter des intentions de La Fontaine; elle invite manifestement à l'explication allégorique : un État, comme un être vivant, est un tout dans lequel chaque organe a son rôle ; on ne retire pas sans danger mortel à la tête, le roi, sa fonction de direction; le peuple n'est capable que de suivre, il doit suivre. »

18 *Un Animal dans la lune*

1 PENDANT qu'un philosophe assure
Que toujours par leurs sens les hommes sont dupés,
Un autre philosophe jure
Qu'ils ne nous ont jamais trompés.
5 Tous les deux ont raison ; et la philosophie
Dit vrai quand elle dit que les sens tromperont
Tant que sur leur rapport les hommes jugeront ;
Mais aussi, si l'on rectifie
L'image de l'objet sur[1] son éloignement,
10 Sur le milieu qui l'environne,
Sur l'organe et sur l'instrument,
Les sens ne tromperont personne.
La nature ordonna ces choses sagement :

Source. L'Éléphant dans la lune, poème burlesque de l'écrivain anglais **SAMUEL BUTLER** qui visait, semble-t-il, la Société royale de Londres, fondée en 1660 pour l'avancement de l'astronomie. Le poème était inédit. Mais les amis londoniens de La Fontaine durent le renseigner. L'anecdote elle-même est très douteuse.

1. D'après.

J'en dirai quelque jour les raisons amplement[2].
15 J'aperçois le soleil : quelle en est la figure[3] ?
Ici-bas ce grand corps n'a que trois pieds de tour ;
Mais si je le voyais là-haut dans son séjour,
Que serait-ce à mes yeux que l'œil de la Nature[4] ?
Sa distance me fait juger de sa grandeur ;
20 Sur l'angle et les côtés ma main la[5] détermine ;
L'ignorant le croit plat, j'épaissis sa rondeur ;
Je le rends immobile, et la terre chemine[6].
Bref, je démens mes yeux en toute sa machine[7].
Ce sens ne me nuit point par son illusion.
25 Mon âme, en toute occasion,
Développe[8] le vrai caché sous l'apparence.
Je ne suis point d'intelligence
Avecque mes regards, peut-être un peu trop prompts,
Ni mon oreille, lente à m'apporter les sons.
30 Quand l'eau courbe un bâton, ma raison le redresse :
La raison décide en maîtresse.
Mes yeux, moyennant ce secours,
Ne me trompent jamais, en me mentant toujours.
Si je crois leur rapport, erreur assez commune,
35 Une tête de femme est au corps[9] de la lune.
Y peut-elle être ? Non. D'où vient donc cet objet[10] ?
Quelques lieux inégaux font de loin cet effet.
La lune nulle part n'a sa surface unie :
Montueuse en des lieux[11], en d'autres aplanie,
40 L'ombre avec la lumière y peut tracer souvent
Un homme, un bœuf, un éléphant.
Naguère l'Angleterre y vit chose pareille.
La lunette placée, un animal nouveau[12]
Parut[13] dans cet astre si beau ;
45 Et chacun de crier merveille :
Il était arrivé là-haut un changement
Qui présageait sans doute un grand événement.
Savait-on si la guerre[14] entre tant de puissances

---

2. La Fontaine n'a pas poursuivi ce projet. — 3. « Forme extérieure d'une chose matérielle » (*Dict. de l'Acad.*, 1694). — 4. Que serait le soleil, si je le voyais de près ? — 5. *La :* sa grandeur; il s'agit là d'une opération trigonométrique dont Bernier avait parlé au poète. — 6. Fait régulièrement son *chemin.* — 7. *Machine :* ensemble de parties dont l'agencement concourt à un effet. — 8. *Développer :* « ôter l'enveloppe qui cache quelque chose » (*Dict.* de Furetière, 1690). — 9. Dans le *corps.* — 10. Aspect. — 11. En certains *lieux.* — 12. D'une espèce nouvelle, singulière. — 13. Apparut. — 14. *La guerre* de Hollande.

N'en était point l'effet? Le monarque[15] accourut :
50 Il favorise en roi ces hautes connaissances.
Le monstre dans la lune à son tour lui parut.
C'était une souris cachée entre les verres :
Dans la lunette était la source de ces guerres.
On en rit. Peuple heureux, quand pourront les Français
55 Se donner, comme vous, entiers[16] à ces emplois?
Mars nous fait recueillir d'amples moissons de gloire :
C'est à nos ennemis de craindre les combats,
A nous de les chercher, certains que la Victoire,
Amante de Louis, suivra partout ses pas.
60 Ses lauriers nous rendront célèbres dans l'histoire.
Même les filles de Mémoire[17]
Ne nous ont point quittés ; nous goûtons des plaisirs ;
La paix fait nos souhaits et non point nos soupirs[18].
Charles en sait jouir. Il saurait dans la guerre
65 Signaler sa valeur et mener l'Angleterre
A ces jeux qu'en repos elle voit aujourd'hui.
Cependant, s'il pouvait apaiser la querelle,
Que d'encens ! Est-il rien de plus digne de lui?
La carrière d'Auguste a-t-elle été moins belle
70 Que les fameux exploits du premier des Césars?
O peuple trop heureux ! quand la paix viendra-t-elle
Nous rendre, comme vous, tout entiers aux beaux-arts?

15. Charles II, fondateur de la Société royale de Londres. — 16. Tout *entiers*. — 17. Les Muses. — 18. Nous désirons *la paix*, nous ne pleurons pas pour l'obtenir.

● **La philosophie** — La Fontaine s'intéresse de plus en plus aux idées. ① Quels autres textes du poète nous le prouvent?
Si l'on se réfère à Montaigne (*Essais*, II, 12), les deux philosophes dont les doctrines s'opposent sur le problème des erreurs des sens sont sans doute DÉMOCRITE (v. 1) et HÉRACLITE (v. 3). Cependant, on peut supposer des curiosités plus modernes. L'exemple du bâton (v. 30) évoque un passage de l'*Abrégé de la philosophie de Gassendi*, dû à l'ami Bernier. Georges Couton (*Fables*, p. 480) estime qu'il faut voir dans ce problème « un débat éternel de la philosophie », auquel *la Recherche de la vérité* (de MALEBRANCHE) vient de redonner de l'actualité ». Cette opinion est d'autant plus plausible que l'œuvre de Malebranche date de 1674-1675, et que la fable a été composée après 1674.

② Comment La Fontaine conduit-il son argumentation?

CL. ARCH. PHOT.

La Ménagerie

Gravure de Pérelle

CL. BOUDOT-LAMOTTE

VERSAILLES

Par ce trait de magnificence
Le prince à ses sujets étalait sa puissance
(VII, 7)

CL. BOUDOT-LAMOTTE

▲ Poêle de faïence

CL. ROGER VIOLLET

▲ Toile de Jouy

LA LAITIÈRE ET LE POT AU LAIT (VII, 10)

◀ Peinture de Fragonard (1723-1806)

CL. BULLOZ

LIVRE HUITIÈME

fable 1 *La Mort et le Mourant*

1 La Mort ne surprend[1] point le sage ;
Il est toujours prêt à partir,
S'étant su[2] lui-même avertir
Du temps où l'on se doit résoudre à ce passage.
5 Ce temps, hélas ! embrasse tous les temps :
Qu'on le partage en jours, en heures, en moments[3],
Il n'en est point qu'il ne comprenne
Dans le fatal[4] tribut[5] ; tous sont de son domaine[6] ;
Et le premier instant où les enfants des rois
10 Ouvrent les yeux à la lumière
Est celui qui vient quelquefois
Fermer pour toujours leur paupière.
Défendez-vous par la grandeur,
Alléguez la beauté, la vertu, la jeunesse :
15 La Mort ravit tout sans pudeur[7].
Un jour le monde entier accroîtra sa richesse.
Il n'est rien de moins ignoré,
Et puisqu'il faut que je le die[8],
Rien où[9] l'on soit moins préparé.

20 Un Mourant, qui comptait plus de cent ans de vie,
Se plaignait à la Mort que précipitamment
Elle le contraignait[10] de partir tout à l'heure[11],
Sans qu'il eût fait son testament,
Sans l'avertir au moins. « Est-il juste qu'on meure
25 Au pied levé[12] ? dit-il ; attendez quelque peu

---

1. Ne prend point au dépourvu. — 2. Ayant su s'*avertir*. — 3. *Moment:*« instant, petit espace de temps tel en un clin d'œil » (*Dict.* de Furetière, 1690). — 4. « Ce qui doit arriver nécessairement » (Furetière); dette envers le destin (latin *fatum*). — 5. « Contribution personnelle que les princes lèvent sur leurs sujets » (Furetière). — 6. *Domaine :* « autorité, puissance ». — 7. « Honnête honte » (*Dict. de l'Acad.*, 1694). — 8. Que je le dise (voir V, 18, v. 10). — 9. A quoi (relatif adverbial). — 10. L'indicatif est employé au lieu du subjonctif pour insister sur la réalité de la chose. — 11. « Sur l'heure, présentement » (*Dict.* de Richelet, 1680). — 12. « Sur-le-champ, sans donner le loisir de se reconnaître » (Furetière).

Ma femme ne veut pas que je parte sans elle ;
Il me reste à pourvoir[13] un arrière-neveu[14] ;
Souffrez qu'à mon logis j'ajoute encore une aile.
Que vous êtes pressante, ô déesse cruelle !

13. « Établir par un mariage ou par quelque emploi, par quelque charge » (*Acad.*, 1694). — 14. Ici petit-fils; voir le vers 37.

Fable 1 : source. Le sujet est traité par **ABSTEMIUS** (fable 99), **le Vieillard voulant différer sa mort** (Nevelet, p. 575). La fable d'Abstemius indique les points que La Fontaine développe avec liberté et poésie depuis le vers 20 :
Un vieillard demandait à la Mort, qui était venue pour l'arracher à la vie, de différer un petit peu, jusqu'à ce qu'il eût fait son testament et tous les autres préparatifs nécessaires à un si grand voyage; mais la Mort : « Pourquoi, lui dit-elle, n'as-tu pas déjà fait ces préparatifs, toi que j'ai tant de fois averti ? » Et comme notre homme répondait qu'il ne l'avait encore jamais vue : « Et quand je ravissais chaque jour, lui dit-elle, non seulement tes contemporains, dont il ne reste presque personne, mais encore des hommes jeunes, des enfants, des bébés, est-ce que je ne t'avertissais pas de ta condition mortelle? Quand tu sentais tes yeux s'affaiblir, ton ouïe diminuer, tous tes autres sens perdre leurs feux chaque jour, et ton corps s'alourdir, est-ce que je ne te disais pas que j'étais proche de toi? Et tu prétends n'avoir pas été averti? C'est pourquoi on ne doit pas différer plus longtemps. » — Cette fable montre qu'on doit vivre comme si on voyait la Mort constamment présente.
Il est toujours possible de chercher, à propos d'un sujet comme celui-là, des allusions au contemporain : mort subite d'**HENRIETTE d'ANGLETERRE** en 1670; mort du **DUC d'ANJOU** en 1672 (vers 9-11). Mais on ne doit pas oublier qu'il s'agit d'un lieu commun, à propos duquel on pense d'abord à **HORACE** et à **MALHERBE**, et aussi à **MONTAIGNE**. La Fontaine lui-même reprendra cette pensée en 1685, dans son **Épître au Prince de Conti** (à propos de la mort du frère de ce dernier). Enfin, s'il est juste de rapprocher la fin de la fable du **De natura rerum** (III, v. 950-965), de **LUCRÈCE**, René Groos (Pléiade, p. 742) fait remarquer que « le banquet de La Fontaine provient plus certainement, et textuellement, de **CORROZET, Emblème** 92 ».

● La réflexion sur la mort

① Où l'avons-nous déjà rencontrée chez le fabuliste? Montrez la supériorité de cette fable-ci.

② Commentez le jugement de Saint-Marc Girardin (14e leçon) : « La Fontaine est un de ces poètes qui, par la vérité et la vivacité de leur peinture, font que les grands lieux communs de la vie humaine nous émeuvent, comme s'ils venaient de nous toucher personnellement. »

③ Le même critique estime que « La Fontaine est bonhomme avec la mort ». Taine, de son côté, évoque, à propos du vers 53, les « familiarités gaies » et le « style amusant » du poète. Quels traits du style vous permettent de justifier ces jugements?

④ Par où cette conception de la mort diffère-t-elle de la conception chrétienne?

---

30 — Vieillard, lui dit la Mort, je ne t'ai point surpris;
Tu te plains sans raison de mon impatience.
Eh ! n'as-tu pas cent ans ? Trouve-moi dans Paris
Deux mortels aussi vieux ; trouve-m'en dix en France.
Je devais[15], ce dis-tu, te donner quelque avis
35 Qui te disposât à la chose :
J'aurais trouvé ton testament tout fait,
Ton petit-fils pourvu, ton bâtiment[16] parfait[17].
Ne te donna-t-on pas des avis, quand la cause
Du marcher[18] et du mouvement,
40 Quand les esprits[19], le sentiment[20],
Quand tout faillit[21] en toi ? Plus de goût, plus d'ouïe ;
Toute chose pour toi semble être évanouie :
Pour toi l'astre du jour prend des soins superflus;
Tu regrettes des biens qui ne te touchent[22] plus.
45 Je t'ai fait voir tes camarades[23]
Ou morts, ou mourants, ou malades :
Qu'est-ce que tout cela, qu'un[24] avertissement ?
Allons, vieillard, et sans réplique ;
Il n'importe à la république[25]
50 Que tu fasses ton testament. »

La Mort avait raison. Je voudrais qu'à cet âge
On sortît de la vie ainsi que d'un banquet,
Remerciant son hôte, et qu'on fît son paquet ;
Car de combien peut-on retarder le voyage ?
55 Tu murmures, vieillard ! Vois ces jeunes mourir,
Vois-les marcher, vois-les courir
A des morts, il est vrai, glorieuses et belles,
Mais sûres cependant, et quelquefois cruelles.
J'ai beau te le crier ; mon zèle est indiscret[26] :
60 Le plus semblable aux morts meurt le plus à regret.

---

15. J'aurais dû. — 16. Construction (voir le vers 28). — 17. « Achevé, complet » (Furetière). — 18. Emploi de l'infinitif comme nom. — 19. Les esprits vitaux et animaux, « petits corps légers, chauds, et invisibles, qui portent la vie et le sentiment dans les parties de l'animal » (*Acad.*, 1694). — 20. Les sensations (la Mort évoque, au vers 41, les organes des sens). — 21. Manque. — 22. *Toucher :* Faire impression sur... — 23. Contemporains. — 24. Sinon *un*. — 25. « Se prend quelquefois pour toute sorte d'État, de gouvernement » (*Acad.*, 1694). — 26. Immodéré, hors de propos.

2 *Le Savetier et le Financier*

1 UN Savetier chantait du matin jusqu'au soir ;
C'était merveilles[1] de le voir,
Merveilles de l'ouïr ; il faisait des passages[2],
Plus content qu'aucun des sept sages[3].
5 Son voisin, au contraire, étant tout cousu d'or[4],
Chantait peu, dormait moins encor ;
C'était un homme de finance.
Si, sur le point du jour, parfois il sommeillait,
Le Savetier alors en chantant l'éveillait ;
10 Et le Financier se plaignait
Que les soins de la Providence
N'eussent pas au marché fait vendre le dormir[5],
Comme le manger et le boire.
En son hôtel il fait venir
15 Le chanteur, et lui dit : « Or çà[6], sire[7] Grégoire,
Que gagnez-vous par an ? — Par an ? Ma foi, Monsieur,
Dit avec un ton de rieur[8]
Le gaillard[9] Savetier, ce n'est point ma manière
De compter de la sorte, et je n'entasse guère
20 Un jour sur[10] l'autre : il suffit qu'à la fin
J'attrape le bout de l'année ;
Chaque jour amène son pain.
— Eh bien, que gagnez-vous, dites-moi, par journée ?
— Tantôt plus, tantôt moins : le mal est que toujours
25 (Et sans cela nos gains seraient assez honnêtes[11]),
Le mal est que dans l'an s'entremêlent des jours
Qu'il faut chommer[12] ; on nous ruine en fêtes ;
L'une fait tort à l'autre, et Monsieur le curé

---

1. L'emploi du pluriel était admis par l'usage. — 2. « Se dit aussi en musique d'un certain roulement de voix qui se fait en passant d'une note à une autre » (*Dict. de l'Acad.*, 1694). — 3. La tradition accordait aux *Sept Sages* de l'Antiquité le bonheur par la science et la méditation. — 4. Allusion aux sommes d'argent cachées dans les coutures des vêtements, ou aux galons tissés d'or. L'expression a survécu. — 5. Infinitif employé comme nom. — 6. *Or* « sert aussi de particule qui exhorte, qui convie » (*Acad.*, 1694); on dit *or, or sus, or çà.* — 7. « Titre d'honneur... a été ensuite donné à toutes sortes de personnes, même à des marchands » (*Acad.*, 1694). — 8. Georges Couton (*Fables*, p. 484) cite *le Roman comique* (I, 2) de Scarron : « Il n'y a point de petite ville qui n'ait son *rieur.* » — 9. « Gai, joyeux » (*Acad.*, 1694). — 10. En additionnant des économies. — 11. Satisfaisants, suffisants; « se dit souvent de ce qui est médiocre » (*Dict.* de Furetière, 1690). — 12. Chômer; ici transitif : solenniser en ne travaillant pas (*que* est objet direct).

De quelque nouveau saint charge toujours son prône[13]. »
30 Le Financier, riant de sa naïveté,
Lui dit : « Je vous veux mettre aujourd'hui sur le trône.
Prenez ces cent écus[14] ; gardez-les avec soin,
Pour vous en servir au besoin. »
Le Savetier crut voir tout l'argent que la terre
35 Avait, depuis plus de cent ans,
Produit pour l'usage des gens.
Il retourne chez lui ; dans sa cave il enserre[15]
L'argent, et sa joie à la fois.
Plus de chant ; il perdit la voix,
40 Du moment qu'il gagna[16] ce qui cause nos peines.
Le sommeil quitta son logis ;
Il eut pour hôtes les soucis,
Les soupçons, les alarmes vaines;
Tout le jour, il avait l'œil au guet[17]. Et la nuit,
45 Si quelque chat faisait du bruit,
Le chat prenait[18] l'argent. A la fin le pauvre homme
S'en courut chez celui qu'il ne réveillait plus :
« Rendez-moi, lui dit-il, mes chansons et mon somme,
Et reprenez vos cent écus. »

13. C'est au *prône* du dimanche que les fêtes de la semaine sont annoncées aux fidèles. — 14. Il s'agit d'*écus* de trois livres; 300 livres représentent alors 600 journées d'ouvrier. — 15. Enferme; « n'a d'usage qu'en poésie » (*Acad.*, 1694). — 16. A partir *du moment* où il obtint. — 17. Il était aux aguets. — 18. Encore un exemple de style indirect libre (familier et très expressif).

Fable 2 : sources. La Fontaine a utilisé la **Nouvelle** XXI de **BONAVENTURE DES PÉRIERS** et un passage d'une **Épître** (I, 7) d'**HORACE.** Des Périers raconte l'histoire du savetier Blondeau qui, ayant trouvé un pot plein d'argent, perd son insouciance et sa gaieté, jusqu'au jour où il se décide à jeter le pot dans la rivière. Horace nous rapporte que l'orateur Philippe donne au crieur public Volteius Mena de l'argent et en même temps le souci, et que ce dernier renonce à ce présent trop lourd. L'actualité a par ailleurs fourni à La Fontaine l'allusion malicieuse aux fêtes chômées (v. 27). **LOUIS XIV** et Colbert s'étaient préoccupés d'en diminuer le nombre : dix-sept avaient été supprimées à Paris vers 1666; il en restait trente-huit.

● **Les personnages**

① Commentez le jugement de Chamfort : « C'est La Fontaine dans tout son talent, avec sa grâce, sa variété ordinaires. La conversation du Savetier et du Financier ne serait pas indigne de Molière lui-même. »

② Taine écrit, à propos du personnage du Savetier : « L'artisan [...] vit sur le public, et laisse le gain venir, insouciant, bavard, hardi du reste, et jugeant son curé d'un air assez leste. » Montrez, par une analyse du détail, la vérité de ce jugement.

3 *Le Lion, le Loup, et le Renard*

1 UN Lion, décrépit, goutteux, n'en pouvant plus,
Voulait que l'on trouvât remède à la vieillesse.
Alléguer l'impossible aux rois, c'est un abus[1].
Celui-ci parmi chaque espèce
5 Manda des médecins ; il en est de tous arts[2].
Médecins au Lion viennent de toutes parts ;
De tous côtés lui vient[3] des donneurs de recettes.
Dans les visites qui sont faites,
Le Renard se dispense[4] et se tient clos et coi[5].
10 Le Loup en fait sa cour, daube[6] au coucher du Roi
Son camarade absent. Le Prince tout à l'heure[7]
Veut qu'on aille enfumer Renard dans sa demeure,
Qu'on le fasse venir. Il vient, est présenté[8] ;
Et, sachant que le Loup lui faisait cette affaire[9] :
15 « Je crains, Sire, dit-il, qu'un rapport peu sincère
Ne m'ait à mépris imputé[10]
D'avoir différé cet hommage ;
Mais j'étais en pèlerinage,
Et m'acquittais d'un vœu fait pour votre santé.
20 Même j'ai vu dans mon voyage
Gens experts et savants, leur ai dit la langueur[11]
Dont Votre Majesté craint, à bon droit, la suite.
Vous ne manquez que de chaleur :

Sources. Le thème de notre fable est présent dans **le Roman de Renart**, dans un texte en prose de **ROMULUS**, admiré par Saint-Marc Girardin, dans **Cognatus**, dans **HAUDENT, FAERNE.** Et **BOURSAULT** l'a repris dans **le Lion décrépit (Ésope à la cour,** IV, 3, 1690). Mais c'est la fable d'**ÉSOPE, le Lion, le Loup et le Renard** (Nevelet, p. 148) qui a servi de modèle à La Fontaine. Les grandes lignes du récit d'Ésope sont reprises et développées par La Fontaine. Sa fable a été publiée en 1671.

---

1. « Signifie aussi erreur » (*Dict. de l'Acad.*, 1694). — 2. Pratiquant toutes espèces de méthodes; *art :* « un amas de préceptes, de règles, d'inventions et d'expériences, qui, étant observées, font réussir aux choses qu'on entreprend » (*Dict.* de Furetière, 1690). — 3. *Lui vient :* absence de sujet devant le verbe impersonnel. — 4. Se permet de ne pas en faire; absence du complément de la chose. — 5. « Tranquille, qui est au repos, qui ne fait point de bruit » (*Dict.* de Richelet, 1680). — 6. Parle mal de (transitif direct). Voir, au vers 38, *les daubeurs.* — 7. Sur-le-champ. — 8. Est introduit devant le Roi. — 9. Lui suscitait cet embarras. — 10. « On dit aussi imputer à faute, à blâme, à déshonneur, pour dire : tourner à blâme, etc. » (*Acad.*, 1694). — 11. « Diminution de forces, de santé causée par une maladie lente et mortelle » (Furetière).

Le long âge en vous l'a détruite.
25 D'un loup écorché vif appliquez-vous la peau
Toute chaude et toute fumante ;
Le secret[12] sans doute[13] en est beau
Pour la nature défaillante.
Messire[14] Loup vous servira,
30 S'il vous plaît, de robe de chambre. »
Le Roi goûte cet avis-là :
On écorche, on taille, on démembre
Messire Loup. Le Monarque en soupa,
Et de sa peau s'enveloppa.

35 Messieurs les courtisans, cessez de vous détruire ;
Faites, si vous pouvez, votre cour sans vous nuire.
Le mal se rend chez vous au quadruple du bien.
Les daubeurs ont leur tour d'une ou d'autre manière :
Vous êtes dans une carrière
40 Où l'on ne se pardonne rien.

12. « Recette, se dit aussi des petits secrets que plusieurs particuliers et surtout les charlatans se vantent d'avoir pour guérir quelque maladie » (Furetière). — 13. *Sans* aucun *doute*. — 14. Emploi ironique du titre.

● **Fable 3 : la satire de la Cour**

A la morale très générale d'Ésope — *cette morale montre que quiconque conçoit contre un autre de perfides desseins prépare un piège contre lui-même* — La Fontaine a substitué une satire des courtisans.

① Comparez cette moralité à celle de la fable VII, 7, *la Cour du lion.*

● **Le style**

② Analysez le mouvement du récit, du vers 6 au vers 14. Quels détails donnent l'impression de la rapidité? Comment ce caractère du style concourt-il à la peinture du personnage principal? Comparez le lion de cette fable avec celui de la fable 7 du livre VII.

③ « Tout un jeu rythmique, écrit Georges Couton (*La Politique de La Fontaine*, p. 27), suggère le plaisir de se venger, l'odeur capiteuse du sang, l'affairement à la curée fraîche et joyeuse. » Étudiez ce « jeu rythmique » du vers 25 au vers 34.

4 *Le Pouvoir des fables*

A MONSIEUR DE BARILLON

1 La qualité d'ambassadeur
Peut-elle s'abaisser à des contes vulgaires?
Vous puis-je offrir mes vers et leurs grâces légères?
S'ils osent quelquefois prendre un air de grandeur,
5 Seront-ils point traités par vous de téméraires?
Vous avez bien d'autres affaires
A démêler que les débats
Du lapin et de la belette.
Lisez-les, ne les lisez pas;
10 Mais empêchez qu'on ne nous mette
Toute l'Europe sur les bras.
Que de mille endroits de la terre
Il nous vienne des ennemis,
J'y consens; mais que l'Angleterre
15 Veuille que nos deux rois se lassent d'être amis,
J'ai peine à digérer la chose.
N'est-il point encor temps que Louis se repose?
Quel autre Hercule enfin ne se trouverait las
De combattre cette hydre[1]? et faut-il qu'elle oppose
20 Une nouvelle tête aux efforts de son bras?
Si votre esprit plein de souplesse,
Par éloquence et par adresse,
Peut adoucir les cœurs et détourner ce coup,
Je vous sacrifierai cent moutons[2] : c'est beaucoup
25 Pour un habitant du Parnasse;
Cependant[3] faites-moi la grâce
De prendre en don ce peu d'encens.
Prenez en gré[4] mes vœux ardents,

Sources. L'histoire est racontée dans la fable 178 d'**ÉSOPE, l'Orateur Démade** (Nevelet, p. 236), et dans **ABSTEMIUS** (**Préambule,** Nevelet, p. 533) où l'orateur n'est pas nommé. Nous verrons que La Fontaine a pu, d'après **PLUTARQUE,** songer à Démosthène : voir la note 17. Sur M. de Barillon, voir **l'Actualité,** p. 69.

1. Allusion à l'*Hydre* de Lerne dont les têtes repoussaient quand Hercule les coupait. Il en triompha cependant. — 2. Comme pour un dieu. — 3. « Pendant cela, pendant ce temps-là » (*Dict. de l'Acad.*, 1694). — 4. « On dit avoir quelque chose en gré, recevoir en gré, prendre en gré, pour dire : être content de quelque chose, y prendre plaisir » (*Acad.*, 1694).

Et le récit en vers qu'ici je vous dédie.
30 Son sujet vous convient, je n'en dirai pas plus :
Sur les éloges que l'envie
Doit avouer qui[5] vous sont dus,
Vous ne voulez pas qu'on appuie.

Dans Athène[6] autrefois, peuple[7] vain et léger,
35 Un Orateur[8], voyant sa patrie en danger,
Courut à la tribune ; et d'un art tyrannique[9],
Voulant forcer les cœurs dans une république,
Il parla fortement sur le commun salut.
On ne l'écoutait pas. L'orateur recourut
40 A ces figures violentes
Qui savent exciter les âmes les plus lentes[10]:
Il fit parler les morts[11], tonna, dit ce qu'il put.
Le vent emporta tout ; personne ne s'émut ;
L'animal aux têtes frivoles[12],
45 Étant fait à ces traits, ne daignait l'écouter ;
Tous regardaient ailleurs ; il en vit s'arrêter[13]
A des combats d'enfants, et point à ses paroles.
Que fit le harangueur ? Il prit un autre tour.
« Cérès, commença-t-il, faisait voyage un jour
50 Avec l'anguille et l'hirondelle ;
Un fleuve les arrête ; et l'anguille en nageant,
Comme l'hirondelle en volant,
Le traversa bientôt. » L'assemblée à l'instant
Cria tout d'une voix : « Et Cérès, que fit-elle ?
55 — Ce qu'elle fit ? Un prompt courroux
L'anima d'abord[14] contre vous.
Quoi ! de contes d'enfants son peuple[15] s'embarrasse !
Et du péril qui le menace
Lui seul entre les Grecs il néglige l'effet[16] !
60 Que ne demandez-vous ce que Philippe[17] fait ? »
A ce reproche l'assemblée,

5. Dont *l'envie doit avouer* qu'ils... : tournure vieillie. — 6. *Athène* ou Athènes, selon la commodité de la versification. — 7. Représente les Athéniens : accord selon le sens. — 8. Démade, selon Ésope. — 9. Cherchant à imposer la vérité. — 10 *Lentes*... à s'émouvoir. — 11. En utilisant la figure de rhétorique nommée : prosopopée. — 12. Horace (*Épîtres* I, 1, v. 76) s'adressant au peuple romain : « Tu es un monstre aux nombreuses têtes. » — 13. Prêter attention. — 14. Tout de suite. — 15. Si les Athéniens étaient le *peuple* de Pallas Athéné (Minerve), Déméter *(Cérès)* avait un temple en Attique, à Éleusis. — 16. La réalité. — 17. On songe ici non à Démade, mais à Démosthène *(Première Philippique)*. C'est d'ailleurs Démosthène que nomme Plutarque dans un récit différent *(Vie de Démosthène)*, mais d'intention analogue.

Par l'apologue réveillée,
Se donne entière à l'orateur :
Un trait[18] de fable en eut l'honneur.

65 Nous sommes tous d'Athène en ce point ; et moi-même,
Au moment que je fais cette moralité,
Si *Peau d'âne*[19] m'était conté,
J'y prendrais un plaisir extrême.
Le monde est vieux, dit-on, je le crois ; cependant
70 Il le faut amuser encor comme un enfant.

18. Effet brillant. — 19. Le conte de Perrault ne paraîtra qu'en 1694, mais il était connu par la tradition orale (voir Molière, *le Malade imaginaire*, II, 8, Bordas, l. 1336).

● **L'actualité** — La première partie de la fable évoque les événements auxquels il est déjà fait allusion à la fin d'*Un Animal dans la lune* (VII, 18). L'*hydre* (v. 19), c'est la coalition contre Louis XIV. A la date de la fable (sans doute fin de l'année 1677), les négociations qui aboutirent en 1678 au traité de Nimègue traînent en longueur. Charles II, roi d'Angleterre, neutre depuis 1674 après avoir été allié de la France, est contraint par les Communes à un traité d'alliance avec la Hollande (10 janvier 1678). *M. de Barillon*, « Champenois, l'un des plus anciens amis de La Fontaine » (René Groos), est ambassadeur de France en Angleterre depuis le 1er septembre 1677.

● **La personnalité du poète**

« Il nous livre, chemin faisant, ses idées, mais aussi ses souvenirs et ses rêves. Comme Montaigne, il semble parfois ne rapporter ses lectures que pour se peindre par ce détour [...]. Ésope, dans *l'Orateur Démade*, condamne durement les insensés qui se détournent des affaires sérieuses pour écouter de vaines fables. La Fontaine, qui lui emprunte l'anecdote, prend exactement le contre-pied de cette banale sagesse ; loin de blâmer la frivolité des hommes, il confesse la sienne et se refuse à rougir d'une légèreté qui est peut-être l'un des secrets du bonheur.
» *Nous sommes tous d'Athène en ce point; et moi-même...* »

① Vous commenterez ce jugement de Pierre Clarac (*op. cit.*, p. 119) et vous chercherez dans les fables d'autres exemples qui puissent le justifier.

---

5 *L'Homme et la Puce*

1 PAR des vœux importuns nous fatiguons les dieux,
Souvent pour des sujets même indignes des hommes :
Il semble[1] que le Ciel sur tous tant que nous sommes
Soit obligé d'avoir incessamment[2] les yeux,
5 Et que le plus petit de la race mortelle,
A chaque pas qu'il fait, à chaque bagatelle,
Doive intriguer[3] l'Olympe et tous ses citoyens[4],
Comme s'il s'agissait des Grecs et des Troyens[5].
Un Sot par une Puce eut l'épaule mordue;
10 Dans les plis de ses draps elle alla se loger.
« Hercule, ce[6] dit-il, tu devais[7] bien purger
La terre de cette hydre[8] au printemps revenue.
Que fais-tu, Jupiter, que[9] du haut de la nue
Tu n'en perdes[10] la race afin de me venger ? »
15 Pour tuer une puce, il voulait obliger
Ces dieux à lui prêter leur foudre et leur massue.

Source. ÉSOPE, la Puce (Nevelet, p. 141).

1. On croirait, à entendre ces *vœux*. — 2. « Continuellement, sans cesse » (*Dict. de l'Acad.*, 1694). — 3. « On dit qu'un homme est bien intrigué pour dire qu'il est bien embarrassé » (*Acad.*, 1694). — 4. « Bourgeois, habitant d'une cité » (*Acad.*, 1694). — 5. Pendant la guerre de Troie, les Olympiens avaient pris parti pour les Grecs ou pour les Troyens. — 6. Emploi explétif. — 7. Tu aurais dû. — 8. Souvenir plaisant de l'*Hydre* de Lerne (voir VIII, 4, n. 1), qui évoque un des douze travaux d'Hercule. — 9. *Que... tu :* si tu... — 10. Détruises : si tu n'en détruis la race...

6 *Les Femmes et le Secret*

1 RIEN ne pèse tant qu'un secret :
Le porter loin est difficile aux dames ;
Et je sais[1] même sur ce fait
Bon nombre d'hommes qui sont femmes.

5 Pour éprouver la sienne un mari s'écria,
La nuit, étant près d'elle : « O dieux ! qu'est-ce cela[2] ?
Je n'en puis plus ; on me déchire ;

1. Je connais. — 2. *Qu'est-ce* que *cela.*

Quoi ! j'accouche d'un œuf ! — D'un œuf ? — Oui, le voilà,
Frais et nouveau pondu. Gardez bien[3] de le dire :
10 On m'appellerait poule[4] ; enfin n'en parlez pas. »
La Femme, neuve sur ce cas,
Ainsi que sur mainte autre affaire,
Crut la chose, et promit ses grands dieux[5] de se taire.
Mais ce serment s'évanouit
15 Avec les ombres de la nuit.
L'Épouse, indiscrète[6] et peu fine,
Sort du lit quand le jour fut à peine levé ;
Et de courir chez sa voisine.
« Ma commère[7], dit-elle, un cas[8] est arrivé ;
20 N'en dites rien surtout, car vous me feriez battre.
Mon mari vient de pondre un œuf gros comme quatre.
Au nom de Dieu, gardez-vous bien
D'aller publier[9] ce mystère.
— Vous moquez-vous ? dit l'autre. Ah ! vous ne savez guère
25 Quelle[10] je suis. Allez, ne craignez rien. »
La Femme du pondeur[11] s'en retourne chez elle.
L'autre grille déjà de conter la nouvelle ;
Elle va la répandre en plus de dix endroits ;
Au lieu d'un œuf, elle en dit trois.
30 Ce n'est pas encor tout, car une autre commère
En dit quatre, et raconte à l'oreille le fait,
Précaution peu nécessaire,
Car ce n'était plus un secret.
Comme le nombre d'œufs, grâce à la renommée,
35 De bouche en bouche allait croissant,
Avant la fin de la journée
Ils se montaient à plus d'un cent[12].

3. *Gardez*-vous *bien*. — 4. Abstemius : « Si on disait que d'homme je suis devenu poule. » — 5. Jura *ses grands dieux*. — 6. *Indiscret* : « Celui qui ne sait pas garder un secret » (*Dict.* de Furetière, 1690). — 7. Ici, le mot veut dire « mon amie », avec une nuance familière. — 8. Un grand événement. — 9. Rendre public, divulguer. — 10. *Quelle* femme. — 11. Mot fabriqué plaisamment. — 12. Abstemius dit seulement : quarante.

Fable 6 : source. ABSTEMIUS (fable 129), **le Mari qui avait dit à sa femme qu'il avait pondu un œuf** (Nevelet, p. 589). Le récit se développe de la même manière que chez La Fontaine, mais la morale — « La fable montre qu'il ne faut confier à aucune femme ce que nous voulons taire » —, placée à la fin, est inférieure au préambule narquois et spirituel de La Fontaine.

● **Le récit**

① Analysez l'art de la mise en scène et le dialogue.

7 *Le Chien qui porte à son cou le dîné de son maître*

1 Nous n'avons pas les yeux à l'épreuve des belles,
Ni les mains à celle de l'or :
Peu de gens gardent un trésor
Avec des soins assez fidèles.

5 Certain Chien, qui portait la pitance[1] au logis,
S'était fait un collier du dîné[2] de son Maître.
Il était tempérant plus qu'il n'eût voulu l'être
Quand il voyait un mets exquis ;
Mais enfin il l'était ; et tous tant que nous sommes
10 Nous nous laissons tenter à l'approche des biens.
Chose étrange : on apprend la tempérance aux chiens,
Et l'on ne peut l'apprendre aux hommes !
Ce Chien-ci donc étant de la sorte atourné[3],
Un mâtin[4] passe, et veut lui prendre le dîné.
15 Il n'en eut pas toute la joie
Qu'il espérait d'abord : le Chien mit bas la proie
Pour la défendre mieux, n'en étant plus chargé.
Grand combat. D'autres chiens arrivent ;
Ils étaient de ceux-là qui vivent
20 Sur le public[5] et craignent peu les coups.
Notre Chien se voyant trop faible contre eux tous,
Et que la chair courait un danger manifeste,
Voulut avoir sa part. Et, lui sage[6], il leur dit :
« Point de courroux, Messieurs, mon lopin[7] me suffit ;
25 Faites votre profit du reste. »
A ces mots, le premier il vous happe un morceau ;
Et chacun de tirer[8], le mâtin, la canaille[9],
A qui mieux mieux. Ils firent tous ripaille ;

1. « Ce qu'on donne à chaque religieux pour son repas... style simple et comique » (*Dict.* de Richelet, 1680). — 2. Participe passé employé comme nom (aussi bien que l'infinitif). — 3. Équipé; « vieux mot qui signifiait autrefois orner et parer une dame Il est hors d'usage dans le sérieux » (*Dict.* de Furetière, 1690). — 4. Voir VII, 1, vers 47. — 5. Sur la communauté. — 6. Prudent et habile. — 7. Mon morceau, ma part; « il ne se dit guère que de la viande » (*Dict. de l'Acad.*, 1694). — 8. Infinitif de narration : *chacun (le mâtin, la canaille)* tire... — 9. Très bien employé ici, *canaille* était le doublet d'origine italienne du vieux français : « chiennaille ».

Chacun d'eux eut part au gâteau[10].

30 Je crois voir en ceci l'image d'une ville
Où l'on met les deniers[11] à la merci des gens.
Échevins, prévôt[12] des marchands,
Tout fait sa main[13], le plus habile
Donne aux autres l'exemple. Et c'est un passe-temps
35 De leur voir nettoyer[14] un monceau de pistoles[15].
Si quelque scrupuleux, par[16] des raisons frivoles,
Veut défendre l'argent et dit le moindre mot,
On lui fait voir qu'il est un sot.
Il n'a pas de peine à se rendre :
40 C'est bientôt le premier à prendre.

---

10. Partagea le profit. — 11. « Espèce de monnaie de cuivre, valant la douzième partie d'un sol » (*Acad.*, 1694); au sens général : l'argent. — 12. « A Paris, il y a quatre échevins et un *prévôt des marchands*. Aux autres villes, il y a un maire et des échevins » (Furetière). — 13. Fait « un gain, un profit injuste dans quelque emploi ou commission » (Furetière). — 14. Faire disparaître. — 15. « Pièces de la valeur d'onze livres et du poids des louis » (Furetière); mais « quand on dit *pistole*, sans ajouter *d'or*, on n'entend que la valeur de dix francs » (*Acad.*, 1694). — 16. Pour.

Source. L'histoire est contée au XVIe siècle et au début du XVIIe par des auteurs allemands **(WADDIS, WALCHIUS...)**. **JACQUES RÉGNIER** la développe à son tour en 1643 **(Apologi Phaedrii)**. C'est **SAMUEL SORBIÈRE (Troisième Discours sceptique)** qui, en 1656, en fit une application à la perversion des mœurs d'un État. Brossette, l'ami de Boileau, cite une fable du physicien lyonnais du Puget **(Le Chien politique)**, dont la moralité est une satire des magistrats municipaux de Lyon. Après avoir montré le chien qui :

... devenu souple et commode
Prit sa part du butin qu'il dévora sans bruit...

Puget conclut :

... Ainsi, dans les emplois que fournit la cité,
Tel des deniers publics veut faire un bon usage,
Qui d'abord des pillards retient l'avidité,
Mais après s'humanise et prend part au pillage.

Selon Brossette, La Fontaine se serait inspiré de cette fable qu'il aurait lue à Lyon.

● **L'actualité** — C'est la gestion des administrations locales qui est critiquée : prévarication et détournements de fonds. Si la satire de Puget vise Lyon, les mots dont se sert La Fontaine (*prévôt des marchands*, v. 32) montrent que Paris est en cause autant que la province. Il y a là un mal que les intendants dénoncent, auquel Colbert s'efforce de remédier. Toutefois, la satire ne se limite pas aux administrations du XVIIe siècle. Elle serait encore valable de nos jours : cf. Marcel Pagnol, *Topaze*.

8 *Le Rieur et les Poissons*

1 ON cherche les rieurs[1], et moi je les évite.
Cet art veut, sur[2] tout autre, un suprême mérite.
Dieu ne créa que pour les sots
Les méchants[3] diseurs de bons mots.
5 J'en vais peut-être en une fable
Introduire un ; peut-être aussi
Que quelqu'un trouvera que j'aurai réussi.

Un Rieur était à la table
D'un financier, et n'avait en son coin
10 Que de petits Poissons ; tous les gros étaient loin.
Il prend donc les menus, puis leur parle à l'oreille,
Et puis il feint, à la pareille[4],
D'écouter leur réponse. On demeura surpris ;
Cela suspendit les esprits.
15 Le Rieur alors, d'un ton sage,
Dit qu'il craignait qu'un sien ami,
Pour les grandes Indes[5] parti,
N'eût depuis un an fait naufrage,
Il s'en informait donc à[6] ce menu fretin ;
20 Mais tous lui répondaient qu'ils n'étaient pas d'un âge
A savoir au vrai son destin ;
Les gros en sauraient davantage.
« N'en puis-je donc, Messieurs, un gros[7] interroger ? »
De dire si la compagnie
25 Prit goût à sa plaisanterie,
J'en doute ; mais enfin il les sut engager[8]
A lui servir d'un monstre assez vieux pour lui dire
Tous les noms des chercheurs de mondes inconnus
Qui n'en étaient pas revenus,
30 Et que, depuis cent ans, sous l'abîme avaient vus
Les anciens[9] du vaste empire.

Sources. Une fable d'**ABSTEMIUS, l'Homme interrogeant de petits poissons sur la mort de son père,** met en scène un savant invité à la table d'un prince. L'histoire est contée plus gaiement par La Fontaine qui supprime la plate moralité de la fable d'Abstemius.

1. Voir VIII, 2, vers 17. — 2. Au-dessus de, plus que. — 3. « Mauvais, qui n'est pas bon, qui ne vaut rien dans son genre » (*Dict. de l'Acad.*, 1694). — 4. « Pareillement, de la même manière » (*Acad.*, 1694). — 5. L'Amérique. — 6. Auprès de. — 7. Inversion du complément d'objet direct. — 8. « Obliger à faire quelque chose et le plus souvent... sans violence » (*Acad.*, 1694). — 9. Compte pour trois syllabes (diérèse).

9 *Le Rat et l'Huître*[1]

1 UN Rat, hôte[2] d'un champ, rat de peu de cervelle,
Des lares[3] paternels un jour se trouva sou[4].
Il laisse là le champ, le grain, et la javelle[5],
Va courir le pays, abandonne son trou.
5 Sitôt qu'il fut hors de la case[6] :
« Que le monde, dit-il, est grand et spacieux !
Voilà les Apennins, et voici le Caucase. »
La moindre taupinée[7] était mont à ses yeux.
Au bout de quelques jours, le voyageur arrive
10 En un certain canton[8] où Téthys[9] sur la rive
Avait laissé mainte huître ; et notre Rat d'abord[10]
Crut voir, en les voyant, des vaisseaux de haut bord.
« Certes, dit-il, mon père était un pauvre sire[11] ;
Il n'osait voyager, craintif au dernier point.
15 Pour moi, j'ai déjà vu le maritime[12] empire ;
J'ai passé les déserts, mais nous n'y bûmes point[13]. »
D'un certain magister[14] le Rat tenait ces choses,
Et les disait à travers champs[15],
N'étant pas de ces rats qui, les livres rongeants[16],
20 Se font savants jusques aux dents.
Parmi tant d'huîtres toutes closes
Une s'était ouverte ; et, bâillant au soleil,
Par un doux zéphir réjouie,
Humait l'air, respirait, était épanouie,
25 Blanche, grasse, et d'un goût, à la voir, non pareil[17].
D'aussi loin que le Rat voit cette Huître qui bâille :
« Qu'aperçois-je ? dit-il, c'est quelque victuaille ;
Et, si je ne me trompe à la couleur du mets,
Je dois faire aujourd'hui bonne chère[18], ou jamais. »
30 Là-dessus, maître[19] Rat, plein de belle espérance,

1. Publiée dès 1671. — 2. Habitant. — 3. Dieux de la maison. — 4. Soûl : « se dit aussi de ce qui rassasie l'esprit » (*Dict.* de Furetière, 1690). — 5. Mot collectif. Petits tas d'épis qu'on laisse sécher sur le sol avant d'en faire des gerbes. — 6. Maison; surtout pauvre maison, dans le style familier. — 7. Petite butte formée par la terre que les taupes rejettent de leur galerie. — 8. « Coin, certain endroit d'un pays ou d'une ville, séparé et différent du reste » (*Dict. de l'Acad.*, 1694). — 9. Déesse de la mer (voir V, 6, v. 6). — 10. Aussitôt. — 11. Ironique. — 12. Inversion expressive de l'adjectif. — 13. Le vers 16 est un souvenir de Rabelais (*Gargantua*, chap. 33) : « Mais, dit-il [Picrochole], nous ne bûmes point frais. » — 14. « Maître d'école de village » (Furetière). — 15. A tort et *à travers*. — 16. La Fontaine accorde le participe présent au masculin pluriel. — 17. « Qui excelle par dessus les autres » (*Acad.*, 1694). — 18. Voir VII, 4, v. 19. — 19. « On se sert quelquefois de ce mot dans le burlesque en l'attribuant aux animaux » (*Dict.* de Richelet, 1680).

Approche de l'écaille, allonge un peu le cou,
Se sent pris comme aux lacs[20] ; car l'Huître tout d'un coup
Se referme, et voilà ce que fait l'ignorance.

Cette fable contient plus d'un enseignement.
35 Nous y voyons premièrement
Que ceux qui n'ont du monde aucune expérience
Sont, aux moindres objets[21], frappés d'étonnement ;
Et puis nous y pouvons apprendre
Que tel est pris qui croyait prendre.

20. *Lacs* ou *laqs :* « certain nœud coulant pour prendre des oiseaux, des lièvres ou autre gibier » (*Acad.*, 1694). — 21. Spectacles (voir VII, 18, v. 36).

Fable 9 : source. Le sujet (plus exactement la capture du rat par l'huître) est traité dans une épigramme de l'**Anthologie palatine** (IX, 84). Elle aurait été imitée, en vers latins, par **ALCIAT** dans son **Emblème** 94, dont La Fontaine avait pu connaître une traduction.

● **L'art**

① Taine (*op. cit.*, p. 143) dit du Rat : « Du haut de son expérience improvisée, il contemple avec mépris la génération arriérée qui le précède, il sourit d'un air de grand homme, savant et pédant, en pensant à son père. » Montrez comment La Fontaine a exprimé, d'une manière vivante et directe, ces sentiments éternels de la jeunesse.

② Étudiez le détail de l'expression dans les vers 22-25.

● **La moralité**

③ Des deux enseignements que La Fontaine veut tirer de sa fable, lequel vous paraît le plus important?

● **Fable 10 : la solitude** — « Nul poète, nul auteur ne prêche plus souvent l'amour de la retraite, et ne la fait aimer davantage. Mais la retraite et la solitude absolue sont deux choses bien différentes. La première est le besoin du sage, et la seconde est la manie d'un fou insociable. » Chamfort écrit ces lignes à propos de notre fable.

④ En connaissez-vous d'autres où vous puissiez analyser avec ces nuances le sentiment de la solitude chez La Fontaine?

● **L'art**

⑤ Montrez quelles nuances introduisent dans le récit les allusions mythologiques discrètes que nous y rencontrons.

⑥ Analysez les portraits des deux personnages. Montrez comment leur langage traduit leur personnalité.

10 *L'Ours et l'Amateur des jardins*

1 CERTAIN Ours montagnard, Ours à demi léché[1],
Confiné par le sort dans un bois solitaire,
Nouveau Bellérophon[2], vivait seul et caché.
Il fût devenu fou : la raison d'ordinaire
5 N'habite pas longtemps chez les gens séquestrés.
Il est bon de parler, et meilleur de se taire ;
Mais tous deux sont mauvais alors qu'ils sont outrés.
Nul animal n'avait affaire
Dans les lieux que l'Ours habitait,
10 Si bien que, tout ours qu'il était,
Il vint à s'ennuyer de cette triste vie.
Pendant qu'il se livrait à la mélancolie,
Non loin de là certain Vieillard
S'ennuyait aussi de sa part[3].
15 Il aimait les jardins, était prêtre de Flore ;
Il l'était de Pomone[4] encore[5].
Ces deux emplois sont beaux ; mais je voudrais parmi[6]
Quelque doux et discret ami :
Les jardins parlent peu, si ce n'est dans mon livre ;
20 De façon que, lassé de vivre
Avec des gens muets, notre homme, un beau matin,
Va chercher compagnie, et se met en campagne.
L'Ours, porté d'un[7] même dessein,
Venait de quitter sa montagne.
25 Tous deux, par un cas[8] surprenant,
Se rencontrent en un tournant.
L'homme eut peur ; mais comment esquiver[9] ? et que faire ?
Se tirer en Gascon d'une semblable affaire
Est le mieux : il sut donc dissimuler sa peur.
30 L'Ours, très mauvais complimenteur,

Source. PILPAY, dans **le Livre des lumières** (p. 135-137), développe le même sujet, en présentant le jardinier avant l'ours. La moralité est la même chez Pilpay et La Fontaine.

1. Une tradition populaire voulait que les ours, à leur naissance, fussent des masses informes que leurs mères façonnaient en les léchant. — 2. Le héros, qui avait triomphé de la Chimère nous est représenté dans l'*Iliade* (chant VI, v. 200-202) comme victime de la colère des dieux et fuyant les hommes. — 3. De son côté. — 4. *Flore* et *Pomone* : déesses des fleurs et des vergers. — 5. Aussi. — 6. Au milieu de ces emplois : emploi adverbial rare. — 7. Poussé par un... — 8. Hasard; « accident, aventure » (*Dict. de l'Acad.*, 1694). — 9. Construit sans complément (voir VI, 2, v. 53).

Lui dit : « Viens-t'en me voir. » L'autre reprit : « Seigneur,
Vous voyez mon logis ; si vous me vouliez faire
Tant d'honneur que[10] d'y prendre un champêtre repas,
J'ai des fruits, j'ai du lait : ce n'est peut-être pas
35 De Nosseigneurs les Ours le manger ordinaire ;
Mais j'offre ce que j'ai. » L'Ours l'accepte[11] ; et d'aller[12].
Les voilà bons amis avant que d'arriver[13].
Arrivés, les voilà se trouvant bien ensemble ;
Et, bien qu'on soit, à ce qu'il semble,
40 Beaucoup mieux seul qu'avec des sots,
Comme l'Ours en un jour ne disait pas deux mots,
L'Homme pouvait sans bruit[14] vaquer à son ouvrage.
L'Ours allait à la chasse, apportait du gibier,
Faisait son principal métier
45 D'être bon émoucheur[15], écartait du visage
De son ami dormant ce parasite ailé
Que nous avons mouche appelé.
Un jour que le Vieillard dormait d'un profond somme,
Sur le bout de son nez une allant se placer,
50 Mit l'Ours au désespoir ; il eut beau la chasser.
« Je t'attraperai bien, dit-il. Et voici comme[16]. »
Aussitôt fait que dit : le fidèle émoucheur
Vous empoigne un pavé, le lance avec roideur,
Casse la tête à l'Homme en écrasant la mouche,
55 Et non moins bon archer[17] que mauvais raisonneur,
Roide mort étendu sur la place il le couche.

Rien n'est si dangereux qu'un ignorant ami ;
Mieux vaudrait un sage ennemi.

---

10. Assez *d'honneur* pour. — 11. *Accepte* cette proposition. — 12. Infinitif de narration. — 13. Avant d'arriver. — 14. *Sans* être importuné par le *bruit*. — 15. Celui qui chasse les mouches. Dérivé du verbe *émoucher*. — 16. Comment. — 17. Habile à viser.

● **Fable 11 : la sensibilité —** « Nul n'a parlé de l'amitié comme La Fontaine, avec une émotion si vraie et si intime » (Taine, *op. cit.*, p. 34-35).

① Justifiez ce jugement : 1° par les traits essentiels du récit (v. 1-23); 2° par le ton de la confidence personnelle (v. 24-31).

② Cherchez, dans d'autres fables de La Fontaine, l'expression du même sentiment. Rapprochez de Montaigne, *Essais*, I, 28.

---

11 *Les Deux Amis*

1 DEUX vrais Amis vivaient au Monomotapa[1] :
L'un ne possédait rien qui n'appartînt à l'autre.
Les amis de ce pays-là
Valent bien, dit-on, ceux du nôtre.
5 Une nuit que chacun s'occupait[2] au sommeil,
Et mettait à profit l'absence du soleil,
Un de nos deux Amis sort du lit en alarme[3] ;
Il court chez son intime, éveille les valets :
Morphée avait touché[4] le seuil de ce palais.
10 L'Ami couché s'étonne ; il prend sa bourse, il s'arme,
Vient trouver l'autre, et dit : « Il vous arrive peu
De courir quand on dort ; vous me paraissiez homme
A mieux user du temps destiné pour le somme.
N'auriez-vous point perdu tout votre argent au jeu ?
15 En voici. S'il vous est venu quelque querelle,
J'ai mon épée, allons. Vous ennuyez-vous point
De coucher toujours seul ? Une esclave assez belle
Était à mes côtés : voulez-vous qu'on l'appelle ?
— Non, dit l'Ami, ce n'est ni l'un ni l'autre point :
20 Je vous rends grâce de ce zèle[5].
Vous m'êtes, en dormant[6], un peu triste apparu ;
J'ai craint qu'il[7] ne fût vrai, je suis vite accouru.
Ce maudit songe en[8] est la cause. »
Qui d'eux aimait le mieux ? que t'en semble, lecteur ?
25 Cette difficulté vaut bien qu'on la propose.
Qu'un ami véritable est une douce chose !
Il cherche vos besoins au fond de votre cœur ;
Il vous épargne la pudeur[8]
De les lui découvrir vous-même.
30 Un songe, un rien, tout lui fait peur
Quand il s'agit de ce qu'il aime.

Source. La Fontaine suit d'une manière précise la fable de **PILPAY**, (**le Livre des Lumières**, p. 224-226).

1. Ce pays africain, peuplé de Cafres, symbolise ici une terre lointaine et fabuleuse, la seule peut-être où l'on puisse rencontrer de *vrais amis*. — 2. S'abandonnait totalement. — 3. « Toute sorte d'effroi, d'épouvante » (*Dict. de l'Acad.*, 1694). — 4. *Morphée* endormait tous ceux qu'il touchait avec ses pavots. — 5. Ardeur dans l'amitié. — 6. Pendant que je dormais (ici, le gérondif ne se rapporte pas au sujet). — 7. Que cela. — 8. De cela. — 9. « Honnête honte » (*Acad.*, 1694).

12 *Le Cochon, la Chèvre, et le Mouton*

1 UNE Chèvre, un Mouton, avec un Cochon gras,
Montés sur même[1] char, s'en allaient à la foire.
Leur divertissement ne les y portait pas ;
On s'en allait les vendre, à ce que dit l'histoire :
5 Le charton[2] n'avait pas dessein
De les mener voir Tabarin[3].
Dom[4] Pourceau criait en chemin
Comme s'il avait eu cent bouchers à ses trousses :
C'était une clameur à rendre les gens sourds.
10 Les autres animaux, créatures plus douces,
Bonnes gens[5], s'étonnaient qu'il criât au secours :
Ils ne voyaient nul mal à craindre.
Le charton dit au Porc : « Qu'as-tu tant à te plaindre ?
Tu nous étourdis tous. Que[6] ne te tiens-tu coi ?
15 Ces deux personnes-ci, plus honnêtes[7] que toi,
Devraient t'apprendre à vivre[8], ou du moins à te taire.
Regarde ce Mouton ; a-t-il dit un seul mot ?
Il est sage[9]. — Il est un sot,
Repartit le Cochon ; s'il savait son affaire[10],
20 Il crierait comme moi, du haut de son gosier[11] ;
Et cette autre personne honnête
Crierait tout du haut de sa tête.
Ils pensent qu'on les veut seulement décharger,
La Chèvre de son lait, le Mouton de sa laine.
25 Je ne sais pas s'ils ont raison ;
Mais quant à moi, qui ne suis bon
Qu'à manger, ma mort est certaine.
Adieu mon toit et ma maison. »

Source. Une fable d'ÉSOPE; plusieurs versions : **le Cochon et le Renard** (Nevelet, p. 235), **le Cochon et les Moutons** (Nevelet, p. 345).

1. Le *même.* — 2. « Vieux mot qui signifiait autrefois un cocher, ou celui qui menait un char ou une charrette » (*Dict.* de Furetière 1690). — 3. Sur les tréteaux du Pont-Neuf, le charlatan Mondor avait, pour lui donner la réplique, le comédien *Tabarin.* Tabarin était mort peu après 1640, mais son nom était demeuré comme synonyme de comique grotesque. — 4. Dérivé de *dominus* utilisé devant les noms de certains dignitaires des ordres religieux ou devant les noms des nobles d'Espagne ou du Portugal; sur l'orthographe, voir *Adam, Histoire de la littérature française au XVII*e *s.*, t. III, p. 321. — 5. Personnes naïves. — 6. Valeur adverbiale : pourquoi ? — 7. *Honnête :* « civil, courtois, poli » (*Dict. de l'Acad.*, 1694). — 8. A te bien conduire. — 9. Sensé. — 10. S'il connaissait sa situation. — 11. Crier *du haut de son gosier, du haut de sa tête :* pousser des cris aigus.

Dom Pourceau raisonnait en subtil personnage ;
30 Mais que lui servait-il[12] ? Quand le mal est certain,
La plainte ni la peur ne changent le destin ;
Et le moins prévoyant est toujours le plus sage.

12. A quoi cela lui servait-il?

● **Le style et l'esprit**

① Étudiez : 1° dans les vers 1-16 le ton goguenard et facétieux, l'allure traînante et paresseuse des vers, les sous-entendus; 2° dans les vers 7-12, la manière dont le poète crée un contraste burlesque; 3° les rapports du rythme et du sentiment dans le discours du cochon (v. 18-28).

● **La moralité** a été critiquée par Chamfort qui accuse La Fontaine de « conduire les lecteurs dans une route sans issue ».

② Ne pourrait-on pas voir au contraire, dans la gravité des deux derniers vers, l'expression d'un art de vivre?

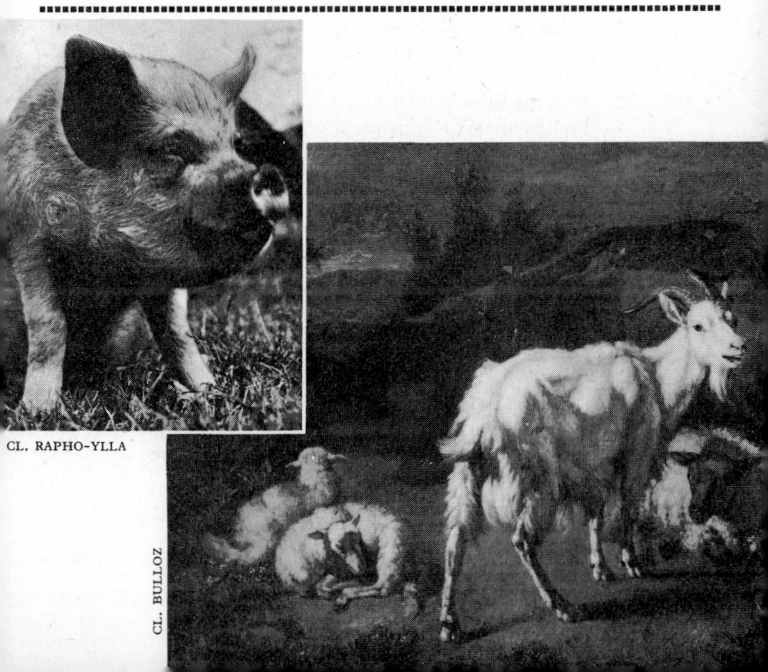

CL. RAPHO-YLLA

CL. BULLOZ

13 *Tircis et Amarante*[1]

POUR MADEMOISELLE DE SILLERY[2]

1 J'AVAIS Ésope quitté
Pour être tout à Boccace[3] ;
Mais une divinité[4]
Veut revoir sur le Parnasse
5 Des fables de ma façon.
Or d'aller lui dire : « Non »,
Sans quelque valable excuse,
Ce n'est pas comme on en use[5]
Avec des divinités,
10 Surtout quand ce sont de celles
Que la qualité de belles
Fait reines des volontés.
Car, afin que l'on le sache,
C'est Sillery qui s'attache
15 A vouloir que, de nouveau,
Sire Loup, sire Corbeau,
Chez moi se parlent en rime.
Qui dit Sillery dit tout :
Peu de gens en leur estime
20 Lui refusent le haut bout[6] ;
Comment le pourrait-on faire ?
Pour venir à notre affaire,
Mes contes à son avis,
Sont obscurs[7]. Les beaux esprits[8]
25 N'entendent pas[9] toute chose.
Faisons donc quelques récits
Qu'elle déchiffre sans glose[10] :

1. Un manuscrit que Walckenaer a eu entre les mains est daté du 11 décembre 1674 (voir Régnier, p. 273). — 2. Gabrielle-Françoise de Sillery (1649-1732), nièce de la Rochefoucauld, et qui devait épouser en 1675 Louis de Tibergeau. — 3. Après le premier recueil de fables (1668) et les huit fables de 1671 *(Fables nouvelles et autres poésies)*, La Fontaine avait publié de nouveaux contes. Il était donc revenu à l'imitation de *Boccace*. — 4. Mlle de Sillery. — 5. Comme on se comporte. — 6. « La place la plus honorable en quelque lieu » (*Dict. de l'Acad.*, 1694). — 7. Sans doute se doit-elle de ne pas les comprendre ! — 8. « Ceux qui se distinguent du commun par la politesse de leurs discours et de leurs ouvrages, avec une nuance d'ironie » (*Acad.*, 1694). — 9. Ne comprennent pas. — 10. « Explication faite mot à mot et fidèlement sur un texte » (*Dict.* de Richelet, 1680). *Sans glose* = sans commentaire.

Amenons des bergers ; et puis nous rimerons
Ce que disent entre eux les loups et les moutons[11].
30 Tircis disait un jour à la jeune Amarante :
« Ah ! si vous connaissiez, comme moi, certain mal
Qui nous plaît et qui nous enchante !
Il n'est bien sous le ciel qui vous parût égal.
Souffrez qu'on vous le communique ;
35 Croyez-moi, n'ayez point de peur.
Voudrais-je vous tromper, vous pour qui je me pique[12]
Des plus doux sentiments que puisse avoir un cœur ? »
Amarante aussitôt réplique :
« Comment l'appelez-vous, ce mal ? quel est son nom ?
40 — L'amour —. Ce mot est beau. Dites-moi quelques marques
A quoi[13] je le pourrai connaître[14] : que sent-on ?
— Des peines près de qui le plaisir des monarques
Est ennuyeux et fade : on s'oublie, on se plaît
Toute seule en une forêt.
45 Se mire-t-on près[15] un rivage,
Ce n'est pas soi qu'on voit ; on ne voit qu'une image
Qui sans cesse revient, et qui suit en tous lieux :
Pour tout le reste on est sans yeux.
Il est un berger du village
50 Dont l'abord[16], dont la voix, dont le nom fait rougir :
On soupire à son souvenir ;
On ne sait pas pourquoi, cependant on soupire ;
On a peur de le voir, encor qu'on le désire. »
Amarante dit à l'instant :
55 « Oh ! oh ! c'est là ce mal que vous me prêchez tant ?
Il ne m'est pas nouveau[17] : je pense le connaître. »
Tircis à son but croyait être,
Quand la belle ajouta : « Voilà tout justement[18]
Ce que je sens pour Clidamant. »
60 L'autre pensa[19] mourir de dépit et de honte.

Il est force gens comme lui,
Qui prétendent[20] n'agir que pour leur propre compte,
Et qui font le marché[21] d'autrui.

11. *Bergers... moutons :* d'abord la pastorale; puis la fable. — 12. Je me flatte. — 13. Auxquelles. — 14. Reconnaître. — 15. Omission de *d'*, possible dans le style familier. — 16. L'approche. — 17. Il n'est pas ignoré de moi. — 18. Très exactement. — 19. *Penser :* « être sur le point de » (*Acad.*, 1694). — 20. Croient, espèrent. — 21. *Qui* travaillent pour *autrui* (voir Littré, au mot *marché*).

14 *Les Obsèques de la Lionne*

1 La femme du Lion mourut ;
Aussitôt chacun accourut
Pour s'acquitter envers le Prince
De certains compliments de consolation,
5 Qui sont surcroît d'affliction.
Il fit avertir sa province[1]
Que les obsèques se feraient
Un tel jour, en tel lieu ; ses prévôts[2] y seraient
Pour régler la cérémonie,
10 Et pour placer la compagnie.
Jugez si chacun s'y trouva.
Le Prince aux cris s'abandonna,
Et tout son antre en résonna :
Les Lions n'ont point d'autre temple.
15 On entendit, à son exemple,
Rugir en leurs patois messieurs les courtisans.
Je définis la cour un pays où les gens,
Tristes, gais, prêts à tout, à tout indifférents,
Sont ce qu'il plaît au Prince, ou, s'ils ne peuvent l'être,
20 Tâchent au moins de le paraître ;
Peuple caméléon[3], peuple singe du maître :
On dirait qu'un esprit[4] anime mille corps ;
C'est bien là que les gens sont de simples ressorts[5].
Pour revenir à notre affaire,
25 Le cerf ne pleura point. Comment eût-il pu faire ?
Cette mort le vengeait : la reine avait jadis
Étranglé sa femme et son fils.
Bref, il ne pleura point. Un flatteur l'alla dire,
Et soutint qu'il l'avait vu rire.
30 La colère du roi, comme dit Salomon[6],
Est terrible, et surtout celle du roi Lion ;

Source. ABSTEMIUS, fable 148, **le Lion irrité contre le cerf qui se réjouissait de la mort de la lionne** (Nevelet, p. 598). Cette fable, bien plus courte que celle de La Fontaine, lui a fourni les circonstances essentielles.

1. Son royaume. — 2. « Grand officier dans les ordres militaires, qui a le soin des cérémonies » (*Dict.* de Furetière, 1690). — 3. Animal qui prend la couleur des objets près desquels il se trouve. — 4. *Qu'un* seul *esprit.* — 5. Comme s'ils étaient des animaux-machines (théorie de Descartes : voir le *Discours à Madame de la Sablière*, p. 140, v. 30 et suiv.). — 6. « Tel le rugissement du lion, telle la colère du roi » (*Proverbes*, XX, verset 2).

Mais ce cerf n'avait pas accoutumé[7] de lire.
Le Monarque lui dit : « Chétif[8] hôte des bois,
Tu ris, tu ne suis[9] pas ces gémissantes voix.
35 Nous n'appliquerons point sur tes membres profanes
Nos sacrés ongles ; venez, loups,
Vengez la Reine, immolez tous
Ce traître à ses augustes mânes. »
Le cerf reprit alors : « Sire, le temps de[10] pleurs
40 Est passé ; la douleur est ici superflue.
Votre digne moitié, couchée entre des fleurs,
Tout près d'ici m'est apparue,
Et je l'ai d'abord[11] reconnue.
« Ami, m'a-t-elle dit, garde que[12] ce convoi,
45 Quand je vais chez les dieux, ne t'oblige à des larmes.
Aux Champs Élysiens[13] j'ai goûté mille charmes,
Conversant[14] avec ceux qui sont saints comme moi.

7. N'avait pas l'habitude. — 8. « Vil, méprisable » (*Dict. de l'Acad.*, 1694). — 9. Tu n'imites pas. — 10. Le moment de pleurer : *de* est le texte original. — 11. Immédiatement. — 12. Fais en sorte *que*. — 13. Ou Élyséens : le séjour des âmes pures. — 14. *Converser :* « être ordinairement avec quelqu'un » (*Acad.*, 1694).

● **Le pouvoir —** Le roi Lion a *sa province* et *ses prévôts*. Les obsèques de la Lionne sont une cérémonie où l'on imagine une pompeuse oraison funèbre. La solennité de ce début rappelle le début de *la Cour du Lion* (VII, 7). Le mot *antre* (v. 13) nous rappelle qu'il s'agit d'un fauve, contraste discret et fugitif, tandis que le *charnier* de *la Cour du Lion* donnait le ton à tout le reste de la fable. Ici, le ton vraiment royal du Lion crée l'illusion : « Du haut de sa puissance, écrit Taine (*op. cit.*, p. 85), il voit tous les êtres comme des vermisseaux. »

① Justifiez ce jugement par l'analyse des vers 30-38 (vocabulaire, tour des phrases, rythme).

● **Les courtisans —** « La cour est un *pays* distinct du reste du royaume : la communauté de vie et la similitude des intérêts ont donné aux gens qui l'habitent leurs traits distinctifs, celui-ci surtout : ils ont cessé d'avoir une humeur individuelle, une personnalité » (Couton, *op. cit.*, p. 25).

② La Fontaine a parlé en d'autres endroits de la Cour et des courtisans. Cherchez quelques exemples qui confirment ou qui complètent cette opinion.

Laisse agir quelque temps le désespoir du Roi :
J'y prends plaisir. » A peine on eut ouï la chose,
50 Qu'on se mit à crier : « Miracle ! Apothéose[15] ! »
Le cerf eut un présent, bien loin d'être puni.

Amusez les rois par des songes,
Flattez-les, payez-les d'agréables mensonges.
Quelque indignation dont leur cœur soit rempli,
55 Ils goberont l'appât[16], vous serez leur ami.

15. La reine prend place parmi les dieux. — 16. *Appât* ou *appas :* « amorce, charme. Ce qu'on emploie pour gagner ou attraper quelqu'un » (*Dict.* de Richelet, 1680).

15 *Le Rat et l'Éléphant*

1 SE croire un personnage est fort commun en France.
On y fait l'homme d'importance,
Et l'on n'est souvent qu'un bourgeois[1] :
C'est proprement le mal françois.
5 La sotte vanité nous est particulière.
Les Espagnols sont vains, mais d'une autre manière.
Leur orgueil me semble, en un mot,
Beaucoup plus fou, mais pas si sot.
Donnons quelque image du nôtre,
10 Qui sans doute[2] en vaut bien un autre.
Un Rat des plus petits voyait un Éléphant
Des plus gros, et raillait le marcher[3] un peu lent
De la bête de haut parage[4],
Qui marchait à gros équipage[5].
15 Sur l'animal à triple étage
Une sultane de renom,
Son chien, son chat et sa guenon,
Son perroquet, sa vieille[6], et toute sa maison,
S'en allait en pèlerinage.

Sources. PHÈDRE (I, 29), **l'Ane se moquant du sanglier.** LE MAITRE DE SACI modifie pudiquement la fable de Phèdre en mettant en scène un rat et un éléphant. PIERRE DE SAINT-GLAS, en 1670, dans ses Fables, a repris le sujet revu par Sacy.

1. « Se dit quelquefois en mauvaise part par opposition à un homme de la Cour, pour signifier un homme peu galant, peu spirituel » (*Dict.* de Furetière, 1690). — 2. *Sans* aucun *doute.* — 3. Infinitif employé comme nom. — 4. « De très haute parenté et extraction » (Furetière). — 5. « Provision de tout ce qui est nécessaire pour voyager ou s'entretenir honorablement » (Furetière). — 6. Sa duègne.

20 Le Rat s'étonnait que les gens
Fussent touchés[7] de voir cette pesante masse :
« Comme si d'occuper ou plus ou moins de place
Nous rendait, disait-il, plus ou moins importants !
Mais qu'admirez-vous tant en lui, vous autres hommes ?
25 Serait-ce ce grand corps qui fait peur aux enfants ?
Nous ne nous prisons[8] pas, tout petits que nous sommes,
D'un grain[9] moins que les éléphants. »
Il en aurait dit davantage ;
Mais le chat, sortant de sa cage,
30 Lui fit voir, en moins d'un instant,
Qu'un Rat n'est pas un Éléphant.

---

7. *Fussent* frappés d'admiration. — 8. *Priser* « signifie aussi estimer » (*Dict. de l'Acad.*, 1694). — 9. « Le plus petit des poids dont on se sert pour peser les choses précieuses » (Furetière).

16 *L'Horoscope*

1 ON rencontre sa destinée
Souvent par des chemins qu'on prend pour l'éviter.

Un père eut pour toute lignée
Un fils qu'il aima trop, jusques à consulter
5 Sur le sort de sa géniture[1]
Les diseurs de bonne aventure.
Un de ces gens lui dit que des lions surtout
Il éloignât l'enfant jusques à certain[2] âge ;
Jusqu'à vingt ans, point davantage.
10 Le père, pour venir à bout[3]
D'une précaution sur qui roulait[4] la vie
De celui qu'il aimait, défendit que jamais
On lui laissât passer le seuil de son palais.
Il pouvait, sans sortir, contenter son envie,
15 Avec ses compagnons tout le jour badiner[5],
Sauter, courir, se promener.

Sources. Une fable d'**ÉSOPE**, **l'Enfant et son Père** (Nevelet, p. 301-302) et, pour l'histoire d'Eschyle et de la tortue, une tradition purement légendaire rapportée par **VALÈRE MAXIME, ÉLIEN, PLINE.** Deux fables de **GILBERT COUSIN (Cognatus)** soulignent l'inutilité de l'astrologie.

---

1. Progéniture. — 2. Un *certain* (omission de l'article indéfini). — 3. Réussir à réaliser. — 4. Reposait. — 5. S'amuser.

Quand il fut en l'âge où la chasse
Plaît le plus aux jeunes esprits,
Cet exercice avec mépris
20 Lui fut dépeint ; mais, quoi qu'on fasse,
Propos[6], conseil, enseignement,
Rien ne change un tempérament.
Le jeune homme, inquiet[7], ardent, plein de courage,
A peine se sentit des bouillons[8] d'un tel âge
25 Qu'il soupira pour ce plaisir.
Plus l'obstacle était grand, plus fort fut le désir.
Il savait le sujet des fatales[9] défenses ;
Et comme ce logis, plein de magnificences,
Abondait partout en tableaux,
30 Et que la laine[10] et les pinceaux
Traçaient[11] de tous côtés chasses et paysages,
En cet endroit des animaux,
En cet autre des personnages,
Le jeune homme s'émut, voyant peint un lion.
35 « Ah ! monstre, cria-t-il, c'est toi qui me fais vivre
Dans l'ombre et dans les fers ! » A ces mots, il se livre
Aux transports violents de l'indignation,
Porte le poing sur l'innocente bête.
Sous la tapisserie un clou se rencontra.
40 Ce clou le blesse ; il pénétra
Jusqu'aux ressorts de l'âme ; et cette chère tête,
Pour qui l'art d'Esculape[12] en vain fit ce qu'il put,
Dut sa perte à ces soins qu'on prit pour son salut.
Même précaution nuisit au poète[13] Eschyle[14].
45 Quelque devin le menaça, dit-on,
De la chute d'une maison.
Aussitôt il quitta la ville,
Mit son lit en plein champ, loin des toits, sous les cieux.
Un aigle, qui portait en l'air une tortue,
50 Passa par là, vit l'homme, et sur sa tête nue,
Qui parut un morceau de rocher à ses yeux,
Étant de cheveux dépourvue,
Laissa tomber sa proie, afin de la casser :
Le pauvre Eschyle ainsi sut[15] ses jours avancer.

6. Résolutions. — 7. Remuant. — 8. « On dit figurément les *bouillons* de la colère » (Furetière). — 9. Imposées par le destin. — 10. Les tapisseries. — 11. Représentaient. — 12. Le dieu des médecins. — 13. Synérèse. — 14. *Eschyle* (525-456 av. J.-C.) fut le premier des grands tragiques grecs. — 15. Parvint à (*sut* est un véritable auxiliaire).

55 De ces exemples il résulte
Que cet art, s'il est vrai, fait tomber dans les maux
Que craint celui qui le consulte ;
Mais je l'en justifie[16], et maintiens qu'il est faux.
Je ne crois point que la nature
60 Se soit lié les mains, et nous les lie encor
Jusqu'au point de marquer dans les cieux notre sort.
Il dépend d'une conjoncture
De lieux, de personnes, de temps,
Non des conjonctions[17] de tous ces charlatans.
65 Ce berger et ce roi sont sous même planète ;
L'un d'eux porte le sceptre, et l'autre la houlette :
Jupiter[18] le voulait ainsi.
Qu'est-ce que Jupiter ? Un corps sans connaissance.
D'où vient donc que son influence
70 Agit différemment sur ces deux hommes-ci ?
Puis comment pénétrer jusques à notre monde ?
Comment percer des airs la campagne[19] profonde ?
Percer Mars, le soleil, et des vuides sans fin ?
Un atome la [20] peut détourner en chemin :
75 Où l'iront retrouver les faiseurs d'horoscope ?
L'état où nous voyons l'Europe[21]
Mérite que du moins quelqu'un d'eux l'ait prévu :
Que ne l'a-t-il donc dit ? Mais nul d'eux ne l'a su.
L'immense éloignement, le point[22] et sa vitesse,
80 Celle aussi de nos passions,
Permettent-ils à leur faiblesse
De suivre pas à pas toutes nos actions ?
Notre sort en dépend : sa course entre-suivie[23]
Ne va, non plus que nous, jamais d'un même pas ;
85 Et ces gens veulent au compas
Tracer le cours de notre vie !
Il ne se faut point arrêter
Aux deux faits ambigus que je viens de conter.
Ce fils par trop chéri ni le bonhomme[24] Eschyle
90 N'y font rien. Tout aveugle et menteur qu'est cet art,
Il peut frapper au but une fois entre mille ;
Ce sont des effets du hasard.

16. *Justifier :* « absoudre d'une accusation » (Furetière). — 17. Il s'agit des planètes qui influeraient sur notre destinée. — 18. La planète *Jupiter*. — 19. L'espace, le *vuide* (vide) interplanétaire. — 20. *La :* cette influence. — 21. Allusion aux développements de la guerre de Hollande. — 22. L'endroit où se trouve l'astre. — 23. Sujette à des variations. — 24 Expression familière, sans aucune dérision.

17 *L'Ane et le Chien*

1 IL se faut entr'aider ; c'est la loi de nature.
L'Ane un jour pourtant s'en moqua ;
Et ne sais[1] comme il y manqua,
Car il est bonne créature.
5 Il allait par pays, accompagné du Chien,
Gravement, sans songer à rien,
Tous deux suivis d'un commun maître.
Ce maître s'endormit : l'Ane se mit à paître.
Il était alors dans un pré
10 Dont l'herbe était fort à son gré.
Point de chardons pourtant ; il s'en passa pour l'heure :
Il ne faut pas toujours être si délicat[2] ;
Et faute de servir ce plat,
Rarement un festin demeure[3].
15 Notre Baudet s'en sut[4] enfin[5]
Passer pour cette fois. Le Chien, mourant de faim,
Lui dit : « Cher compagnon, baisse-toi, je te prie ;
Je prendrai mon dîné dans le panier au pain. »
Point de réponse, mot[6] : le Roussin d'Arcadie[7]
20 Craignit qu'en perdant un moment
Il ne perdît un coup de dent.
Il fit longtemps la sourde oreille.
Enfin il répondit : « Ami, je te conseille
D'attendre que ton maître ait fini son sommeil,
25 Car il te donnera, sans faute, à son réveil,
Ta portion accoutumée.
Il ne saurait tarder beaucoup. »
Sur ces entrefaites, un loup
Sort du bois, et s'en vient : autre bête affamée.
30 L'Ane appelle aussitôt le Chien à son secours.
Le Chien ne bouge[8], et dit : « Ami, je te conseille

Source. La Fontaine a développé une fable d'ABSTEMIUS, **le Chien qui n'a pas prêté secours à l'âne contre le loup parce que l'âne ne lui avait pas donné de pain** (Nevelet, p. 581).

1. Omission du pronom. — 2. *Délicat :* « qui aime ses aises » (*Dict.* de Richelet, 1680). — 3. N'est pas mangé. — 4. *S'en sut... passer :* parvint à s'en passer. — 5. En somme. — 6. Pas un *mot ;* tour elliptique. — 7. Voir VI, 19 vers 17. — 8. *Ne bouge* pas (ellipse de *pas* assez fréquente).

De fuir en attendant que ton maître s'éveille ;
Il ne saurait tarder ; détale vite, et cours.
Que si ce Loup t'atteint, casse-lui la mâchoire.
35 On t'a ferré de neuf ; et, si tu me veux croire,
Tu l'étendras tout plat. » Pendant ce beau discours,
Seigneur loup étrangla le Baudet sans remède.

Je conclus qu'il faut qu'on s'entr'aide.

Litho de Toulouse-Lautrec

CL. B. N.

● **La moralité** reprend celle de la fable *le Cheval et l'Ane* (VI, 16). Ici, La Fontaine enserre son récit entre deux affirmations de la solidarité nécessaire : *Il se faut entr'aider* (v. 1) et *Il faut qu'on s'entr'aide* (v. 38). Point de justification (autre que la fable elle-même), mais une formule qui s'impose.

● **L'art et le récit : composition** — Un début nonchalant (v. 2-7) amène naturellement le drame, en trois actes : le festin du Baudet; la prière du Chien; la vengeance du Chien.

① Montrez avec quel naturel et quelle rapidité se fait le passage d'une partie à l'autre.

Personnages : l'Ane — La Fontaine s'excuse de le calomnier. L'Ane, méprisé par Taine (p. 207-209), a été défendu par le Genevois Topfer. Mais La Fontaine n'a pas inventé le sujet de la fable ni le rôle du baudet.

② **Le Chien :** étudiez le détail de sa réplique du vers 31 au vers 36. Par quels traits La Fontaine a-t-il marqué l'ironie vindicative du personnage?

③ Dans les vers 2-7, recherchez les détails qui mettent en relief le sentiment du poète ou soulignent subtilement la lenteur calculée de ce début.

④ La fable est composée d'alexandrins et d'octosyllabes. Sur un exemple de votre choix, montrez comment ces deux rythmes sont utilisés par La Fontaine.

18 *Le Bassa et le Marchand*

1 UN Marchand grec en certaine contrée
Faisait trafic. Un Bassa[1] l'appuyait ;
De quoi le Grec en Bassa le payait,
Non en Marchand : tant c'est chère denrée
5 Qu'un protecteur. Celui-ci coûtait tant
Que notre Grec s'allait partout plaignant.
Trois autres Turcs, d'un rang moindre en puissance,
Lui vont offrir leur support[2] en commun.
Eux trois voulaient moins de reconnaissance
10 Qu'à ce Marchand il n'en coûtait pour un.
Le Grec écoute[3] ; avec eux il s'engage ;
Et le Bassa du tout est averti.
Même on lui dit qu'il jouera, s'il est sage[4],
A ces gens-là quelque méchant parti[5],
15 Les prévenant[6], les chargeant d'un message
Pour Mahomet, droit en son paradis,
Et sans tarder. Sinon ces gens unis
Le préviendront, bien certains qu'à la ronde
Il a des gens tout prêts pour le venger ;
20 Quelque poison l'envoira protéger
Les trafiquants qui sont en l'autre monde.
Sur cet avis, le Turc se comporta
Comme Alexandre[7] ; et, plein de confiance,
Chez le Marchand tout droit il s'en alla,
25 Se mit à table. On vit tant d'assurance
En ces discours et dans tout son maintien
Qu'on ne crut point qu'il se doutât de rien.
« Ami, dit-il, je sais que tu me quittes ;
Même l'on veut que j'en craigne les suites[8] ;
30 Mais je te crois un[9] trop homme de bien :
Tu n'as point l'air d'un donneur de breuvage[10].

1. Pacha. — 2. « Se dit figurativement en morale de ce qui donne de l'appui, du secours, de la protection » (*Dict.* de Furetière, 1690). — 3. *Écoute* favorablement leurs propositions. — 4. Prudent, sensé. — 5. *Qu'il* leur *jouera quelque* mauvais tour ; « on dit aussi qu'on a joué un mauvais parti à quelqu'un, lorsqu'on l'a attrapé, qu'on lui a fait quelque vilain tour » (Furetière). — 6. En *les prévenant* (gérondif employé sans *en*) signifie : en les devançant (voir le vers 18). — 7. Allusion à une anecdote selon laquelle *Alexandre* but la potion que lui tendait son médecin Philippe, qu'on venait de lui dénoncer comme voulant l'empoisonner (Plutarque, *Vie d'Alexandre*). — 8. Les conséquences (allusion à l'assassinat possible). — 9. Nous dirions aujourd'hui plus simplement : *je te crois trop homme de bien*. — 10. De poison.

Je n'en dis pas là-dessus davantage.
Quant à ces gens qui pensent t'appuyer,
Écoute-moi : sans tant de dialogue
35 Et de raisons qui pourraient t'ennuyer,
Je ne te veux conter qu'un apologue.

Il était un berger, son chien et son troupeau.
Quelqu'un lui demanda ce qu'il prétendait[11] *faire*
D'un dogue[12] *de qui l'ordinaire*
40 *Était un pain entier. Il fallait bien et beau*[13]
Donner cet animal au seigneur du village.
Lui, berger, pour plus de ménage[14]
Aurait deux ou trois mâtineaux[15]*,*
Qui, lui dépensant moins, veilleraient aux troupeaux
45 *Bien mieux que cette bête seule.*
Il mangeait plus que trois ; mais on ne disait pas
Qu'il avait aussi triple gueule
Quand les loups livraient des combats.
Le berger s'en défait ; il prend trois chiens de taille
50 *A lui dépenser moins, mais à fuir la bataille.*
Le troupeau s'en sentit ; et tu te sentiras
Du choix de semblable canaille[16]*.*
Si tu fais bien, tu reviendras à moi.

11. Espérait. — 12. « Dogues sont chiens de combat qui servent à assaillir les grosses bêtes » (Furetière). — 13. Bel et bien. — 14. *Ménage* « signifie encore : épargne, économie » (*Dict. de l'Acad.*, 1694). — 15. Diminutif de *mâtin*. — 16. « Chiennaille » : voir VIII, 7, vers 27.

● **La composition**

① La fable comporte une histoire dans laquelle s'insère un apologue. De ces deux parties, laquelle trouvez-vous la plus intéressante ?

● **L'actualité** — Georges Couton (*Fables*, p. 192) évoque Bernier, Mme de la Sablière et sa famille « de banquiers-armateurs qui trafiquaient avec le Levant ». Radouant (*Fables*, p. 313) part de l'ouvrage de Paul Masson, *Histoire du commerce français dans le Levant*, pour rappeler que chaque vice-consul avait besoin de la protection d'un pacha, aussi bien contre ses rivaux chrétiens que contre les Turcs. Quant à l'actualité de la morale, il semble évident que celle-ci se rapporte à la guerre de Hollande : la Hollande aurait été mieux protégée par Louis XIV que par toute la coalition.

Le Grec le crut. Ceci montre aux provinces[17]
55 Que, tout compté, mieux vaut, en bonne foi[18],
S'abandonner à quelque puissant roi
Que s'appuyer de [19] plusieurs petits princes.

17. États. — 18. Sincèrement. — 19. Sur.

19 *L'Avantage de la science*

1 ENTRE deux bourgeois d'une ville
S'émut[1] jadis un différend.
L'un était pauvre, mais habile[2] ;
L'autre riche, mais ignorant.
5 Celui-ci sur son concurrent
Voulait emporter l'avantage,
Prétendait que tout homme sage
Était tenu de l'honorer.
C'était tout homme sot ; car pourquoi révérer
10 Des biens dépourvus de mérite ?
La raison m'en semble petite.
« Mon ami, disait-il souvent
Au savant,
Vous vous croyez considérable[3] ;
15 Mais, dites-moi, tenez-vous table[4] ?
Que sert à vos pareils de lire incessamment[5] ?
Ils sont toujours logés à la troisième chambre[6],
Vêtus au mois de juin comme au mois de décembre,
Ayant pour tout laquais leur ombre seulement.
20 La république[7] a bien affaire[8]
De gens qui ne dépensent rien !
Je ne sais d'homme nécessaire
Que celui dont le luxe épand beaucoup de bien.

Source. ABSTEMIUS, fable 145, **le Riche Illettré et le Pauvre Savant** (Nevelet, p. 596). Comme chez La Fontaine, ce sont les événements extérieurs (guerres civiles) qui décident entre la richesse et la science.

1. S'éleva. — 2. « Qui a de l'esprit, de la science, de la capacité » (*Dict.* de Furetière, 1690). — 3. « Qui doit être considéré » (*Dict. de l'Acad.*, 1694). — 4. « Un homme tient table quand il a à son ordinaire plusieurs couverts pour les étrangers et écornifleurs » (Furetière). — 5. « Continuellement, sans cesse » (*Acad.*, 1694). — 6. Au *troisième* étage (il comprenait habituellement les greniers et les mansardes). — 7. L'État. — 8. « On dit avoir affaire pour dire : avoir besoin » (*Acad.*, 1694).

Nous en usons, Dieu sait : notre plaisir occupe
25 L'artisan, le vendeur, celui qui fait la jupe,
Et celle qui la porte, et vous, qui dédiez
A messieurs les gens de finance[9]
De méchants[10] livres bien payés. »
Ces mots remplis d'impertinence
30 Eurent le sort qu'ils méritaient.
L'homme lettré se tut, il avait trop à dire.
La guerre le vengea bien mieux qu'une satire.
Mars détruisit le lieu que nos gens habitaient.
L'un et l'autre quitta sa ville.
35 L'ignorant resta sans asile ;
Il reçut partout des mépris ;
L'autre reçut partout quelque faveur nouvelle.
Cela décida leur querelle.

Laissez dire les sots ; le savoir a son prix.

9. Les *P.T.S.* de La Bruyère, les fermiers généraux. Corneille lui-même avait dédié une de ses tragédies à un financier. — 10. « Mauvais, qui n'est pas bon, qui ne vaut rien dans son genre » (*Acad.*, 1694).

● **Argent et savoir** — Antithèse de l'intellectuel et de l'homme de finance : sujet souvent traité par les satiriques et toujours d'actualité. La Bruyère (VI, 56) oppose la valeur vraie des « beaux esprits » (les intellectuels) à l'insolence des riches (surtout des parvenus, les *P.T.S.*) : « Quel ton, quel ascendant [les riches] ne prennent-ils pas sur les savants! Quelle majesté n'observent-ils pas à l'égard de ces hommes chétifs, que leur mérite n'a ni placés ni enrichis, et qui en sont encore à penser et à écrire judicieusement! » Ce texte célèbre peut commenter le discours du riche au savant (v. 12-28).

① Analysez ce discours et dégagez-en l'ironie.

● **L'utilité du luxe** est affirmée (v. 20-28), et les arguments du riche ne paraissent pas, sur ces points, réfutés par La Fontaine. Ils ne sont déplaisants que par le ton.

② Comment se pose le problème du luxe à l'époque de La Fontaine? Quelles explications historiques et personnelles peut-on donner aux affirmations des vers 20-28?

③ A quel point de vue La Fontaine se place-t-il pour défendre le savant? Rapprochez de *Démocrite et les Abdéritains*, VIII, 26.

④ Le dénouement vous paraît-il probant?

20 *Jupiter et les Tonnerres*

1 JUPITER, voyant nos fautes,
Dit un jour, du haut des airs :
« Remplissons de nouveaux hôtes[1]
Les cantons[2] de l'univers
5 Habités par cette race
Qui m'importune et me lasse.
Va-t'en, Mercure[3], aux Enfers ;
Amène-moi la Furie
La plus cruelle des trois[4].
10 Race que j'ai trop chérie,
Tu périras cette fois. »
Jupiter ne tarda guère
A modérer son transport[5].
O vous, rois, qu'il voulut faire
15 Arbitres de notre sort,
Laissez, entre la colère
Et l'orage qui la suit,
L'intervalle d'une nuit.
Le dieu dont l'aile est légère
20 Et la langue a des douceurs
Alla voir les noires sœurs.
A Tisiphone et Mégère
Il préféra, ce dit-on[6],
L'impitoyable Alecton.
25 Ce choix la rendit si fière
Qu'elle jura par Pluton
Que toute l'engeance[7] humaine
Serait bientôt du domaine[8]
Des déités de là-bas[9].

Source. La source est dans un texte des **Questions naturelles** de **SÉNÈQUE** (II, 41). La Fontaine simplifie le texte et ne distingue plus que deux espèces de foudres au lieu de trois. On peut sans doute voir, dans la fable, une allégorie politique (la foudre du Roi et celle de ses ministres), mais le développement en est monotone.

1. Habitants. — 2. « Coin, certain endroit d'un pays ou d'une ville, séparé et différent du reste » (*Dict. de l'Acad.*, 1694). — 3. Il servait de messager à Jupiter. — 4. Les trois Furies étaient (voir les v. 22 et 24) : Alecto, Tisiphone, Mégère. — 5. « Se dit aussi en choses morales du trouble ou de l'agitation de l'âme » (*Dict.* de Furetière, 1690). — 6. A ce qu'on dit. — 7. « Espèce particulière qui vient d'une même race. Se prend souvent en mauvaise part » (Furetière). — 8. Sous l'autorité. — 9. Des Enfers.

30 Jupiter n'approuva pas
Le serment de l'Euménide.
Il la renvoie ; et pourtant
Il lance un foudre[10] à l'instant
Sur certain peuple perfide.
35 Le tonnerre, ayant pour guide
Le père même de ceux
Qu'il menaçait de ses feux,
Se contenta de leur crainte ;
Il n'embrasa que l'enceinte
40 D'un désert inhabité.
Tout père frappe à côté.
Qu'arriva-t-il ? Notre engeance
Prit pied[11] sur cette indulgence.
Tout l'Olympe s'en plaignit ;
45 Et l'assembleur de nuages[12]
Jura le Styx, et promit
De former d'autres orages ;
Ils seraient[13] sûrs. On sourit ;
On lui dit qu'il était[14] père,
50 Et qu'il laissât[14], pour le mieux
A quelqu'un des autres dieux
D'autres tonnerres à faire.
Vulcan[15] entreprit l'affaire.
Ce dieu remplit ses fourneaux
55 De deux sortes de carreaux[16].
L'un[17] jamais ne se fourvoie[18],
Et c'est celui que toujours
L'Olympe en corps nous envoie.
L'autre s'écarte en son cours ;
60 Ce n'est qu'aux monts qu'il en coûte ;
Bien souvent même il se perd ;
Et ce dernier en sa route
Nous vient du seul Jupiter.

---

10. « Masculin et féminin, au propre comme au figuré » (*Acad.*, 1694). — 11. *Prendre pied sur :* « se régler sur une chose » (*Acad.*, 1694). — 12. *L'assembleur de nuages* est l'épithète homérique de Jupiter, et le serment par *le Styx* était inviolable. — 13. Forme de style indirect. — 14. *Qu'il était... et qu'il laissât :* noter la coordination de l'affirmation et de l'ordre. — 15. Vulcain. — 16. « Est aussi une arme de trait ou flèche carrée qu'on tire avec une arbalète. C'est par comparaison qu'on appelle carreau de la foudre le trait ou la pierre qu'on croit être dans la foudre, qui blesse et qui tue » (Furetière). — 17. Le singulier s'explique par l'idée. La Fontaine se représente un carreau puis un autre. — 18. Ne se trompe de but.

21 *Le Faucon et le Chapon*

1 UNE traîtresse voix bien souvent vous appelle ;
Ne vous pressez donc nullement :
Ce n'était pas un sot, non, non, et croyez-m'en,
Que le chien de Jean de Nivelle[1].
5 Un citoyen[2] du Mans, Chapon de son métier,
Était sommé de comparaître
Par-devant les lares[3] du maître,
Au pied d'un tribunal que nous nommons foyer.
Tous les gens lui criaient, pour déguiser la chose,
10 « Petit ! petit ! petit ! » ; mais, loin de s'y fier,
Le Normand et demi[4] laissait les gens crier.
« Serviteur[5], disait-il, votre appât est grossier ;
On ne m'y tient pas, et pour cause. »
Cependant un Faucon sur sa perche[6] voyait
15 Notre Manceau qui s'enfuyait.
Les chapons ont en nous fort peu de confiance,
Soit instinct, soit expérience.
Celui-ci, qui ne fut qu'avec peine attrapé,
Devait le lendemain être d'un grand soupé[7],
20 Fort à l'aise en un plat, honneur dont la volaille
Se serait passée aisément.
L'Oiseau chasseur lui dit : « Ton peu d'entendement
Me rend tout étonné. Vous n'êtes que racaille[8],
Gens grossiers, sans esprit, à qui l'on n'apprend rien.
25 Pour moi, je sais chasser, et revenir au maître.
Le vois-tu[9] pas à la fenêtre ?

Source. Une fable de **PILPAY, d'un Faucon et d'une Poule (Livre des Lumières**, p. 112), fournit à La Fontaine l'idée du sujet et le trait final du récit. En revanche, ni la mise en scène de La Fontaine n'est dans la fable de Pilpay, ni la plate moralité de Pilpay chez La Fontaine.

1. Allusion à un fait historique? *Jean de Nivelle*, seigneur de Montmorency sous Louis XI, accusé d'avoir insulté son père, refusait de comparaître devant le Parlement. « On dit d'un homme peu complaisant qui ne fait rien de ce qu'on désire que c'est un chien de Jean de Nivelle qui s'enfuit quand on l'appelle » (*Dict.* de Furetière, 1690). — Le proverbe populaire est fondé sur une erreur, que reprend naturellement La Fontaine. — 2. « Bourgeois, habitant d'une cité » (*Dict. de l'Acad.*, 1694). — 3. Dieux du foyer, donc le foyer lui-même. — 4. Il est du Mans (dont les chapons sont réputés), et les Manceaux dépassent encore les Normands en astuce et en méfiance. — 5. Formule de refus; « ce mot se dit quelquefois en raillant » (*Dict.* de Richelet, 1680). — 6. « Les fauconiers mettent leurs oiseaux *sur la perche* » (Furetière). — 7. Souper; le participe passé est employé comme nom. — 8. « Ce qu'il y a de plus vil et de plus méprisable dans la populace » (*Dict. de l'Acad.*, 1694). — 9. Omission de la négation dans l'interrogation directe.

Il t'attend, es-tu sourd ? — Je n'entends que trop bien,
Repartit le Chapon ; mais que me veut-il dire,
Et ce beau cuisinier armé d'un grand couteau ?
30 Reviendrais-tu pour cet appeau[10] ?
Laisse-moi fuir ; cesse de rire
De l'indocilité qui me fait envoler[11]
Lorsque d'un ton si doux on s'en vient m'appeler.
Si tu voyais mettre à la broche
35 Tous les jours autant de faucons
Que j'y vois mettre de chapons,
Tu ne me ferais pas un semblable reproche. »

10. « Vieux mot du palais qui signifiait autrefois : appel » (Furetière). — 11. *Qui me fait* m'*envoler*.

① Montrez comment le mouvement des quatre premiers vers nous introduit dans le récit. Comment est sensible la présence du poète ?
② Dans les vers 5-21, étudiez l'effet obtenu par le mélange de la solennité et de la familiarité.
③ Dans les vers 22-33, comment le ton des deux personnages marque-t-il l'opposition de leurs conditions ?
④ Comment le mouvement des quatre derniers vers met-il en valeur la pointe finale ?
⑤ Comparez cette fable avec *le Cochon, la Chèvre et le Mouton* (VIII, 12).

22 *Le Chat et le Rat*

1 QUATRE animaux divers, le Chat Grippe-fromage,
Triste-oiseau le hibou, Ronge-maille le Rat,
Dame belette au long corsage[1],
Toutes gens[2] d'esprit scélérat,
5 Hantaient[3] le tronc pourri d'un pin vieux et sauvage.

Source. Une dissertation du **P. POUSSINES, Modèle de la sagesse des anciens Indiens** (1666).

1. « Terme populaire qui signifie la taille » (*Dict.* de Furetière, 1690). — 2. « A remarquer, devant le mot *gens*, ce féminin, conforme du reste à la règle, d'un adjectif qui n'exprime pas qualité, mais nombre » (Régnier). — 3. Fréquentaient : « Il se dit des lieux aussi bien que des personnes » (*Dict. de l'Acad.*, 1694).

Tant y furent[4], qu'un soir à l'entour[5] de ce pin
L'homme tendit ses rets. Le Chat, de grand matin,
Sort pour aller chercher sa proie.
Les derniers traits de l'ombre empêchent qu'il ne voie
10 Le filet : il y tombe, en danger de mourir ;
Et mon Chat de crier ; et le Rat d'accourir,
L'un plein de désespoir, et l'autre plein de joie.
Il voyait dans les lacs son mortel ennemi.
Le pauvre Chat dit : « Cher ami,
15 Les marques de ta bienveillance
Sont communes en mon endroit[6],
Viens m'aider à sortir du piège où l'ignorance
M'a fait tomber. C'est à bon droit
Que, seul entre les tiens, par amour singulière[7],
20 Je t'ai toujours choyé, t'aimant comme mes yeux.
Je n'en ai point regret, et j'en rends grâce aux dieux.
J'allais leur faire ma prière,
Comme tout dévot chat en use[8] les matins
Ce réseau me retient ; ma vie est en tes mains ;
25 Viens dissoudre[9] ces nœuds. — Et quelle récompense
En aurai-je ? reprit le Rat.
— Je jure éternelle alliance
Avec toi, repartit le Chat.
Dispose de ma griffe, et sois en assurance :
30 Envers et contre tous je te protégerai,
Et la belette mangerai
Avec l'époux de la chouette[10].
Ils t'en veulent tous deux. » Le Rat dit : « Idiot !
Moi, ton libérateur ? Je ne suis pas si sot. »
35 Puis il s'en va vers sa retraite.
La belette était près du trou.
Le Rat grimpe plus haut ; il y voit le hibou :
Dangers de toutes parts ; le plus pressant l'emporte.
Ronge-maille retourne au Chat, et fait en sorte
40 Qu'il détache un chaînon, puis un autre, et puis tant
Qu'il dégage enfin l'hypocrite.
L'Homme paraît en cet instant ;
Les nouveaux alliés prennent tous deux la fuite.

4. Omission du pronom sujet et inversion de l'adverbe *tant*. — 5. Aux environs. — 6. « Envers moi » (*Acad.*, 1694). — 7. Noter le féminin. — 8. Le fait. — 9. Défaire, rompre (lat. *dissolvere*). — 10. La Fontaine fait du hibou le mari de la chouette. Il confond d'ailleurs (ou s'amuse à confondre) le hibou, le chat-huant et la chouette.

A quelque temps de là, notre Chat vit de loin
45 Son Rat qui se tenait à l'erte[11] et sur ses gardes :
« Ah ! mon frère, dit-il, viens m'embrasser ; ton soin[12]
Me fait injure. Tu regardes
Comme ennemi ton allié.
Penses-tu que j'aie oublié
50 Qu'après Dieu je te dois la vie ?
— Et moi, reprit le Rat, penses-tu que j'oublie
Ton naturel ? Aucun traité
Peut-il forcer un Chat à la reconnaissance ?
S'assure-t-on sur[13] l'alliance
55 Qu'a faite la nécessité ? »

11. L'orthographe rappelle l'expression italienne. *Stare all'erta :* se tenir sur ses gardes (littéralement : sur la côte). — 12. Les précautions que tu prends. — 13. Met-on sa confiance en...

- **Morale et politique** — On a pu trouver, dans cette fable, une allusion à l'attitude de la Hollande à l'égard de la France : Radouant (*Fables*, p. 422, n. 4) cite des textes de Guillaume d'Orange (le Chat) et de Louis XIV (le Rat). Le caractère de la morale est trop général pour permettre une affirmation. « Un conseil de prudence », voilà, selon Chamfort, la leçon essentielle de la fable.
① « Cette prudence, ajoute Chamfort, n'a rien dont la morale soit blessée. » Expliquez cette opinion.
- **La psychologie** — On a rapproché le langage du Chat de celui de Tartuffe (Taine y ajoute celui du Joseph Surface de l'écrivain britannique Sheridan).
② Cherchez les détails qui justifient ce rapprochement. Trouvez des exemples analogues dans d'autres fables de La Fontaine.

23 *Le Torrent et la Rivière*

1 Avec grand bruit et grand fracas
Un Torrent tombait des montagnes :
Tout fuyait devant lui ; l'horreur suivait ses pas ;
Il faisait trembler les campagnes.

Source. Chez ABSTEMIUS (fable 5, Nevelet, p. 537), le paysan qui se prépare à franchir un fleuve cherche un passage, n'en trouve pas dans la partie paisible, mais en découvre un, au contraire, à l'endroit où le courant est le plus bruyant. Moralité tirée par le paysan lui-même et reprise par Fontaine.

5 Nul voyageur n'osait passer
Une barrière si puissante.
Un seul[1] vit des voleurs, et, se sentant presser[2],
Il mit entre eux et lui cette onde menaçante.
Ce n'était que menace et bruit sans profondeur :
10 Notre homme enfin n'eut que la peur.
Ce succès lui donnant courage,
Et les mêmes voleurs le poursuivant toujours,
Il rencontra sur son passage
Une Rivière dont le cours,
15 Image d'un sommeil doux, paisible et tranquille,
Lui fit croire d'abord[3] ce trajet fort facile :
Point de bords escarpés, un sable pur et net.
Il entre, et son cheval le met
A couvert des voleurs, mais non de l'onde noire :
20 Tous deux au Styx[4] allèrent boire ;
Tous deux, à nager malheureux,
Allèrent traverser, au séjour ténébreux,
Bien d'autres fleuves que les nôtres.

Les gens sans bruit sont dangereux :
25 Il n'en est pas ainsi des autres.

1. S'explique par l'opposition avec *nul voyageur* du vers 5 : *un seul* voyageur osa passer, parce qu'il vit des voleurs. — 2. Serrer de près; *presser :* « poursuivre vivement, en combattant » (*Dict.* de Richelet, 1680). — 3. Sur-le-champ. — 4. Le fleuve infernal, *l'onde noire* (v. 19).

- **Fable 23 : la poésie**

① Étudiez la majesté et la puissance des vers 1-4.

② Montrez comment les vers 14-17, par l'impression de douceur et de sérénité qui s'en dégage, s'opposent heureusement aux vers 1-4. Étudiez en particulier le choix des adjectifs dans ces vers 14-17.

③ Quel est le ton de l'évocation mythologique des vers 19-23?

- **Fable 24 : la morale** n'en est pas originale. Mais sa portée est considérable. Elle pose en effet le problème des rapports entre l'hérédité et l'éducation. C'est la responsabilité de celle-ci qui est soulignée.

① Discutez ce point de vue.

- **Le style**

② Montrez comment s'exprime d'une manière plaisante, tout au long de la fable, l'opposition de César et de Laridon : langage héroï-comique et familiarité burlesque.

③ D'où procède le comique des mots *maîtresse* (v. 13), *tendresse* (v. 15), *objet* (v. 16)?

24 *L'Éducation*

1 LARIDON[1] et César, frères dont l'origine
Venait de chiens fameux, beaux, bien faits, et hardis,
A deux maîtres divers échus au temps jadis,
Hantaient, l'un les forêts, et l'autre la cuisine.
5 Ils avaient eu d'abord chacun un autre nom ;
Mais la diverse[2] nourriture[3]
Fortifiant en l'un cette heureuse nature,
En l'autre l'altérant, un certain marmiton
Nomma celui-ci Laridon.
10 Son frère, ayant couru mainte haute aventure,
Mis maint cerf aux abois, maint sanglier[4] abattu,
Fut le premier César que la gent[5] chienne ait eu.
On eut soin d'empêcher qu'une indigne maîtresse
Ne fît en ses enfants dégénérer son sang.
15 Laridon négligé[6] témoignait sa tendresse
A l'objet[7] le premier passant.
Il peupla tout de son engeance :
Tournebroches[8] par lui rendus communs en France
Y font un corps à part, gens fuyants les hasards[9],
20 Peuple antipode des Césars.

On ne suit pas[10] toujours ses aïeux ni son père :
Le peu de soin, le temps, tout fait qu'on dégénère.
Faute de cultiver la nature et ses dons,
Oh ! combien de Césars deviendront Laridons !

Sources. On peut citer **ÉSOPE, les Chiens** (Nevelet, p. 164), et **HAUDENT, les Deux Chiens**; mais surtout **PLUTARQUE** (**Œuvres morales**, I, 5). C'est Lycurgue, le législateur de Sparte, qui fait la démonstration. Après avoir éduqué d'une manière opposée deux chiens de même père et de même mère, il montre aux Lacédémoniens comment l'un d'eux se précipite après un lièvre, et l'autre sur un plat de soupe. Et il en tire la leçon.

1. Prononciation française du mot latin *laridum* (lard). — 2. Opposée, contraire (lat. *diversus*). — 3. « Se dit... en morale, de l'éducation » (*Dict. de* Furetière, 1690). — 4. *Glier* compte pour une syllabe (synérèse). — 5. Nation (emploi plaisant). — 6. Dont on ne se souciait pas. — 7. « Se dit aussi poétiquement des belles personnes qui donnent de l'amour » (Furetière). — 8. Chiens qui tournent la broche dans une roue. — 9. « Signifie aussi : péril, risque » (*Dict. de l'Acad.*, 1694). Le participe présent s'accordait alors : voir X, 11, vers 16. — 10. On n'imite pas.

25 *Les deux Chiens et l'Ane mort*

1 Les vertus devraient être sœurs,
Ainsi que les vices sont frères.
Dès que l'un de ceux-ci s'empare de nos cœurs,
Tous viennent à la file, il ne s'en manque guères :
5 J'entends de ceux qui, n'étant pas contraires,
Peuvent loger sous même toit.
A l'égard des vertus, rarement on les voit
Toutes en un sujet éminemment[1] placées,
Se tenir par la main sans être dispersées. [mais froid.
10 L'un est vaillant, mais prompt ; l'autre est prudent,
Parmi les animaux, le chien se pique[2] d'être
Soigneux et fidèle à son maître ;
Mais il est sot, il est gourmand :
Témoin ces deux mâtins qui, dans l'éloignement,
15 Virent un Ane mort qui flottait sur les ondes.
Le vent de plus en plus l'éloignait de nos Chiens.
« Ami, dit l'un, tes yeux sont meilleurs que les miens.
Porte un peu tes regards sur ces plaines profondes[3].
J'y crois voir quelque chose. Est-ce un bœuf? un cheval?
20 — Hé ! qu'importe quel animal?
Dit l'un de ces mâtins ; voilà toujours curée.
Le point[4] est de l'avoir ; car le trajet est grand,
Et, de plus, il nous faut nager contre le vent.
Buvons toute cette eau ; notre gorge altérée
25 En viendra bien à bout : ce corps demeurera
Bientôt à sec, et ce sera
Provision pour la semaine. »
Voilà mes Chiens à boire ; ils perdirent l'haleine,
Et puis la vie ; ils firent tant
30 Qu'on les vit crever à l'instant.
L'homme est ainsi bâti[5]. Quand un sujet l'enflamme,
L'impossibilité disparaît à son âme.
Combien fait-il de vœux, combien perd-il de pas,

Sources. ÉSOPE, **les Chiens affamés** (Nevelet, p. 258) et aussi PHÈDRE (I, 20).

1. Au plus haut point. — 2. Se flatte. — 3. *Les ondes* (v. 15). — 4. L'essentiel. — 5. Constitué; Richelet signale que, pour les personnes, le mot est « bas et burlesque ».

S'outrant[6] pour acquérir des biens ou de la gloire ?
35 « Si j'arrondissais mes États !
Si je pouvais remplir mes coffres de ducats !
Si j'apprenais l'hébreu, les sciences, l'histoire ! »
Tout cela, c'est la mer à boire[7] ;
Mais rien à l'homme ne suffit.
40 Pour fournir[8] aux projets que forme un seul esprit,
Il faudrait quatre corps ; encor, loin d'y suffire,
A mi-chemin je crois que tous demeureraient :
Quatre Mathusalems[9] bout à bout ne pourraient
Mettre à fin[10] ce qu'un seul désire.

6. *Outrer* :« lasser, fatiguer démesurément » (*Dict.* de Furetière, 1690). — 7. C'est un travail démesuré. Le proverbe trouve ici son application concrète. — 8. Suffire... — 9. La Bible le fait vivre 969 ans. — 10. « On dit qu'il faut faire fin à une affaire, la mettre à fin, pour dire : la terminer » (Furetière).

26 *Démocrite et les Abdéritains*

1 QUE j'ai toujours haï les pensers[1] du vulgaire[2] !
Qu'il me semble profane, injuste, et téméraire[3],
Mettant de faux milieux[4] entre la chose et lui,
Et mesurant par soi ce qu'il voit en autrui !

5 Le maître d'Épicure[5] en fit l'apprentissage.
Son pays le crut fou. Petits esprits ! Mais quoi !
Aucun n'est prophète chez soi.
Ces gens étaient les fous, Démocrite, le sage.
L'erreur alla si loin qu'Abdère[6] députa
10 Vers Hippocrate[7] et l'invita,
Par lettres et par ambassade,
A venir rétablir la raison du malade.
« Notre concitoyen, disaient-ils[8] en pleurant,
Perd l'esprit : la lecture a gâté[9] Démocrite.
15 Nous l'estimerions plus s'il était ignorant.

1. Infinitif employé comme nom : les pensées. — 2. Souvenir d'Horace (*Épîtres*, I, 3) : *Odi profanum vulgus et arceo*. — 3. Hasardeux dans ses opinions. — 4. *Milieu* est pris au sens de l'optique; cf. « sur le milieu qui l'environne » (VII, 18, v. 10). *Faux* signifie : qui déforme, donc trompeur. — 5. Démocrite, fondateur (avec Leucippe) de la doctrine atomique. — 6. *Abdère*, colonie grecque de Thrace, était la patrie de Démocrite. — 7. *Hippocrate* (460-377? av. J.-C.), le plus célèbre médecin de l'Antiquité. — 8. Le pluriel s'explique par l'idée « d'ambassadeurs » contenue dans le mot *ambassade* (v. 11). — 9. *Gâter* : « endommager, mettre en mauvais état » (*Dict. de l'Acad.*, 1694).

« Aucun nombre, dit-il, les mondes[10] ne limite :
Peut-être même ils sont remplis
De Démocrites infinis[11]. »
Non content de ce songe[12], il y joint les atomes,
20 Enfants d'un cerveau creux, invisibles fantômes,
Et, mesurant les cieux sans bouger d'ici-bas,
Il connaît l'univers, et ne se connaît pas.
Un temps fut qu'il[13] savait accorder[14] les débats[15] ;
Maintenant il parle à lui-même.
25 Venez, divin mortel ; sa folie est extrême. »
Hippocrate n'eut pas trop de foi[16] pour ces gens ;
Cependant il partit. Et voyez, je vous prie,
Quelles rencontres[17] dans la vie
Le sort cause : Hippocrate arriva dans le temps
30 Que celui qu'on disait n'avoir raison ni sens[18]
Cherchait dans l'homme et dans la bête
Quel siège a la raison, soit le cœur, soit la tête;
Sous un ombrage épais, assis près d'un ruisseau,
Les labyrinthes[19] d'un cerveau
35 L'occupaient. Il avait à ses pieds maint volume,
Et ne vit presque pas son ami s'avancer,
Attaché[20] selon sa coutume.
Leur compliment fut court, ainsi qu'on peut penser :
Le sage est ménager du temps et des paroles.
40 Ayant donc mis à part[21] les entretiens frivoles,
Et beaucoup raisonné sur l'homme et sur l'esprit,
Ils tombèrent sur la morale.
Il n'est pas besoin que j'étale
Tout ce que l'un et l'autre dit.
45 Le récit précédent suffit
Pour montrer que le peuple est juge récusable.
En quel sens est donc véritable
Ce que j'ai lu dans certain lieu[22],
Que sa voix est la voix de Dieu ?

10. Inversion du complément d'objet direct. — 11. En nombre infini. — 12. Idée chimérique. — 13. Où *il*. — 14. « On dit *accorder* un procès, un différend, pour dire : le terminer à l'amiable, par consentement réciproque » (*Acad.*, 1694). — 15. Sans doute ici les différends politiques. — 16. « Signifie aussi créance » (*Acad.*, 1694); confiance. — 17. Circonstances dues au hasard. — 18. « Signifie aussi : l'esprit, le jugement, la raison » (*Dict.* de Furetière, 1690). — 19. Les circonvolutions du *cerveau*. — 20. Absorbé dans ses pensées. — 21. Écarté. — 22. Passage d'un livre; mais il s'agit d'un proverbe : *Vox populi, vox Dei*, « la voix du peuple est la voix de Dieu ».

Fable 26 : source. Le sujet de la fable est tiré de trois lettres d'une correspondance apocryphe d'**HIPPOCRATE**, adressées à Hippocrate par le Sénat et le peuple d'Abdère. La réponse d'Hippocrate est le récit de l'entrevue entre Hippocrate et Démocrite. La Fontaine les avait sans doute lues dans la traduction française du médecin **BOMPART** (1632). La Fontaine reprend, dans les vers 13-25, un passage de la lettre I. En fait, la théorie de **DÉMOCRITE**, philosophe du Ve siècle avant notre ère, reprise au IVe siècle par **ÉPICURE**, et au Ier siècle par le poète latin **LUCRÈCE**, intéresse La Fontaine. Il suffit d'ailleurs de rappeler que Gassendi et Bernier (l'ami de La Fontaine) expliquent cette philosophie. « Il est sûr [...], écrit Pierre Clarac (**op. cit.**, p. 121), que La Fontaine a lu, directement ou dans l'**Abrégé** de Bernier, le **Syntagma** de Gassendi, et qu'il a prêté beaucoup d'attention aux thèses des atomistes et animistes. » On ne peut être surpris qu'il se soit plu à faire de Démocrite le modèle de la sagesse.

① Étudiez, dans les vers 29-44, cette peinture du sage.
La fable commence et s'achève par une critique acerbe des préjugés du vulgaire. Le proverbe fameux : *Vox populi, vox Dei* est tourné en dérision.
② Quels traits de la personnalité de La Fontaine peuvent expliquer cette attitude?
③ Comment peut-elle se concilier avec l'appel au bon sens et à la sagesse populaire qui caractérisent si souvent la morale des *Fables*?

27 *Le Loup et le Chasseur*

1 FUREUR[1] d'accumuler, monstre de qui les yeux
Regardent comme un point[2] tous les bienfaits des dieux,
Te combattrai-je en vain sans cesse en cet ouvrage?
Quel temps[3] demandes-tu pour suivre mes leçons?
5 L'homme, sourd à ma voix comme à celle du sage,
Ne dira-t-il jamais : « C'est assez, jouissons »?
— Hâte-toi, mon ami, tu n'as pas tant à vivre.
Je te rebats[4] ce mot, car il vaut tout un livre :
Jouis. — Je le ferai. — Mais quand donc? — Dès demain.
10 — Eh! mon ami, la mort te peut prendre en chemin.
Jouis dès aujourd'hui : redoute un sort semblable
A celui du Chasseur et du Loup de ma fable.

Sources. PILPAY, d'un Chasseur et d'un Loup. Le Chasseur ne fait que deux victimes, un daim et un sanglier. La morale de la fable vise uniquement l'avarice du Loup. On peut aussi citer deux épigrammes de **MARTIAL** (I, 16 et V, 58) pour les vers 1-12, sans oublier qu'il s'agit d'une idée souvent exprimée.

1. « Se dit aussi de toutes les passions qui nous font agir avec de grands emportements » (*Dict.* de Furetière, 1690). — 2. Une toute petite chose. — 3. Quel délai. — 4. Je te rabâche.

Le premier, de son arc, avait mis bas[5] un daim.
Un faon de biche passe, et le voilà soudain
15 Compagnon du défunt. Tous deux gisent sur l'herbe.
La proie était honnête[6] : un daim avec un faon ;
Tout modeste[7] chasseur en eût été content[8].
Cependant un sanglier[9], monstre énorme et superbe,
Tente encor notre Archer, friand de tels morceaux.
20 Autre habitant du Styx : la Parque et ses ciseaux
Avec peine y mordaient ; la déesse infernale
Reprit à plusieurs fois[10] l'heure au monstre fatale.
De la force du coup pourtant il s'abattit.
C'était assez de biens. Mais quoi ! rien ne remplit[11]
25 Les vastes appétits d'un faiseur de conquêtes[12].
Dans le temps que le porc revient à soi[13], l'Archer
Voit le long d'un sillon une perdrix marcher,
Surcroît chétif[14] aux autres têtes.
De son arc toutefois il bande les ressorts.
30 Le sanglier, rappelant les restes de sa vie,
Vient à lui, le découd, meurt vengé sur son corps ;
Et la perdrix le remercie.

Cette part du récit s'adresse au convoiteux[15] ;
L'avare aura pour lui le reste de l'exemple.

35 Un Loup vit, en passant, ce spectacle piteux[16].
« O Fortune ! dit-il, je te promets un temple.
Quatre corps étendus ! que de biens ! Mais pourtant
Il faut les ménager, ces rencontres[17] sont rares.
(Ainsi s'excusent les avares.)
40 J'en aurai, dit le Loup, pour un mois, pour autant[18].
Un, deux, trois, quatre corps, ce sont quatre semaines,
Si je sais compter, toutes pleines.
Commençons dans deux jours ; et mangeons cependant[19]
La corde de cet arc : il faut que l'on l'ait faite
45 De vrai boyau, l'odeur me le témoigne assez. »

5. *Mis à bas.* — 6. Satisfaisante. — 7. « Qui a de la modération » (Furetière). — 8. « Qui est satisfait, qui a ce qu'il désire » (*Dict. de l'Acad.*, 1694). — 9. *-glier* compte pour une syllabe (synérèse). — 10. Dut s'y prendre *à plusieurs fois* pour détruire la vie. — 11. Assouvit. — 12. Expression méprisante. — 13. Nous disons aujourd'hui : *revient à lui.* — 14. Sans valeur. — 15. « Qui convoite »; le mot « vieillit » (*Acad.*, 1694). — 16. « Malheureux, qui excite à la compassion » (Furetière). — 17. Occasions. — 18. *Autant que cela.* — 19. En attendant.

En disant ces mots, il se jette
Sur l'arc qui se détend, et fait de la sagette[20]
Un nouveau mort ; mon Loup a les boyaux percés.

Je reviens à mon texte[21]. Il faut que l'on jouisse ;
50 Témoin ces deux gloutons punis d'un sort commun ;
La convoitise perdit l'un ;
L'autre périt par l'avarice.

20. Flèche, (lat. *sagitta*). — 21. La pensée que je développe.

- **La composition :** un prologue, un « exemple » double dont le sens est précisé par la transition des vers 33-34, une moralité portant sur l'ensemble.
① Chamfort estime que le premier récit (v. 13-32) est le meilleur. Discutez son opinion.
- **La pensée :** une leçon de sagesse épicurienne; elle pourrait développer le vers 42 de la fable précédente.
② Analysez cette leçon. Connaissez-vous d'autres poètes qui l'aient donnée?
Une satire de la *fureur d'accumuler* (v. 1) qui fait les *convoiteux* (v. 33) et les « avares » (v. 34).
③ La personnalité de La Fontaine n'explique-t-elle pas la colère avec laquelle il s'en prend à ce vice?
④ Pouvez-vous citer d'autres fables où la même idée soit développée?

Miniature allemande du XVe siècle pour les Fables de Pilpay

CL. GIRAUDON

LIVRE NEUVIÈME

fable 1 *Le Dépositaire infidèle*

1 GRACE aux Filles de Mémoire[1],
J'ai chanté des animaux ;
Peut-être d'autres héros
M'auraient acquis moins de gloire.
5 Le loup, en langue des dieux[2],
Parle au chien dans mes ouvrages :
Les bêtes, à qui mieux mieux,
Y font divers personnages[3] :
Les uns fous, les autres sages,
10 De telle sorte pourtant
Que les fous vont l'emportant[4] ;
La mesure en est plus pleine.
Je mets aussi sur la scène
Des trompeurs, des scélérats,
15 Des tyrans et des ingrats,
Mainte imprudente[5] pécore[6],
Force sots, force flatteurs ;
Je pourrais y joindre encore
Des légions de menteurs.
20 Tout homme ment, dit le Sage[7].
S'il n'y mettait seulement
Que les gens du bas étage[8],

Sources. PILPAY (Livre des Lumières) et CAMERARIUS (Fables ésopiques, 1571, « Le bronze mis en dépôt »).

1. Les Muses. Elles étaient *filles de* Jupiter et de Mnémosyne *(Mémoire)*. — 2. En vers. — 3. « Se dit aussi du rôle que joue un comédien ou une comédienne » (*Dict. de l'Acad.*, 1694). — 4. « Tour aisé... où le verbe *aller*, comme une sorte d'auxiliaire, forme, avec le participe présent, une périphrase verbale » (Régnier, p. 352). — 5. Malavisée. — 6. « Au propre, signifie : un animal, une bête; au figuré : bête, stupide... qui a de la peine à concevoir quelque chose » (*Dict.* de Richelet, 1680). — 7. David (*Psaumes*, CXV, 11) : « Tout homme est menteur. » — 8. De basse condition.

On pourrait aucunement[9]
Souffrir ce défaut aux hommes ;
25 Mais que tous tant que nous sommes
Nous mentions, grand et petit,
Si quelque autre l'avait dit,
Je soutiendrais le contraire.
Et même qui mentirait
30 Comme Ésope et comme Homère,
Un vrai menteur ne serait.
Le doux charme de maint songe[10]
Par leur bel art inventé,
Sous les habits du mensonge
35 Nous offre la vérité.
L'un et l'autre a fait un livre
Que je tiens[11] digne de vivre
Sans fin, et plus, s'il se peut.
Comme eux ne ment pas qui veut.
40 Mais mentir comme sut faire
Un certain dépositaire,
Payé par son propre mot,
Est d'un méchant et d'un sot.

Voici le fait. Un Trafiquant de Perse,
45 Chez son Voisin, s'en allant en commerce,
Mit en dépôt un cent[12] de fer un jour.
« Mon fer ! dit-il, quand il fut de retour.
— Votre fer ? il n'est plus. J'ai regret de vous dire
Qu'un rat l'a mangé tout entier.
50 J'en[13] ai grondé mes gens[14], mais qu'y faire ? Un grenier
A toujours quelque trou. » Le trafiquant admire
Un tel prodige, et feint de le croire pourtant.
Au bout de quelques jours, il détourne l'enfant
Du perfide voisin ; puis à souper convie
55 Le père, qui s'excuse[15], et lui dit en pleurant :
« Dispensez-moi[16], je vous supplie ;
Tous plaisirs pour moi sont perdus.
J'aimais un fils plus que ma vie ;

9. « Se dit aussi à l'affirmative pour dire : en quelque façon » (*Dict.* de Furetière, 1690). — 10. Fiction poétique (comme *mensonge* au vers 34). — 11. *Tenir* « signifie aussi : réputer, estimer, croire » (*Acad.*, 1694). — 12. Cent livres. — 13. A cause de cela. — 14. « Veut dire encore : les domestiques » (*Acad.*, 1694). — 15. *S'excuser* « signifie aussi : refuser honnêtement » (*Acad.*, 1694). — 16. Dispensez-m'en.

Je n'ai que lui ; que dis-je ? hélas ! je ne l'ai plus.
60 On me l'a dérobé. Plaignez mon infortune. »
Le marchand repartit : « Hier au soir, sur la brune,
Un chat-huant s'en vint votre fils enlever.
Vers un vieux bâtiment je le lui vis porter. »
Le père dit : « Comment voulez-vous que je croie
65 Qu'un hibou pût[17] jamais emporter cette proie ?
Mon fils en un besoin[18] eût pris le chat-huant.
— Je ne vous dirai point, reprit l'autre, comment ;
Mais enfin je l'ai vu, vu de mes yeux, vous dis-je,
Et ne vois rien qui vous oblige[19]
70 D'en douter un moment après ce que je dis.
Faut-il que vous trouviez étrange
Que les chats-huants d'un pays
Où le quintal de fer[20] par un seul rat se mange,
Enlèvent un garçon pesant un demi-cent ? »
75 L'autre vit où tendait cette feinte aventure.
Il rendit le fer au Marchand,
Qui lui rendit sa géniture[21].

Même dispute avint[22] entre deux voyageurs.
L'un d'eux était de ces conteurs
80 Qui n'ont jamais rien vu qu'avec un microscope.
Tout est géant chez eux. Écoutez-les, l'Europe
Comme l'Afrique[23] aura des monstres à foison.
Celui-ci se croyait l'hyperbole permise.
« J'ai vu, dit-il, un chou plus grand qu'une maison.
85 — Et moi, dit l'autre, un pot aussi grand qu'une église. »
Le premier se moquant, l'autre reprit : « Tout doux ;
On le fit pour cuire vos choux. »

L'homme au pot fut plaisant ; l'homme au fer fut habile.
Quand l'absurde est outré, l'on lui fait trop d'honneur
90 De vouloir par raison combattre son erreur :
Enchérir est plus court, sans s'échauffer la bile.

---

17. L'imparfait du subjonctif a ici la valeur d'un conditionnel. — 18. En cas de nécessité. — 19. *Obliger* « signifie aussi : exciter, porter quelqu'un à faire quelque chose » (Furetière). — 20. Introduit le complément du verbe pronominal, équivalent d'un passif. — 21. Pro*géniture*. — 22. Advint. — 23. Elle avait la réputation d'être habitée par toutes sortes de monstres.

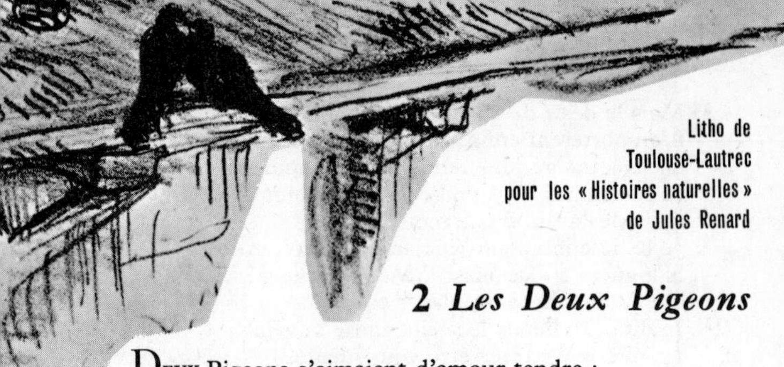

Litho de Toulouse-Lautrec pour les « Histoires naturelles » de Jules Renard

2 *Les Deux Pigeons*

Deux Pigeons s'aimaient d'amour tendre :
L'un d'eux, s'ennuyant au logis,
Fut assez fou pour entreprendre
Un voyage en lointain pays.
5 L'autre lui dit : « Qu'allez-vous faire ?
Voulez-vous quitter votre frère ?
L'absence est le plus grand des maux :
Non pas pour vous, cruel ! Au moins, que les travaux[1],
Les dangers, les soins[2] du voyage,
10 Changent un peu votre courage[3].
Encor, si la saison s'avançait davantage !
Attendez les zéphyrs[4]. Qui[5] vous presse ? Un corbeau
Tout à l'heure annonçait malheur à quelque oiseau.
Je ne songerai[6] plus que rencontre funeste,
15 Que faucons, que réseaux[7]. « Hélas ! dirai-je, il pleut :
« Mon frère a-t-il tout ce qu'il veut,
« Bon soupé,[8] bon gîte, et le reste[9] ? »
Ce discours ébranla le cœur
De notre imprudent voyageur ;

Source. La Fontaine reprend le récit des aventures de l'Aimé, nom que **PILPAY** (**Livre des Lumières**, p. 19-27) donne au Pigeon volage, mais il le concentre. Il supprime certains développements, comme le dialogue entre notre Pigeon et le Pigeon captif. En revanche, il ajoute à la fable un commentaire personnel.

CL. B. N.

1. Peines, dangers. — 2. Tracas. — 3. Cœur. — 4. Le printemps. — 5. Qu'est-ce *qui* (emploi du pronom neutre *qui* comme sujet). — 6. Je ne verrai plus en rêve. « Faire un songe... en ce sens est aussi quelquefois actif » (*Dict. de l'Acad.*, 1694). — 7. « Filet, ouvrage de corde, de fil, de soie noué par mailles et à jour pour prendre du poisson, des oiseaux » (*Acad.*, 1694). — 8. Souper. — 9. Faut-il expliquer ce *reste* par ce vers d'un conte de La Fontaine (I, 3) : « Bon vin, bon gîte, et belle chambrière » ?

20 Mais le désir de voir et l'humeur[10] inquiète[11]
L'emportèrent enfin. Il dit : « Ne pleurez point.
Trois jours au plus rendront mon âme satisfaite ;
Je reviendrai dans peu conter de point en point[12]
Mes aventures à mon frère ;
25 Je le désennuierai. Quiconque ne voit guère
N'a guère à dire aussi[13]. Mon voyage dépeint[14]
Vous sera d'un plaisir extrême.
Je dirai : « J'étais là ; telle chose m'avint ; »
Vous y croirez être vous-même. »
30 A ces mots, en pleurant, ils se dirent adieu.
Le voyageur s'éloigne ; et voilà qu'un nuage
L'oblige de[15] chercher retraite en quelque lieu.
Un seul arbre s'offrit, tel encor que l'orage
Maltraita le Pigeon en dépit du feuillage.
35 L'air devenu serein, il part tout morfondu,
Sèche du mieux qu'il peut son corps chargé de pluie,
Dans un champ à l'écart voit du blé répandu,
Voit un pigeon auprès : cela lui donne envie ;
Il y vole, il est pris : ce blé couvrait d'un las[16]
40 Les menteurs et traîtres appas.
Le las était usé ; si bien que, de son aile,
De ses pieds, de son bec, l'oiseau le rompt enfin[17].
Quelque plume y périt ; et le pis[18] du destin
Fut qu'un certain vautour, à la serre cruelle,
45 Vit notre malheureux qui, traînant la ficelle
Et les morceaux du las qui l'avait attrapé,
Semblait un forçat échappé.
Le vautour s'en allait le lier[19], quand des nues
Fond à son tour un aigle aux ailes étendues.
50 Le Pigeon profita du conflit des voleurs,
S'envola, s'abattit auprès d'une masure,
Crut, pour ce coup, que ses malheurs
Finiraient par cette aventure[20] ;
Mais un fripon d'enfant (cet âge est sans pitié)
55 Prit sa fronde et, du coup, tua plus d'à moitié

10. Le « naturel » (*Dict.* de Richelet, 1680). — 11. « Se dit aussi d'un homme inconstant, qui ne peut demeurer en place » (*Dict.* de Furetière, 1690). — 12. Dans tout le détail. — 13. Non plus. — 14. Le récit de *mon voyage*. — 15. Le contraint à. — 16. Lacs (voir IX, 16, v. 24): « Certain nœud coulant pour prendre des oiseaux, des lièvres et autres gibiers » (*Acad.*, 1694). — 17. A la fin. — 18. Le pire. — 19. « On dit qu'un oiseau de proie lie le gibier pour dire qu'il l'arrête avec sa serre » (*Acad.*, 1694). — 20. « Accident, ce qui arrive inopinément » (*Acad.*, 1694); ici, accident malheureux.

La volatile[21] malheureuse,
Qui, maudissant sa curiosité,
Traînant l'aile et tirant le pié,
Demi-morte et demi-boiteuse,
60 Droit au logis s'en retourna.
Que bien, que mal, elle arriva

21. « Subst. fém., se dit en général de tous les oiseaux » (Furetière).

● **Le sentiment personnel : sincérité et préciosité —** *J'ai quelquefois aimé* (v. 70) : *quelquefois* veut dire « une fois » mais n'affirme pas un amour unique. C'est le souvenir d'un ancien attachement qui s'impose à l'âme du poète, âme inconstante et inquiète (René Groos, Pléiade, p. 756, n. 9, cite des témoignages dans l'œuvre du poète). Ce sont d'ailleurs des vers anciens qui reviennent sous sa plume, ceux qu'il adressait à la duchesse de Bouillon, en juin 1671 :

... Peut-on s'ennuyer en des *lieux*
Honorés par les pas, éclairés par les yeux [v. 74]
D'une *aimable* et vive princesse [...]
Pour moi, *le temps d'aimer* est *passé*, je l'avoue.

① Cette sincérité du sentiment n'exclut pas une certaine préciosité de la forme. Relevez-en les traits dans les vers 70-83.

La poésie de la confidence — Sainte-Beuve, en 1862, rapproche le ton personnel de La Fontaine et la confidence romantique (*Portraits littéraires*, I, p. 59-60) :

② « La Fontaine est notre seul grand poète personnel et rêveur avant André Chénier. Il se met volontiers dans ses vers, et nous entretient de lui, de son âme, de ses caprices et de ses faiblesses [...]. Souvent aussi il a des tons qui viennent du cœur et une tendresse mélancolique qui le rapproche des poètes de notre âge [...]. Quand le poète s'écrie dans une de ses fables délicieuses : *Ne sentirai-je plus de charme qui m'arrête? Ai-je passé le temps d'aimer*? ce mot *charme*, ainsi employé en un sens indéfini et tout métaphysique, marque en français un progrès nouveau qu'ont relevé et poursuivi André Chénier et ses successeurs. » Discutez cette opinion.

③ Pierre Clarac (*op. cit.*, p. 120) écrit, à propos de la même fable : La Fontaine « vient de rapporter les malheurs du pigeon à l'*humeur inquiète*. Voici venu le moment de condamner sa folie; mais le moraliste ésopique s'efface; le chant du poète s'élève, du poète qui souffre de sa propre inquiétude et ne peut guérir. »
Trouvez-vous dans les fables d'autres exemples de ce retour du poète sur lui-même?

Sans autre aventure fâcheuse.
Voilà nos gens rejoints ; et je laisse à juger
De combien de plaisirs ils payèrent leurs peines.

65 Amants, heureux amants, voulez-vous voyager ?
Que ce soit aux rives prochaines.
Soyez-vous l'un à l'autre un monde toujours beau,
Toujours divers, toujours nouveau ;
Tenez-vous lieu de tout, comptez pour rien le reste.
70 J'ai quelquefois[23] aimé ; je n'aurais pas alors
Contre le Louvre et ses trésors,
Contre le firmament et sa voûte céleste,
Changé les bois, changé les lieux
Honorés par les pas, éclairés par les yeux
75 De l'aimable et jeune bergère
Pour qui, sous le fils de Cythère[24],
Je servis, engagé par mes premiers serments.
Hélas ! quand reviendront de semblables moments ?
Faut-il que tant d'objets[25] si doux et si charmants
80 Me laissent vivre au gré de mon âme inquiète ?
Ah ! si mon cœur osait encor se renflammer !
Ne sentirai-je plus de charme[26] qui m'arrête[27] ?
Ai-je passé le temps d'aimer ?

23. Une fois (sens archaïque). — 24. L'amour; Cythère pour Cythérée (un des noms de Vénus, adorée à Cythère). — 25. « Belles personnes qui donnent de l'amour » (Furetière). — 26. L'attrait magique de l'amour. — 27. *Arrêter :* fixer.

3 *Le Singe et le Léopard*

1 Le Singe avec le Léopard
Gagnaient[1] de l'argent à la foire ;
Ils affichaient[2] chacun à part.
L'un d'eux disait : « Messieurs, mon mérite et ma gloire
5 Sont connus en bon lieu. Le roi m'a voulu voir ;
Et, si je meurs, il veut avoir
Un manchon[3] de ma peau : tant elle est bigarrée,

Source. Le sujet est traité d'une manière concise par ÉSOPE, le Renard et la Panthère (Nevelet, p. 221). On le rencontre aussi chez AVIANUS, GILBERT COUSIN, HAUDENT, etc.

1. Le verbe se met au pluriel après deux sujets joints par *avec.* — 2. Leurs images étaient affichées sur la baraque. Les bateleurs faisaient l'annonce. — 3. « Les manchons de campagne des cavaliers sont faits de loutre, de tigre » (*Dict.* de Furetière, 1690).

Pleine de taches, marquetée,
Et vergetée[4], et mouchetée. »
10 La bigarrure plaît ; partant chacun le vit[5].
Mais ce fut bientôt fait ; bientôt chacun sortit.
Le Singe, de sa part, disait : « Venez, de grâce ;
Venez, Messieurs, je fais cent tours de passe-passe.
Cette diversité dont on vous parle tant,
15 Mon voisin Léopard l'a sur soi[6] seulement ;
Moi, je l'ai dans l'esprit. Votre serviteur Gille[7],
Cousin et gendre de Bertrand,
Singe du pape en son vivant[8],
Tout fraîchement en cette ville
20 Arrive en trois bateaux[9], exprès pour vous parler ;
Car il parle, on l'entend ; il sait danser, baller[10],
Faire des tours de toute sorte,
Passer en des cerceaux ; et le tout pour six blancs[11] !
Non, Messieurs, pour un sou ; si vous n'êtes contents,
25 Nous rendrons à chacun son argent à la porte. »
Le Singe avait raison. Ce n'est pas sur l'habit
Que la diversité me plaît, c'est dans l'esprit :
L'une fournit toujours des choses agréables ;
L'autre, en moins d'un moment, lasse les regardants[12].
30 Oh ! que de grands seigneurs, au Léopard semblables,
N'ont que l'habit pour tous talents !

4. « On appelle... peau *vergetée*... une peau où il paraît de petites raies de différentes couleurs, et plus ordinairement rouges » (*Dict. de l'Acad.*, 1718). — 5. Vint le voir. — 6. Sur lui. — 7. « Personnage du théâtre de la foire, le niais » (Littré). — 8. Il s'agit de *Bertrand :* voir IX, 17, v. 1, et XII, 3, v. 19. — 9. En grande pompe (voir Rabelais, *Gargantua*, XVI). — 10. Encore mieux que danser : prendre les poses du danseur de *ballet*. — 11. « Une espèce de petite monnaie valant cinq deniers » (*Dict. de l'Acad.*, 1694). — 12. Participe présent employé comme nom.

- **Le ton** est celui des bonimenteurs de foire.
  ① Montrez que l'intérêt essentiel de la fable réside dans cette présentation.
  ② Taine, en étudiant cette fable (p. 340-349), insiste sur son caractère poétique. Vous vous efforcerez de le dégager.
- **La morale** — « Cette fable montre », dit Ésope, « que la perfection de l'esprit l'emporte de beaucoup sur la beauté du corps ».
  ③ Dans quel sens La Fontaine oriente-t-il cette moralité philosophique ?

4 *Le Gland et la Citrouille*[1]

1 DIEU fait bien ce qu'il fait. Sans en chercher la preuve
En tout cet univers, et l'aller parcourant,
Dans les citrouilles je la treuve.

Un villageois, considérant
5 Combien ce fruit est gros et sa tige menue :
« A quoi songeait, dit-il, l'auteur de tout cela ?
Il a bien mal placé cette citrouille-là !
Hé parbleu ! je l'aurais pendue
A l'un des chênes que voilà.
10 C'eût été justement[2] l'affaire ;
Tel fruit, tel arbre, pour bien faire.
C'est dommage, Garo[3], que tu n'es point entré[4]
Au conseil de celui que prêche ton curé :
Tout en eût été mieux ; car pourquoi, par exemple,
15 Le Gland, qui n'est pas gros comme mon petit doigt,
Ne pend-il pas en cet endroit ?
Dieu s'est mépris : plus je contemple
Ces fruits ainsi placés, plus il semble à Garo
Que l'on a fait un quiproquo. »
20 Cette réflexion embarrassant notre homme :
« On ne dort point, dit-il, quand on a tant d'esprit. »
Sous un chêne aussitôt il va prendre son somme.
Un Gland tombe : le nez du dormeur en pâtit.
Il s'éveille ; et, portant la main sur son visage,
25 Il trouve encor le Gland pris au poil du menton.
Son nez meurtri[5] le force à changer de langage.
« Oh ! oh ! dit-il, je saigne ! Et que serait-ce donc
S'il fût tombé de l'arbre une masse plus lourde,
Et que ce Gland eût été gourde[6] ?
30 Dieu ne l'a pas voulu : sans doute[7] il eut raison ;
J'en vois bien à présent la cause. »
En louant Dieu de toute chose,
Garo retourne à la maison.

1. Fable publiée dès 1671. — 2. Exactement. — 3. Voir *les Sources*, p. 119. — 4. Indicatif là où nous attendions le subjonctif. — 5. La meurtrissure de son nez. — 6. Calebasse. — 7. *Sans* aucun *doute*.

Source. Cette fable s'apparente à la précédente. Le discours de Garo à lui-même sonne comme celui du singe aux spectateurs. Mais ici, c'est directement au théâtre populaire que La Fontaine a pris son sujet. Il est en effet dans les **Rencontres, fantaisies et coq-à-l'âne facétieux du baron de Grattelard,** de **TABARIN** (dernière édition, 1671). Il venait d'une comédie italienne publiée en France en 1582 (imitation française, 1633). Le nom de Garo est emprunté au **Pédant joué** de **CYRANO DE BERGERAC** (1645); mais le **Matthieu Gareau** de Cyrano descendait du **Thibau Garrau** proverbial.

● **La leçon** — Selon Antoine Adam (*op. cit.*, t. IV, p. 57), « La Fontaine écrit *le Gland et la Citrouille* pour louer la sagesse de Dieu et inviter l'homme à l'humble acceptation de l'ordre des choses. C'est que Bernier, après Gassendi, prouvait l'existence de Dieu par l'examen des corps vivants, la liaison des parties, dont aucune qui ne soit destinée à quelque fin. Contre Descartes, il affirmait que le monde ne s'explique pas sans une finalité qui est la seule preuve de l'existence de Dieu ».
① Discutez ce jugement, en rapprochant les trois premiers et les deux derniers vers de la fable.
② Montrez comment le style souligne la vanité et la niaiserie du personnage quand il prêche contre Dieu.

5 *L'Écolier, le Pédant, et le Maître d'un jardin*

1 CERTAIN Enfant qui sentait[1] son collège,
Doublement sot et doublement fripon,
Par le jeune âge et par le privilège
Qu'ont les pédants[2] de gâter[3] la raison,
5 Chez un voisin dérobait, ce dit-on,
Et fleurs et fruits. Ce voisin, en automne,
Des plus beaux dons que nous offre Pomone
Avait la fleur, les autres le rebut.
Chaque saison apportait son tribut ;
10 Car au printemps il jouissait encore
Des plus beaux dons que nous présente Flore.
Un jour, dans son jardin il vit notre Écolier
Qui, grimpant sans égard sur un arbre fruitier,
Gâtait jusqu'aux boutons[4], douce et frêle espérance,
15 Avant-coureurs des biens que promet l'abondance.

1. Qui portait les marques de. — 2. « Ceux qui enseignent les enfants » (*Dict. de l'Acad.*, 1694). — 3. « Endommager, mettre en mauvais état » (*Acad.*, 1694). — 4. Petites proéminences d'où montent tiges, fleurs, fruits.

Même il ébranchait l'arbre, et fit tant à la fin
Que le possesseur du jardin
Envoya faire plainte au maître de la classe.
Celui-ci vint, suivi d'un cortège d'enfants :
20 Voilà le verger plein de gens
Pires que le premier. Le Pédant, de sa grâce[5],
Accrut le mal en amenant
Cette jeunesse mal instruite[6] :
Le tout, à ce qu'il dit, pour faire un châtiment
25 Qui pût servir d'exemple, et dont toute sa suite
Se souvînt à jamais comme d'une leçon.
Là-dessus, il cita Virgile et Cicéron,
Avec force traits de science.
Son discours dura tant que la maudite engeance
30 Eut le temps de gâter en cent lieux le jardin.

Je hais les pièces d'éloquence
Hors de leur place, et qui n'ont point de fin ;
Et ne sais bête au monde pire
Que l'Écolier, si ce n'est le Pédant.
35 Le meilleur de ces deux pour voisin, à vrai dire,
Ne me plairait aucunement.

5. Sans en être prié. — 6. *Mal instruit :* « mal appris, qui est incivil et grossier (*Acad.*, 1694).

● **La Fontaine et les pédants** — « Les qualités d'un pédant, selon Furetière, c'est d'être mal poli, mal propre, fort crotté, critique opiniâtre, et de disputer en galimatias. »
La Fontaine s'en est pris plusieurs fois aux pédants. On lui attribue l'épigramme *Contre un pédant de Collège* (Pléiade, II, 8).

① Connaissez-vous d'autres fables où il les prenne à partie? Quel défaut essentiel leur reproche-t-il?

● **La Fontaine et les « jardins »**

② Par quels traits se manifeste ici l'amour de La Fontaine pour une nature douce et aimable?

③ Quelles autres fables pouvez-vous rapprocher de celle-ci? Et particulièrement en ce qui concerne le charme des jardins, et la sottise de ceux qui les saccagent?

6 *Le Statuaire et la Statue de Jupiter*

1 Un bloc de marbre était si beau
Qu'un Statuaire en fit l'emplette.
« Qu'en fera, dit-il, mon ciseau ?
Sera-t-il dieu[1], table ou cuvette ?

5 Il sera dieu : même je veux
Qu'il ait en sa main un tonnerre.
Tremblez, humains ! faites des vœux[2] :
Voilà le maître de la terre. »

L'artisan[3] exprima si bien
10 Le caractère de l'idole,
Qu'on trouva qu'il ne manquait rien
A Jupiter que la parole.

Même l'on dit que l'ouvrier
Eut à peine achevé l'image
15 Qu'on le vit frémir le premier,
Et redouter son propre ouvrage.

A la faiblesse du sculpteur
Le poète autrefois n'en dut guère[4],
Des dieux dont il fut l'inventeur
20 Craignant la haine et la colère.

Il était enfant en ceci :
Les enfants n'ont l'âme occupée
Que du continuel souci
Qu'on ne fâche point leur poupée.

25 Le cœur suit aisément l'esprit :
De cette source est descendue
L'erreur païenne, qui se vit
Chez tant de peuples répandue.

---

1. Souvenir d'Horace (*Satires* I, 8, v. 1-3) : « J'étais jadis un tronc de figuier, bois inutile, quand l'ouvrier, ne sachant s'il ferait un escabeau ou un Priape, préféra que je fusse un dieu. » — 2. Prières. — 3. L'artiste. — 4. Ne le céda *guère*.

Ils embrassaient violemment
30 Les intérêts de leur chimère[5] :
Pygmalion[6] devint amant
De la Vénus dont il fut père.

Chacun tourne en réalités,
Autant qu'il peut, ses propres songes :
35 L'homme est de glace aux vérités,
Il est de feu pour les mensonges.

5. Création imaginaire. — 6. Statuaire de Chypre, il devint amoureux de la statue de Galatée qu'il avait sculptée, et il l'épousa après avoir obtenu de Vénus qu'elle lui donnât la vie (Ovide, *Métamorphoses,* X, v. 243-287).

● **L'inspiration —** Dans son commentaire de ce texte, George Couton (*Fables*, p. 500-501) écarte la source traditionnellement indiquée (AVIANUS, *le Statuaire*) pour retenir trois sortes d'influences : « Des suggestions classiques (HORACE et OVIDE, voir les notes des vers 4 et 31); une idée à la fois philosophique et poétique : le poète est le créateur des mythes et des dieux »; une influence chrétienne : les dieux païens ne sont que des idoles matérielles (influence de Baruch et peut-être de Holckot).
① G. Couton conclut : « L'ensemble de ces suggestions aboutit à une manière d'hymne à l'imagination créatrice, dont l'importance est grande pour comprendre la pensée de La Fontaine.»

7 *La Souris métamorphosée en fille*

1 UNE Souris tomba du bec d'un chat-huant :
Je ne l'eusse pas ramassée ;
Mais un bramin[1] le fit ; je le crois aisément :
Chaque pays a sa pensée[2].
5 La Souris était fort froissée[3].
De cette sorte de prochain
Nous nous soucions peu ; mais le peuple bramin
Le traite en frère. Ils ont en tête

Source. PILPAY, d'une Souris qui fut changée en Fille (le Livre des Lumières, p. 279-281).

1. Brahmane. — 2. Sa croyance. — 3. *Froisser :* « meurtrir par une impression violente » (*Dict. de l'Acad.*, 1694).

Que notre âme, au sortir d'un roi,
10 Entre dans un ciron[4], ou dans telle autre bête
Qu'il plaît au sort. C'est là l'un des points[5] de leur loi.
Pythagore[6] chez eux a puisé ce mystère.
Sur un tel fondement, le bramin crut bien faire
De prier un sorcier qu'il logeât la Souris
15 Dans un corps qu'elle eût eu pour hôte[7] au temps jadis.
Le sorcier en fit une fille
De l'âge de quinze ans, et telle, et si gentille,
Que le fils de Priam[8] pour elle aurait tenté
Plus encor qu'il ne fit pour la grecque beauté.
20 Le bramin fut surpris de chose si nouvelle[9].
Il dit à cet objet[10] si doux :
« Vous n'avez qu'à choisir ; car chacun est jaloux[11]
De l'honneur d'être votre époux.
— En ce cas je donne, dit-elle,
25 Ma voix au plus puissant de tous.
— Soleil, s'écria lors[12] le bramin à genoux,
C'est toi qui seras notre gendre.
— Non, dit-il, ce nuage épais
Est plus puissant que moi, puisqu'il cache mes traits ;
30 Je vous conseille de le prendre.
— Eh bien ! dit le bramin au nuage volant,
Es-tu né pour ma fille ? — Hélas ! non ; car le vent
Me chasse à son plaisir de contrée en contrée ;
Je n'entreprendrai point sur les droits de Borée. »
35 Le bramin fâché s'écria :
« O vent donc, puisque vent y a,
Viens dans les bras de notre Belle ! »
Il accourait ; un mont en chemin l'arrêta.
L'éteuf[13] passant à celui-là,
40 Il le renvoie, et dit : « J'aurais une querelle
Avec le rat ; et l'offenser
Ce serait être fou, lui qui peut me percer. »
Au mot de Rat, la Damoiselle[14]
Ouvrit l'oreille ; il fut l'époux.

4. Voir I, 7, v. 23. — 5. « Ce qu'il y a de principal dans une affaire » (*Acad.*, 1694). — 6. Philosophe du VIe s. av. J.-C. Sa célèbre doctrine de la *métempsycose* (v. 60) lui serait venue de l'Inde. — 7. Celui qui reçoit. — 8. Pâris, ravisseur d'Hélène, *la grecque beauté* (v. 19). — 9. Extraordinaire. — 10. Voir VIII, 24, v. 16. — 11. Passionnément désireux. — 12. Alors. — 13. La balle du jeu de paume. Ils se renvoient la balle. — 14. « Vieux mot qui signifie fille noble » (*Dict.* de Furetière, 1690).

45 Un Rat ! un Rat : c'est de ces coups
Qu'Amour fait ; témoin telle et telle ;
Mais ceci soit dit entre nous.
On tient toujours du lieu[14] dont on vient. Cette fable
Prouve assez bien ce point ; mais, à la voir de près,
50 Quelque peu de sophisme entre parmi ses traits :
Car quel époux n'est point au soleil préférable,
En s'y prenant ainsi ? Dirai-je qu'un géant
Est moins fort qu'une puce ? Elle le mord pourtant.
Le Rat devait aussi renvoyer, pour bien faire,
55 La Belle au chat, le chat au chien,
Le chien au loup. Par le moyen
De cet argument circulaire[15],
Pilpay jusqu'au soleil eût[16] enfin remonté ;
Le soleil eût joui de la jeune beauté.
60 Revenons, s'il se peut, à la métempsycose :
Le sorcier du bramin fit sans doute[17] une chose
Qui, loin de la prouver, fait voir sa fausseté.
Je prends droit là-dessus[18] contre le bramin même ;
Car il faut, selon son système,
65 Que l'homme, la souris, le ver, enfin chacun
Aille puiser son âme en un trésor commun :
Toutes sont donc de même trempe ;
Mais agissant diversement
Selon l'organe[19] seulement,
70 L'une s'élève, et l'autre rampe.
D'où vient donc que ce corps si bien organisé
Ne put obliger son hôtesse
De s'unir au soleil ? Un Rat eut sa tendresse.

Tout débattu, tout bien pesé,
75 Les âmes des souris et les âmes des belles
Sont très différentes entre elles ;
Il en faut revenir toujours à son destin,
C'est-à-dire à la loi par le Ciel établie.
Parlez au diable, employez la magie,
80 Vous ne détournerez nul être de sa fin[20].

---

14. « Origine, extraction, maison, famille » (Furetière). — 15. Qui tourne en rond (il revient au soleil). — 16. Noter l'emploi de l'auxiliaire *avoir*. — 17. *Sans* aucun *doute*. — 18. Je m'en rapporte à ces exemples. — 19. Ici, le corps (voir le v. 71). — 20. Du but en vue duquel il a été créé.

● **Fable 7 : poésie et pensée** — « La fable de *la Souris métamorphosée en Fille*, écrivait Saint-Marc Girardin (19e leçon, t. II, p. 146), est à la fois un des récits les plus poétiques de La Fontaine et une de ces dissertations philosophiques qu'il aimait tant... »
① En ce qui concerne la première partie de ce jugement, vous vous demanderez quel genre de poésie nous pouvons trouver dans cette fable.
② Pierre Clarac (*op. cit.*, p. 121) cite cette fable parmi celles qui discutent le problème des rapports de l'homme et de la bête. Vous montrerez comment est conduite la dissertation philosophique et à quelles conclusions elle aboutit.

8 *Le Fou qui vend la sagesse*

1 JAMAIS auprès des fous ne te mets à portée[1].
Je ne te puis donner un plus sage conseil.
Il n'est enseignement pareil
A celui-là[2] de fuir une tête éventée[3].
5 On en voit souvent dans les cours.
Le prince y prend plaisir ; car ils donnent[4] toujours
Quelque trait aux fripons, aux sots, aux ridicules[5].
Un Fol allait criant par tous les carrefours
Qu'il vendait la sagesse ; et les mortels crédules
10 De courir à l'achat ; chacun fut diligent.
On essuyait force grimaces ;
Puis on avait pour son argent,
Avec un bon soufflet, un fil long de deux brasses[6].
La plupart s'en fâchaient ; mais que leur servait-il ?
15 C'étaient les plus moqués[7] : le mieux était de rire,
Ou de s'en aller, sans rien dire,
Avec son soufflet et son fil.
De chercher[8] du sens à la chose,
On se fût fait siffler ainsi qu'un ignorant.

Source. ABSTEMIUS, **le Fou qui vendait la sagesse** (Nevelet, p. 611). Dans cette fable, c'est le fou qui donne le conseil — en même temps qu'un coup de poing — à l'acheteur de la sagesse.

1. *Ne te mets* pas *à portée des fous*. — 2. Emphatique : *à celui* de... — 3. *Éventé :* « écervelé étourdi » (*Dict.* de Richelet, 1680). — 4. Ils lancent. — 5. *Aux* gens *ridicules*. — 6. « Mesure de la longueur de deux *bras* étendus » (*Dict. de l'Acad.*, 1694). — 7. Participe passé passif, bien que le verbe soit intransitif. — 8. Quant à *chercher*...

20 La raison est-elle garant
De ce que fait un fou ? Le hasard est la cause
De tout ce qui se passe en un cerveau blessé.
Du fil et du soufflet pourtant embarrassé,
Un des dupes[9] un jour alla trouver un sage,
25 Qui, sans hésiter davantage,
Lui dit : « Ce sont ici hiéroglyphes[10] tout purs.
Les gens bien conseillés[11], et qui voudront bien faire,
Entre eux et les gens fous mettront, pour l'ordinaire,
La longueur de ce fil ; sinon je les tiens[12] sûrs
30 De quelque semblable caresse.
Vous n'êtes point trompé : ce fou vend la sagesse. »

9. Mot d'ordinaire féminin; il faut donc comprendre : un des hommes qui furent *dupes*. — 10. « Figure qui contient quelque sens mystérieux » (*Acad.*, 1694). — 11. Avisés et réfléchis. — 12. *Tenir* : « réputer, estimer, croire » (*Acad.*, 1694).

9 *L'Huître et les Plaideurs*[1]

1 Un jour deux Pèlerins[2] sur le sable rencontrent
Une Huître, que le flot y venait d'apporter :
Ils l'avalent des yeux, du doigt ils se la montrent ;
A l'égard de la dent il fallut contester[3].
5 L'un se baissait déjà pour amasser[4] la proie ;
L'autre le pousse, et dit : « Il est bon de savoir
Qui de nous en aura la joie[5].
Celui qui le premier a pu l'apercevoir
En sera le gobeur[6] ; l'autre le verra faire.
10 — Si par là l'on juge l'affaire,
Reprit son compagnon, j'ai l'œil bon, Dieu merci.
— Je ne l'ai pas mauvais aussi[7],
Dit l'autre, et je l'ai vue avant vous, sur ma vie.
— Eh bien ! vous l'avez vue, et moi je l'ai sentie. »
15 Pendant tout ce bel incident,
Perrin Dandin[8] arrive : ils le prennent pour juge.
Perrin, fort gravement, ouvre l'Huître, et la gruge[9],

1. Publiée dès 1671. — 2. Voyageurs (mais peut-être avec le sens religieux). — 3. « Quereller, plaider, disputer » (*Dict.* de Furetière, 1690). — 4. Ramasser. — 5. La jouissance. — 6. Mot inventé plaisamment par La Fontaine. — 7. Non plus. — 8. Personnage de Rabelais (*Tiers Livre*, 41) : « appointeur de procès ». Racine, dans *les Plaideurs* (1668), avait donné ce nom à son juge. — 9. Mange. Mais *gruger* « se dit figurément de la chicane qui consomme en peu de temps le bien d'un plaideur » (Furetière).

Nos deux Messieurs le regardant.
Ce repas fait, il dit d'un ton de président :
20 « Tenez, la cour vous donne à chacun une écaille,
Sans dépens[10], et qu'en paix chacun chez soi s'en aille. »
Mettez[11] ce qu'il en coûte à plaider aujourd'hui ;
Comptez ce qu'il en reste à beaucoup de familles ;
Vous verrez que Perrin tire l'argent à lui,
25 Et ne laisse aux plaideurs que le sac et les quilles[12].

10. *Sans* frais. — 11. Notez. — 12. Le juge empoche l'enjeu. Les joueurs n'ont plus que *le sac* (à procès) vide *et les quilles* (avec lesquelles on joue « aux sous »).

Source. Le même sujet avait été traité par **BOILEAU** dans un apologue qu'il plaça d'abord à la fin de l'**Épître I** en 1669, puis dans l'**Épître II**, en 1672. Selon Brossette, c'est d'une ancienne comédie italienne que le père de Boileau tenait cette histoire, qu'il avait contée à son fils. Voici le texte de Boileau :

... Si jamais quelque ardeur bilieuse
Allumait dans ton cœur l'humeur litigieuse,
Consulte-moi d'abord; et pour la réprimer,
Retiens bien la leçon que je te vais rimer.

Un jour, dit un auteur, n'importe en quel chapitre,
Deux voyageurs à jeun rencontrèrent une huître;
Tous deux la contestaient, lorsque dans leur chemin
La Justice passa, la balance à la main.
Devant elle à grand bruit ils expliquent la chose.
Tous deux avec dépens veulent gagner leur cause.
La Justice pesant ce droit litigieux,
Demande l'huître, l'ouvre, et l'avale à leurs yeux;
Et par ce bel arrêt terminant la bataille :
« Tenez, voilà, dit-elle, à chacun une écaille;
Des sottises d'autrui nous vivons au Palais;
Messieurs, l'huître était bonne. Adieu. Vivez en paix. »

① D'une comparaison entre les deux fables, vous dégagerez l'originalité de La Fontaine.

10 *Le Loup et le Chien maigre*

1 AUTREFOIS Carpillon fretin[1]
Eut beau prêcher, il eut beau dire,
On le mit dans la poêle à frire.
Je fis voir que lâcher ce qu'on a dans la main,

Source. ÉSOPE, **le Chien endormi et le Loup** (Nevelet, p. 118). Le sujet est repris par HAUDENT.

1. Voir *le Petit Poisson et le Pêcheur* (V, 3).

5 Sous espoir de grosse aventure[2],
Est imprudence toute pure.
Le Pêcheur eut raison ; Carpillon n'eut pas tort :
Chacun dit ce qu'il peut pour défendre sa vie.
Maintenant il faut que j'appuie
10 Ce que j'avançai lors, de quelque trait encor.
Certain Loup, aussi sot que le Pêcheur fut sage,
Trouvant un Chien hors du village,
S'en allait l'emporter. Le Chien représenta[3]
Sa maigreur : « Jà[4] ne plaise à votre Seigneurie
15 De me prendre en cet état-là ;
Attendez, mon maître marie
Sa fille unique. Et vous jugez
Qu'étant de noce, il faut, malgré moi, que j'engraisse. »
Le Loup le croit, le Loup le laisse.
20 Le Loup, quelques jours écoulés,
Revient voir si son Chien n'est point meilleur à prendre ;
Mais le drôle[5] était au logis.
Il dit au Loup par un treillis :
« Ami, je vais sortir ; et, si tu veux attendre,
25 Le portier du logis et moi
Nous serons tout à l'heure[6] à toi. »
Ce portier du logis était un chien énorme,
Expédiant les loups en forme[7].
Celui-ci s'en douta. « Serviteur au portier »,
30 Dit-il ; et de courir. Il était fort agile ;
Mais il n'était pas fort habile :
Ce Loup savait pas encor bien son métier.

2. Gros profit hasardeux. — 3. Fit remarquer. — 4. « Vieux mot au lieu duquel on se . de *maintenant* ou de *déjà* » (*Dict.* de Furetière, 1690). — 5. Ici, le malin. — 6. A l'instant. — 7. Selon les règles; langage de procédure.

11 *Rien de trop*

1 JE ne vois point de créature
Se comporter modérément.
Il est certain tempérament[1]

Source. ABSTEMIUS (fable 187), **les Moutons qui tondaient les moissons sans modération** (Nevelet, p. 612). Bref apologue dont la moralité est la suivante : « La fable montre qu'aucun manque de mesure ne dure longtemps. »

1. Juste mesure.

Que le maître de la nature
5 Veut que l'on garde en tout. Le fait-on ? Nullement.
Soit en bien, soit en mal, cela n'arrive guère.
Le blé, riche présent de la blonde Cérès,
Trop touffu bien souvent, épuise les guérets ;
En superfluités[2] s'épandant d'ordinaire,
10 Et poussant trop abondamment,
Il ôte à son fruit l'aliment[3].
L'arbre n'en fait pas moins ; tant le luxe sait plaire !
Pour corriger le blé, Dieu permit aux moutons
De retrancher l'excès des prodigues moissons[4].
15 Tout au travers ils se jetèrent,
Gâtèrent tout, et tout broutèrent ;
Tant que le Ciel permit aux loups
D'en croquer quelques-uns : ils les croquèrent tous.
S'ils ne le firent pas, du moins ils y tâchèrent.
20 Puis le Ciel permit aux humains
De punir ces derniers : les humains abusèrent
A leur tour des ordres divins.
De tous les animaux, l'homme a le plus de pente[5]
A se porter dedans[6] l'excès.
25 Il faudrait faire le procès
Aux petits comme aux grands. Il n'est âme vivante
Qui ne pèche en ceci. « Rien de trop » est un point
Dont on parle sans cesse, et qu'on n'observe point.

---

2. Végétations luxuriantes : voir le vers 12 *(luxe)*. — 3. Le blé poussant en herbe, l'épi est privé de sa sève. — 4. Souvenir de Virgile (*Géorgiques*, I, v. 111-112). — 5. « Se dit figurément en choses morales et signifie : inclination » (*Dict.* de Furetière, 1690). — 6. Dans.

● **Le sujet** — *Rien de trop* est la maxime célèbre inscrite au fronton du temple de Delphes (Μηδὲν ἄγαν).
« Politique, richesses, science, à quelque ambition qu'il se livre, l'homme moderne a perdu l'art de se borner », écrit Antoine Adam (*op. cit.*, IV, 54) à propos de la pensée de La Fontaine.
① Trouvez d'autres fables qui justifient cette vue.
② « Je ne sais, dit Chamfort, comme La Fontaine a pu faire une aussi mauvaise petite pièce sur un sujet de moralité si heureuse. » Discutez cette opinion.

---

12 *Le Cierge*

1 C'EST du séjour des dieux que les abeilles viennent[1].
Les premières, dit-on, s'en allèrent loger
Au mont Hymette[2], et se gorger
Des trésors qu'en ce lieu les zéphyrs entretiennent.
5 Quand on eut des palais de ces filles du Ciel
Enlevé l'ambroisie[3] en leurs chambres enclose,
Ou, pour dire en français la chose,
Après que les ruches sans miel
N'eurent plus que la cire, on fit mainte bougie ;
10 Maint cierge aussi fut façonné.
Un d'eux voyant la terre en brique au feu durcie
Vaincre l'effort des ans, il[4] eut la même envie ;
Et, nouvel Empédocle[5] aux flammes condamné
Par sa propre et pure folie,
15 Il se lança dedans. Ce fut mal raisonné :
Ce Cierge ne savait grain[6] de philosophie.
Tout en tout est divers : ôtez-vous de l'esprit
Qu'aucun être ait été composé sur le vôtre.
L'Empédocle de cire au brasier se fondit :
20 Il n'était pas plus fou que l'autre.

Source. ABSTEMIUS (fable 54), **la Cire qui désirait devenir dure** (Nevelet, p. 557). « Cette fable nous avertit de ne pas rechercher ce qui nous est refusé par la nature.»

---

1. Souvenir de Virgile (*Géorgiques*, IV, v. 219-221). — 2. « *Hymette* était une montagne célébrée par les poètes, située dans l'Attique, et où les Grecs recueillaient d'excellent miel » (note de La Fontaine). — 3. La nourriture des dieux; ici, le miel. — 4. Pléonasme : *Il* reprend *un d'eux*. — 5. « Empédocle était un philosophe ancien qui, ne pouvant comprendre les merveilles du mont Etna, se jeta dedans par une vanité ridicule, et, trouvant l'action belle, de peur d'en perdre le fruit et que la postérité ne l'ignorât, laissa ses pantoufles au pied du mont » (note de La Fontaine). — 6. Voir VIII, 15, v. 27 et la note.

13 *Jupiter et le Passager*

1 O ! combien le péril enrichirait les dieux
Si nous nous souvenions des vœux qu'il nous fait faire !
Mais, le péril passé, l'on ne se souvient guère
De ce qu'on a promis aux Cieux ;
5 On compte seulement ce qu'on doit à la terre.
« Jupiter, dit l'impie, est un bon créancier :
Il ne se sert jamais d'huissier. »

Eh ! qu'est-ce donc que le tonnerre ?
Comment appelez-vous ces avertissements ?

10 Un Passager, pendant l'orage,
Avait voué cent bœufs au vainqueur des Titans[1].
Il n'en avait pas un : vouer cent éléphants
N'aurait pas coûté davantage.
Il brûla quelques os quand il fut au rivage.
15 Au nez de Jupiter la fumée en monta.
« Sire Jupin[1], dit-il, prends mon vœu ; le voilà :
C'est un parfum de bœuf que ta grandeur respire.
La fumée est ta part ; je ne te dois plus rien. »
Jupiter fit semblant de rire ;
20 Mais, après quelques jours, le dieu l'attrapa bien,
Envoyant un songe lui dire
Qu'un tel trésor était en tel lieu. L'homme au vœu
Courut au trésor comme au feu[2].
Il trouva des voleurs, et, n'ayant dans sa bourse
25 Qu'un écu pour toute ressource,
Il leur promit cent talents[3] d'or,
Bien comptés, et d'un tel trésor :
On l'avait enterré dedans[4] telle bourgade.
L'endroit parut suspect aux voleurs, de façon
30 Qu'à notre prometteur[5] l'un dit : « Mon camarade,
Tu te moques de nous ; meurs, et va chez Pluton
Porter tes cent talents en don. »

Sources. Des deux fables ésopiques que l'on peut citer, **l'Homme qui promet l'impossible** (Nevelet, p. 99) et **le Trompeur** (Nevelet, p. 202), c'est sans doute la seconde qui a inspiré La Fontaine. Mais le sujet a été traité par d'autres auteurs, notamment **HAUDENT, d'un Pauvre Homme et des Larrons.**

1. Jupiter. — 2. Aussi vite que s'il s'agissait d'éteindre un incendie. — 3. Le *talent d'or* attique représentait trente et une livres d'or. — 4. Dans. — 5. Ce mot n'est pas inventé par La Fontaine, mais il prend ici une valeur ironique, comme le *mon camarade* qui suit.

CL. GUILEY-LAGACHE

Gravure du Nevelet 1610

14 *Le Chat et le Renard*

1 LE Chat et le Renard, comme beaux petits saints,
S'en allaient en pèlerinage.
C'étaient deux vrais tartufs[1], deux archipatelins[2],
Deux francs patte-pelus[3], qui, des frais du voyage,
5 Croquant[4] mainte volaille, escroquant[4] maint fromage,
S'indemnisaient à qui mieux mieux.
Le chemin étant long, et partant ennuyeux,
Pour l'accourcir[5] ils disputèrent.
La dispute[6] est d'un grand secours;
10 Sans elle on dormirait toujours.
Nos pèlerins s'égosillèrent.
Ayant bien disputé, l'on parla du prochain.
Le Renard au Chat dit enfin :
« Tu prétends être fort habile ;
15 En sais-tu tant que moi ? J'ai cent ruses au sac[7].
— Non, dit l'autre : je n'ai qu'un tour dans mon bissac,
Mais je soutiens qu'il en vaut mille. »
Eux de recommencer la dispute à l'envi.
Sur le que si, que non[8], tous deux étant ainsi,
20 Une meute apaisa la noise[9].
Le Chat dit au Renard : « Fouille en ton sac, ami ;
Cherche en ta cervelle matoise
Un stratagème sûr. Pour moi, voici le mien. »
A ces mots, sur un arbre il grimpa bel et bien.
25 L'autre fit cent tours inutiles,
Entra dans cent terriers, mit cent fois en défaut[10]
Tous les confrères de Brifaut[11].

Sources. CAMERARIUS (239 et 396), GILBERT COUSIN (Cognatus, p. 97); JACQUES RÉGNIER (I, 28). La fable de La Fontaine semble un développement de celle de Gilbert Cousin qui ne comprend que quelques lignes.

---

1. *Tartuffe :* « Molière a enrichi la langue de ce mot par une excellente comédie à qui il a donné ce nom » (*Dict.* de Furetière, 1690). L'Académie le cite également. — 2. Superlatif (inventé par La Fontaine) du mot *patelin* (Souvenir de la célèbre farce du XVe siècle, *la Farce de Maître Pathelin*). — 3. « On dit figurément d'un homme qui a les apparences douces et honnêtes, mais qui est dangereux, et dont il faut se défier, que c'est une *pattepelue* » (*Dict. de l'Acad.*, 1694). La Fontaine met l'expression au masculin parce qu'elle est en apposition à deux noms masculins. — 4. Deux gérondifs, avec omission de *en*. — 5. Le raccourcir. — 6. La discussion. — 7. Dans mon *sac*. — 8. Voir VI, 20, v. 6. — 9. « Querelle, dispute » (*Acad.*, 1694). — 10. « Terme de chasse, c'est la perte que le chien a faite des voies de la bête qu'on chasse » (*Dict.* de Richelet, 1680). — 11. Chien de meute : voir *le Lièvre et la Perdrix* (V, 17, v. 12).

Partout il tenta des asiles,
Et ce fut partout sans succès ;
30 La fumée y pourvut, ainsi que les bassets[12].
Au sortir d'un terrier, deux chiens aux pieds agiles
L'étranglèrent du premier bond.

Le trop d'expédients peut gâter une affaire ;
On perd du temps au choix, on tente, on veut tout faire.
35 N'en ayons qu'un, mais qu'il soit bon.

12. Chien *bas*, qui peut entrer dans le terrier.

● **La composition :** présentation des personnages et préparation du dialogue (v. 1-12); dialogue (v. 13-23); drame (v. 24-32); moralité.

① Montrez comment chacune des parties du récit (1-32) engage déjà la suivante.

② Dans les vers 25-32, montrez comment la rapidité du style de La Fontaine s'apparente à celle de la poursuite.

● **La moralité** — Selon Nodier, « tous nos proverbes où est contenue la Sagesse des nations ont autant de proverbes en sens opposé et qui ne sont pas moins sages » (cf. XII, 23).

15 *Le Mari, la Femme, et le Voleur*

1 UN Mari fort amoureux,
Fort amoureux de sa Femme,
Bien qu'il fût jouissant[1], se croyait malheureux.
Jamais œillade de la Dame,
5 Propos flatteur et gracieux,
Mot d'amitié, ni doux sourire,
Déifiant[2] le pauvre Sire,
N'avaient fait soupçonner qu'il fût vraiment chéri.

Sources. PILPAY, le Livre des Lumières (p. 259-260); CAMERARIUS (fable 387), le Vieillard et sa toute jeune Femme. Dans les deux cas, l'indifférence de la jeune femme est causée par les défauts du mari : laideur ou vieillesse. Citons aussi un conte de JACQUES DE LENDA (1501) où le mari fait appel à un voisin (voleur de complaisance).

1. *Bien qu'il* jouît des droits de l'hymen. — 2. Le faisant égal aux dieux.

Je le crois : c'était un mari.
10 Il ne tint point à l'hyménée
Que, content de sa destinée,
Il n'en remerciât les dieux.
Mais quoi ! Si l'amour n'assaisonne
Les plaisirs que l'hymen nous donne,
15 Je ne vois pas qu'on en soit mieux.
Notre Épouse étant donc de la sorte bâtie,
Et n'ayant caressé son mari de sa vie,
Il en faisait sa plainte une nuit. Un voleur
Interrompit la doléance.
20 La pauvre Femme eut si grand'peur
Qu'elle chercha quelque assurance
Entre les bras de son époux.
« Ami voleur, dit-il, sans toi ce bien si doux
Me serait inconnu. Prends donc en récompense
25 Tout ce qui peut chez nous être à ta bienséance[3] ;
Prends le logis aussi. » Les voleurs ne sont pas
Gens honteux, ni fort délicats :
Celui-ci fit sa main[4]. J'infère de ce conte
Que la plus forte passion
30 C'est la peur : elle fait vaincre l'aversion,
Et l'amour quelquefois ; quelquefois il la dompte[5].
J'en ai pour preuve cet amant
Qui brûla sa maison pour embrasser sa dame,
L'emportant à travers la flamme.
35 J'aime assez cet emportement ;
Le conte m'en a plu toujours infiniment :
Il est bien d'une âme espagnole,
Et plus grande encore que folle[6].

3. « Tout ce qui convient et qui est propre à quelque personne » (*Dict.* de Richelet, 1680). — 4. « Se dit de celui qui pille quand il en a l'occasion » (*Dict. de l'Acad.*, 1694). — 5. C'est lui qui *la dompte*. — 6. Voir VIII, 15, v. 6-8.

● **Le sens de la fable** — « Quelle morale y a-t-il à tirer de là? », demande Chamfort.

① Vous chercherez où réside l'agrément du récit.

16 *Le Trésor et les Deux Hommes*[1]

1 UN Homme n'ayant plus ni crédit ni ressource,
Et logeant le diable[2] en sa bourse,
C'est-à-dire n'y logeant rien,
S'imagina qu'il ferait bien
5 De se pendre, et finir lui-même sa misère,
Puisque aussi bien sans lui la faim le viendrait faire :
Genre de mort qui ne duit[3] pas
A gens peu curieux de goûter[4] le trépas.
Dans cette intention[5], une vieille masure
10 Fut la scène où devait se passer l'aventure.
Il y porte une corde, et veut avec un clou
Au haut d'un certain mur attacher le licou.
La muraille, vieille et peu forte,
S'ébranle aux premiers coups, tombe avec un trésor.
15 Notre désespéré le ramasse, et l'emporte,
Laisse là le licou, s'en retourne avec l'or,
Sans compter : ronde ou non, la somme plut au sire[6].
Tandis que le galand[7] à grands pas se retire,
L'Homme au trésor arrive, et trouve son argent
20 Absent.
« Quoi ! dit-il, sans mourir je perdrai cette somme ?
Je ne me pendrai pas ? Et vraiment si ferai[8],
Ou de corde je manquerai. »
Le lacs[9] était tout prêt ; il n'y manquait qu'un homme :
25 Celui-ci se l'attache, et se pend bien et beau[10].
Ce qui le consola peut-être
Fut qu'un autre eût, pour lui, fait les frais du cordeau.
Aussi bien que l'argent le licou[11] trouva maître.

Sources. ABSTEMIUS a traité un sujet analogue (Nevelet, p. 582), mais avec des différences sérieuses. Il faut retenir surtout **GILBERT COUSIN (Cognatus), le Pauvre et le Riche,** et **GUÉROULT, le Premier Livre des Emblèmes** (p. 14). La fable de Cousin pouvait constituer un véritable plan pour celle de La Fontaine.

1. Publiée dès 1671. — 2. Locution proverbiale qui avait fourni un conte à Saint-Gelais. — 3. *Duire :* « convenir, être utile... Il est bas » (*Dict. de l'Acad.*, 1694). — 4. Expression venue de l'Évangile selon saint Jean (VIII, 52) : *gustare mortem* « goûter la mort ». — 5. L'expression ne se rapporte pas au sujet, comme ce serait aujourd'hui nécessaire. — 6. Emploi narquois du mot. — 7. Le rusé compère. — 8. Je *ferai* ainsi (noter l'absence du pronom sujet). — 9. Voir IX, 2, n. 16. — 10. Bel et bien. — 11. « Se dit aussi de la corde qui sert à étrangler les pendus » (*Dict.* de Furetière, 1690).

L'avare rarement finit ses jours sans pleurs ;
30 Il a le moins de part au trésor qu'il enserre[12],
Thésaurisant pour les voleurs,
Pour ses parents ou pour la terre.
Mais que dire du troc que la Fortune fit ?
Ce sont là de ses traits ; elle s'en divertit :
35 Plus le tour est bizarre, et plus elle est contente.
Cette déesse inconstante
Se mit alors en l'esprit
De voir un homme se pendre ;
Et celui qui se pendit
40 S'y devait le moins attendre.

12. Enferme.

17 *Le Singe et le Chat*[1]

1 BERTRAND avec Raton, l'un singe et l'autre chat,
Commensaux[2] d'un logis, avaient un commun maître.
D'animaux malfaisants c'était un très bon plat[3] ;
Ils n'y[4] craignaient tous deux aucun[5], quel qu'il pût être.
5 Trouvait-on quelque chose au logis de gâté,
L'on ne s'en prenait point aux gens du voisinage :
Bertrand dérobait tout ; Raton, de son côté,
Était moins attentif aux souris qu'au fromage.
Un jour, au coin du feu, nos deux maîtres[6] fripons
10 Regardaient rôtir des marrons.
Les escroquer était une très bonne affaire :
Nos galands[7] y voyaient double profit à faire,
Leur bien premièrement, et puis le mal d'autrui.

Sources. SIMON MAIOLI, dans **les Jours caniculaires** (1588, traduction de 1610), raconte comment un singe se servit de la patte d'un chat pour tirer les châtaignes hors des charbons ardents. **JACQUES RÉGNIER (Apologue de Phèdre,** 1643) et **NOEL DU FAIL (Contes et discours d'Entrapel,** 1644) nous rapportent la même histoire : le singe se sert de la patte du chat endormi.

1. Fable publiée en 1671. — 2. « Épithète qui se donne aux officiers du roi qui ont bouche à la Cour » (*Dict.* de Furetière, 1690); voir III, 12, v. 6. — 3. « On dit ironiquement quand on voit deux ou trois personnes ensemble de même génie et qui ne valent pas grand-chose : Voilà un *bon plat* » (*Dict. de l'Acad.*, 1694). — 4. *Y* se rapporte à l'idée de mal faire. — 5. Personne. — 6. « Se dit aussi odieusement à l'égard de ceux qui se signalent par quelque mauvaise qualité » (Furetière). — 7. « On dit aussi qu'un homme est galant pour dire qu'il est habile, adroit, dangereux, qu'il entend bien ses affaires » (Furetière).

Bertrand dit à Raton : « Frère, il faut aujourd'hui
15 Que tu fasses un coup de maître ;
Tire-moi ces marrons. Si Dieu m'avait fait naître
Propre à tirer marrons du feu,
Certes, marrons verraient beau jeu[8]. »
Aussitôt fait que dit : Raton, avec sa patte,
20 D'une manière délicate,
Écarte un peu la cendre, et retire les doigts,
Puis les reporte à plusieurs fois ;
Tire un marron, puis deux, et puis trois en escroque,
Et cependant[9] Bertrand les croque.
25 Une servante vient : adieu mes gens. Raton
N'était pas content, ce dit-on.

Aussi[10] ne le sont pas la plupart de ces princes
Qui, flattés d'un pareil emploi,
Vont s'échauder[11] en des provinces
30 Pour le profit de quelque roi.

8. Ironique. — 9. *Pendant ce* temps. — 10. De même. — 11. Jeu de mots : Raton s'est brûlé la patte.

● Fable 17 : l'art

① Quelle modification La Fontaine a-t-il fait subir à l'historiette, et quel est l'intérêt de cette modification ?

② « Nous apprîmes par cœur [*la fable*] du Singe et du Chat... Cela est peint... », écrivait Mme de Sévigné à sa fille, le 29 avril 1671.

18 *Le Milan et le Rossignol*[1]

1 Après que le Milan, manifeste[2] voleur,
Eut répandu l'alarme en tout le voisinage,
Et fait crier sur lui les enfants du village,
Un Rossignol tomba dans ses mains[3] par malheur.
5 Le héraut du printemps lui demande la vie.

1. Fable publiée en 1671. — 2. Évident : il a été surpris en flagrant délit. — 3. « En termes de fauconnerie, se dit proprement du faucon, duquel on dit qu'il a la main habile, etc. » (*Dict.* de Furetière, 1690).

« Aussi bien[4], que manger en qui n'a que le son ?
Écoutez plutôt ma chanson :
Je vous raconterai Térée[5] et son envie.
— Qui, Térée ? est-ce un mets propre[6] pour les milans ?
10 — Non pas ; c'était un roi dont les feux violents
Me[7] firent ressentir[8] leur ardeur criminelle.
Je m'en vais vous en dire une chanson si belle
Qu'elle vous ravira : mon chant plaît à chacun. »
Le Milan alors lui réplique :
15 « Vraiment, nous voici bien ; lorsque je suis à jeun,
Tu me viens parler de musique.
— J'en parle bien aux rois. — Quand un roi te prendra,
Tu peux lui conter ces merveilles.
Pour un milan, il s'en rira :
20 Ventre affamé n'a point d'oreilles[9]. »

4. « Sert à rendre raison de la proposition qui l'a précédé » (*Dict. de l'Acad.*, 1694). — 5. Voir III, 15. *Son envie :* son désir, sa passion pour sa belle-sœur Philomèle, qu'il outragea et tortura. Progné, sœur de Philomèle et femme de Térée, tua leur fils Itys et le servit dans un festin à Térée. Progné fut métamorphosée en hirondelle, Térée en huppe et Philomèle en rossignol. — 6. « Convenable à quelqu'un ou à quelque chose » (*Acad.*, 1694). — 7. *Me :* le rossignol (Philomèle). — 8. Subir. — 9. Proverbe ancien : « l'estomac affamé n'a point d'oreilles, il n'ouït goutte » (Rabelais, *Quart Livre*, chap. 63).

Fable 18 : source. HÉSIODE, dans **les Travaux et les Jours**, raconte l'histoire de l'Épervier et du Rossignol, pour conclure qu'il est impossible de lutter contre les puissants. Le rossignol d'**ÉSOPE (Philomèle et l'Épervier**, Nevelet, p. 87) se défend (comme le carpillon de La Fontaine, V, 3) en alléguant sa maigreur. La Fontaine nous fait entendre la réplique brutale et ironique de l'oiseau de proie.

19 *Le Berger et son Troupeau*

1 Quoi ! toujours il me manquera
Quelqu'un de ce peuple imbécile[1] !
Toujours le loup m'en gobera !
J'aurai beau les compter ! ils étaient plus de mille,
5 Et m'ont laissé ravir notre pauvre Robin[2] ;

Source. ABSTEMIUS (f. 127), **le Berger exhortant son troupeau contre le Loup** (Nevelet, p. 588). Récit clair et plat, conclu par la réflexion du berger : « On ne peut changer la nature. »

1. « Faible et sans vigueur » (*Dict.* de Furetière, 1690). — 2. Le nom est dans Rabelais (*Quart Livre*, chap. 6) : « Vous avez, ce croy je, nom *Robin mouton*. »

Robin mouton, qui par la ville
Me suivait pour un peu de pain,
Et qui m'aurait suivi jusques au bout du monde.
Hélas ! de ma musette[3] il entendait[4] le son ;
10 Il me sentait venir de cent pas à la ronde.
Ah ! le pauvre Robin mouton ! »
Quand Guillot eut fini cette oraison funèbre,
Et rendu de Robin la mémoire célèbre,
Il harangua tout le troupeau,
15 Les chefs, la multitude, et jusqu'au moindre agneau,
Les conjurant de tenir ferme :
Cela seul suffirait pour écarter les loups.
Foi de peuple d'honneur, ils lui promirent tous
De ne bouger non plus[5] qu'un terme[6].
20 « Nous voulons, dirent-ils, étouffer le glouton
Qui nous a pris Robin mouton. »
Chacun en répond sur sa tête.
Guillot les crut, et leur fit fête[7].
Cependant, devant qu'il[8] fût nuit,
25 Il arriva nouvel encombre[9] :
Un loup parut, tout le troupeau s'enfuit.
Ce n'était pas un loup, ce n'en était que l'ombre.

Haranguez de méchants[10] soldats,
Ils promettront de faire rage ;
30 Mais, au moindre danger, adieu tout leur courage :
Votre exemple et vos cris ne les retiendront pas.

---

3. « Instrument de musique auquel on donne le vent avec un soufflet qui se hausse et se baisse par le mouvement du bras » (*Dict. de l'Acad.*, 1694). — 4. Comprenait. — 5. Pas plus. — 6. Borne sculptée à l'image du dieu *Terme* et servant à borner les champs dans l'Italie antique. — 7. Les félicita (voir I, 17, v. 15). — 8. Avant qu'. — 9. « Vieux mot, et hors d'usage... obstacle, empêchement, embarras » (Furetière). — 10. « Mauvais, qui n'est pas bon, qui ne vaut rien dans son genre » (*Acad.*, 1694).

● **La poésie** — « Dans l'apologue, tel que l'entend et le fait La Fontaine, le chemin intéresse plus que le but. La fable ésopique est avant tout conseil de morale; la sienne surtout poésie » (Régnier, t. II, p. 145).

① Comment pouvez-vous analyser la poésie de La Fontaine dans cette fable?

Discours à Madame de La Sablière

1 IRIS[1], je vous louerais, il[2] n'est que trop aisé ;
Mais vous avez cent fois notre encens refusé,
En cela peu semblable au reste des mortelles,
Qui veulent tous les jours des louanges nouvelles.
5 Pas une ne s'endort à ce bruit si flatteur.
Je ne les blâme point, je souffre[3] cette humeur[4] :
Elle est commune aux dieux, aux monarques, aux belles.
Ce breuvage vanté par le peuple rimeur,
Le nectar que l'on sert au maître du tonnerre,
10 Et dont nous enivrons tous les dieux de la terre,
C'est la louange, Iris. Vous ne la goûtez point ;
D'autres propos chez vous récompensent[5] ce point :
Propos, agréables commerces[6],
Où le hasard fournit cent matières diverses,
15 Jusque-là[7] qu'en votre entretien
La bagatelle a part : le monde n'en croit rien.
Laissons le monde et sa croyance.
La bagatelle, la science,
Les chimères[8], le rien, tout est bon. Je soutiens
20 Qu'il faut de tout aux entretiens :
C'est un parterre où Flore épand[9] ses biens ;
Sur différentes fleurs l'abeille s'y repose,
Et fait du miel de toute chose.
Ce fondement posé, ne trouvez pas mauvais
25 Qu'en ces fables aussi j'entremêle des traits
De certaine philosophie,
Subtile, engageante[10], et hardie.
On l'appelle nouvelle : en avez-vous ou non
Ouï parler ? Ils disent donc
30 Que la bête est une machine ;
Qu'en elle tout se fait sans choix et par ressorts :
Nul sentiment, point d'âme ; en elle tout est corps.
Telle est la montre qui chemine[11]
A pas toujours égaux, aveugle et sans dessein.

1. Nom que donne La Fontaine à Mme de la Sablière. — 2. Cela. — 3. J'endure. — 4. « Le naturel » (*Dict.* de Richelet, 1680). — 5. Compensent. — 6. « Se dit aussi de la correspondance, de l'intelligence qui est entre les particuliers, soit pour les affaires, soit pour les études, ou simplement pour entretenir l'amitié » (*Dict.* de Furetière, 1690). — 7. Jusqu'à ce point. — 8. Les fictions. — 9. Répand. — 10. Séduisante. — 11. Marche régulièrement.

35 Ouvrez-la, lisez dans son sein :
Mainte roue y tient lieu de tout l'esprit du monde ;
La première y meut la seconde,
Une troisième suit, elle sonne à la fin.
Au dire de ces gens, la bête est toute telle :
40 L'objet la frappe en un endroit ;
Ce lieu frappé s'en va tout droit,
Selon nous, au voisin en porter la nouvelle ;
Le sens de proche en proche aussitôt la reçoit.
L'impression se fait, mais comment se fait-elle ?
45 Selon eux, par nécessité,
Sans passion, sans volonté :
L'animal se sent agité
De mouvements que le vulgaire appelle
Tristesse, joie, amour, plaisir, douleur cruelle,
50 Ou quelque autre de ces états.
Mais ce n'est point cela ; ne vous y trompez pas.
Qu'est-ce donc ? Une montre. Et nous ? C'est autre chose.
Voici de la façon[12] que Descartes l'expose ;
Descartes, ce mortel dont on eût fait un dieu
55 Chez les païens, et qui tient le milieu
Entre l'homme et l'esprit, comme entre l'huître et l'homme
Le tient tel de nos gens[13], franche bête de somme ;
Voici, dis-je, comment raisonne cet auteur.
Sur[14] tous les animaux, enfants du Créateur,
60 J'ai le don de penser, et je sais que je pense.
Or vous savez, Iris, de certaine science[15],
Que, quand la bête penserait,
La bête ne réfléchirait
Sur l'objet ni sur sa pensée.
65 Descartes va plus loin, et soutient nettement
Qu'elle ne pense nullement.
Vous n'êtes point embarrassée
De le croire ; ni moi. Cependant, quand aux bois
Le bruit des cors, celui des voix,
70 N'a donné nul relâche à la fuyante proie,
Qu'en vain elle a mis ses efforts
A confondre et brouiller la voie[16],

---

12. *Voici de* quelle *façon.* — 13. « Signifie encore des personnes d'une même société » (Furetière). — 14. Au-dessus de. — 15. De science certaine. — 16. Faire perdre la piste.

L'animal chargé d'ans, **vieux cerf,** et de dix cors[17],
En suppose[18] un plus jeune, et l'oblige[19] par force
75 A présenter aux chiens une nouvelle amorce.
Que de raisonnements pour conserver ses jours !
Le retour sur ses pas, les malices, les tours,
Et le change[20], et cent stratagèmes
Dignes des plus grands chefs, dignes d'un meilleur sort !
80 On le déchire après sa mort :
Ce sont tous ses honneurs suprêmes.

Quand **la perdrix**
Voit ses petits
En danger, et n'ayant qu'une plume nouvelle
85 Qui ne peut fuir encor par les airs le trépas,
Elle fait la blessée, et va, traînant de l'aile,
Attirant le chasseur et le chien sur ses pas,
Détourne le danger, sauve ainsi sa famille,
Et puis, quand le chasseur croit que son chien la pille[21],
90 Elle lui dit adieu, prend sa volée, et rit
De l'homme qui, confus, des yeux en vain la suit.

Non loin du Nord il est un monde[22]
Où l'on sait que les habitants
Vivent ainsi qu'aux premiers temps
95 Dans une ignorance profonde :
Je parle des humains ; car, quant aux animaux,
Ils y construisent des travaux
Qui des torrents grossis arrêtent le ravage,
Et font communiquer l'un et l'autre rivage.
100 L'édifice résiste, et dure en son entier ;
Après un lit de bois est un lit[23] de mortier.
Chaque **castor** agit : commune en est la tâche ;
Le vieux y fait marcher le jeune sans relâche ;
Maint maître d'œuvre[24] y court, et tient haut le bâton[25].

---

17. Les *cors* ou andouillers poussent sur les cornes du cerf, à la sixième année. — 18. Substitue. — 19. L'amène. — 20. « Terme de chasse. Ruse que fait le lièvre pour se dérober des chiens des chasseurs et leur donner à courre quelque autre lièvre que lui... Cerf qui a donné *le change* » (Richelet). — 21. « Se dit aussi des chiens qui se jettent sur les animaux ou sur les personnes » (*Dict. de l'Acad.*, 1694). — 22. Le Canada. — 23. Il y a des couches successives. — 24. « Officier qui a juridiction et inspection sur les ouvrages de maçonnerie et de charpente » (*Acad.*, 1694). — 25. Commande avec autorité.

105 La république de Platon
Ne serait rien que l'apprentie
De cette famille amphibie.
Ils savent en hiver élever leurs maisons,
Passent les étangs sur des ponts,
110 Fruit de leur art, savant ouvrage ;
Et nos pareils[26] ont beau le voir,
Jusqu'à présent tout leur savoir
Est de passer l'onde à la nage.

Que ces castors ne soient qu'un corps vuide d'esprit,
115 Jamais on ne pourra m'obliger à le croire ;
Mais voici beaucoup plus ; écoutez ce récit,
Que je tiens d'un roi plein de gloire.
Le défenseur du Nord[27] vous sera mon garant ;
Je vais citer un prince aimé de la Victoire ;
120 Son nom seul est un mur à[28] l'empire ottoman :
C'est le roi polonais. Jamais un roi ne ment.
Il dit donc que, sur sa frontière,
Des animaux entre eux ont guerre de tout temps :
Le sang qui se transmet des pères aux enfants
125 En renouvelle la matière[29].
Ces **animaux,** dit-il, sont **germains du renard**[30],
Jamais la guerre avec tant d'art
Ne s'est faite parmi les hommes,
Non pas même au siècle où nous sommes.
130 Corps de garde avancé, vedettes, espions,
Embuscades, partis[31], et mille inventions
D'une pernicieuse et maudite science,
Fille du Styx et mère des héros,
Exercent de ces animaux
135 Le bon sens et l'expérience.
Pour chanter leurs combats, l'Achéron nous devrait
Rendre Homère. Ah ! s'il le rendait,
Et qu'il rendît aussi le rival d'Épicure[32],
Que dirait ce dernier sur ces exemples-ci ?
140 Ce que j'ai déjà dit : qu'aux bêtes[33] la nature

26. Les hommes de ce pays. — 27. Sobieski, roi de Pologne en 1674. — 28. Contre. — 29. « Cause, sujet, occasion de quoi que ce soit » (*Acad.*, 1694). — 30. Ces animaux, d'après Furetière, sont des *boubacks ;* il en est de deux espèces, l'une apparentée au blaireau, l'autre au renard. — 31. « Troupe de gens de guerre, de cavalerie ou d'infanterie, que l'on détache pour battre la campagne, reconnaître l'ennemi, faire des prisonniers, etc. » (*Acad.*, 1694). — 32. Descartes. — 33. Chez les *bêtes*.

Peut par les seuls ressorts[34] opérer tout ceci ;
Que la mémoire est corporelle,
Et que, pour en venir aux exemples divers
Que j'ai mis en jour dans ces vers,
145 L'animal n'a besoin que d'elle.
L'objet, lorsqu'il revient, va dans son magasin
Chercher par le même chemin
L'image auparavant tracée,
Qui sur les mêmes pas revient pareillement,
150 Sans le secours de la pensée,
Causer un même événement[35].
Nous agissons tout autrement :
La volonté nous détermine,
Non l'objet, ni l'instinct. Je parle, je chemine ;
155 Je sens en moi certain agent[36] ;
Tout obéit dans ma machine[37]
A ce principe intelligent.
Il est distinct du corps, se conçoit nettement,
Se conçoit mieux que le corps même :
160 De tous nos mouvements c'est l'arbitre suprême.
Mais comment le corps l'entend-il[38] ?
C'est là le point. Je vois l'outil
Obéir à la main ; mais la main, qui la guide ?
Eh ! qui guide les cieux et leur course rapide ?
165 Quelque ange est attaché peut-être à ces grands corps.
Un esprit vit en nous, et meut tous nos ressorts ;
L'impression[39] se fait. Le moyen, je l'ignore.
On ne l'apprend qu'au sein de la Divinité ;
Et, s'il faut en parler avec sincérité,
170 Descartes l'ignorait encore[40].
Nous et lui là-dessus nous sommes tous égaux.
Ce que je sais, Iris, c'est qu'en ces animaux
Dont je viens de citer l'exemple,
Cet esprit n'agit pas : l'homme seul est son temple.
175 Aussi faut-il donner à l'animal un point
Que la plante, après tout, n'a point.

---

34. Ici, moyens mécaniques. — 35. Effet. — 36. Principe d'action. — 37. Mon organisme. — 38. *Entendre :* « donner son consentement, consentir, approuver » (Richelet). — 39. Reprise du vers 44; cf. Georges Couton, *Fables*, p. 515 : « Le résultat se produit. Le résultat est l'action de la matière sur l'esprit dans la perception (v. 44); l'action de l'esprit sur le corps produisant les mouvements (v. 167) ». — 40. Il lui a fallu être mort pour le « savoir ».

Cependant la plante respire.
Mais que répondra-t-on à ce que je vais dire ?

LES DEUX RATS, LE RENARD, ET L'ŒUF

Deux Rats cherchaient leur vie ; ils trouvèrent un Œuf.
180 Le dîné suffisait à gens de cette espèce :
Il n'était pas besoin qu'ils trouvassent un bœuf.
Pleins d'appétit et d'allégresse,
Ils allaient de leur œuf manger chacun sa part,
Quand un quidam[41] parut : c'était maître Renard.
185 Rencontre incommode et fâcheuse :
Car comment sauver l'œuf ? Le bien empaqueter,
Puis des pieds de devant ensemble le porter,
Ou le rouler, ou le traîner,
C'était chose impossible autant que hasardeuse.
190 Nécessité l'ingénieuse
Leur fournit une invention.
Comme ils pouvaient gagner leur habitation,
L'écornifleur[42] étant à demi-quart de lieue,
L'un se mit sur le dos, prit l'œuf entre ses bras,
195 Puis, malgré quelques heurts et quelques mauvais pas,
L'autre le traîna par la queue.
Qu'on m'aille soutenir, après un tel récit,
Que les bêtes n'ont point d'esprit !

Pour moi, si j'en étais le maître,
200 Je leur en donnerais aussi bien qu'aux enfants.
Ceux-ci pensent-ils pas dès leurs plus jeunes ans ?
Quelqu'un peut donc penser ne se pouvant connaître.
Par un exemple tout égal,
J'attribuerais à l'animal
205 Non point une raison selon notre manière,
Mais beaucoup plus aussi qu'un aveugle ressort :
Je subtiliserais[43] un morceau de matière,
Que l'on ne pourrait plus concevoir sans effort,

41. « C'est-à-dire *un certain*, mais le mot est un peu vieux, et il ne se dit que dans le burlesque et en plaisantant dans la conversation, ou dans le style le plus bas » (Richelet). — 42. *Écornifler :* « aller dîner chez autrui sans y être invité, par un esprit de goinfrerie ou d'épargne » (Furetière). — 43. *Subtiliser :* « rendre *subtil*, au propre et au figuré... L'esprit de vin se subtilise à force d'être rectifié ou distillé plusieurs fois » (Furetière).

Quintessence d'atome, extrait de la lumière,
210 Je ne sais quoi plus vif[44] et plus mobile encor
Que le feu ; car enfin, si le bois fait la flamme,
La flamme, en s'épurant, peut-elle pas de l'âme
Nous donner quelque idée ? et sort-il pas de l'or
Des entrailles du plomb ? Je rendrais mon ouvrage
215 Capable de sentir, juger, rien davantage,
Et juger imparfaitement,
Sans qu'un singe jamais fît le moindre argument[45].
A l'égard de nous autres hommes,
Je ferais notre lot infiniment plus fort ;
220 Nous aurions un double trésor :
L'un, cette âme pareille en tous tant que nous sommes,
Sages, fous, enfants, idiots,
Hôtes[46] de l'univers, sous le nom d'animaux ;
L'autre, encore une autre âme, entre nous et les anges
225 Commune en un certain degré ;
Et ce trésor à part créé
Suivrait parmi les airs les célestes phalanges,
Entrerait dans un point sans en être pressé,
Ne finirait jamais, quoique ayant commencé,
230 Choses réelles, quoique étranges.
Tant que l'enfance durerait,
Cette fille du Ciel en nous ne paraîtrait
Qu'une tendre et faible lumière ;
L'organe[47] étant plus fort, la raison percerait
235 Les ténèbres de la matière,
Qui toujours envelopperait
L'autre âme, imparfaite et grossière.

44. De *plus vif*. — 45. « Un raisonnement qu'on fait en posant certains principes dont on tire des conclusions » (Furetière). — 46. Habitants. — 47. Le corps.

Madame de La Sablière. C'est sans doute en 1673 que La Fontaine, sans ressources, est devenu l'hôte de Madame de la Sablière ; et il le restera longtemps, peut-être même jusqu'à la mort de sa protectrice, en 1693. **Iris** est séparée de son mari depuis 1668. Elle est très cultivée et son salon est ouvert aux philosophes comme aux mondains. « La Fontaine, écrit Pierre Clarac (**op. cit.**, p. 113), ne peut que se plaire dans un cercle où les mœurs et les esprits sont libres et où l'on aime, autant que la mathématique, la musique et la poésie. Il célèbre, dans un de ses discours à Madame de la Sablière précisément, les charmes de la libre causerie où la pensée voltige de la

Peinture de Louis Elle (1612-1689)

CL. ARCH. PHOT.

science et des plus hauts sujets à la bagatelle et aux chimères. » En 1684, lors de sa réception à l'Académie, La Fontaine lira un autre **Discours à Madame de la Sablière**; mais si le premier est essentiellement un débat philosophique, le second est la confidence de l'âme du poète.

● **La démonstration de La Fontaine** — Le débat porte essentiellement sur l'âme des animaux, pour aboutir à l'âme humaine. La théorie cartésienne des animaux-machines est présentée dans les vers 30-32. La comparaison avec la montre (v. 33-38) éclaire l'idée, cette comparaison permettant aux cartésiens de résumer d'une manière précise leur théorie (v. 39-44).

Dans le commentaire général (v. 53-68), l'éloge de Descartes aboutit à rappeler le caractère absolu de sa théorie (*Qu'elle ne pense nullement*, dit-il (v. 66) en parlant de la bête). La Fontaine semble disposé à l'admettre (v. 68), mais le mot *cependant* introduit la réaction personnelle du poète.

Quatre récits (la ruse du vieux cerf, celle de la perdrix, l'art des castors, la stratégie des boubacks) démontrent, chez les animaux, l'existence d'une ingéniosité, fondée sur la mémoire.

① Analysez le mouvement poétique des vers 82-91. Montrez comment cette poésie sert le raisonnement de La Fontaine.

Une transition poétique (v. 136-139) nous présente l'explication cartésienne des faits invoqués par le poète : la mémoire est corporelle. Ce ne sont que des réactions mécaniques qui se produisent. Pas de *secours de la pensée* (v. 150). Cependant, la petite fable *les Deux Rats, le Renard et l'Œuf* prouve qu'il y a, chez l'animal, une faculté d'invention que la mémoire corporelle ne peut suffire à expliquer.

La Fontaine affirme l'existence de deux âmes, l'une matérielle « subtilisée » (v. 207), l'autre immatérielle. L'animal ne posséderait que la première, l'homme les posséderait toutes les deux. L'explication est conforme à la doctrine de Gassendi.

② Montrez comment s'unissent, dans ce passage, le raisonnement et l'imagination poétique.

LIVRE DIXIÈME

fable 1 *L'Homme et la Couleuvre*[1]

1 UN Homme vit une Couleuvre[1] :
« Ah ! méchante, dit-il, je m'en vais faire une œuvre
Agréable à tout l'univers. »
A ces mots, l'animal pervers
5 (C'est le Serpent que je veux dire,
Et non l'Homme : on pourrait aisément s'y tromper) ;
A ces mots, le Serpent, se laissant attraper,
Est pris, mis en un sac ; et, ce qui fut le pire,
On résolut sa mort, fût-il coupable ou non.
10 Afin de le payer toutefois de raison,
L'autre lui fit cette harangue :
« Symbole des ingrats ! être bon aux méchants,
C'est être sot ; meurs donc : ta colère et tes dents
Ne me nuiront jamais. » Le Serpent, en sa langue,
15 Reprit du mieux qu'il put : « S'il fallait condamner
Tous les ingrats qui sont au monde,
A qui pourrait-on pardonner ?
Toi-même tu te fais ton procès. Je me fonde
Sur tes propres leçons ; jette les yeux sur toi,
20 Mes jours sont en tes mains, tranche-les ; ta justice,
C'est ton utilité, ton plaisir, ton caprice ;
Selon ces lois, condamne-moi ;
Mais trouve bon qu'avec franchise
En mourant au moins je te dise

Sources. La principale est une fable de **PILPAY** (**le Livre des Lumières**, p. 204-209). Nous y trouvons l'arbitrage de la vache et celui de l'arbre. Toutefois, le début et la fin de la fable sont différents : l'Homme a sauvé la Couleuvre qui a ensuite voulu le mordre. Et c'est sur le conseil d'un renard qu'il la tue.

1. Sans doute au sens général de : serpent.

25 Que le symbole des ingrats
Ce n'est point le Serpent, c'est l'Homme. » Ces paroles
Firent arrêter[2] l'autre ; il recula d'un pas.
Enfin il repartit : « Tes raisons sont frivoles.
Je pourrais décider, car ce droit m'appartient ;
30 Mais rapportons-nous-en[3]. — Soit fait[4] », dit le Reptile.
Une vache était là, l'on l'appelle, elle vient ;
Le cas est proposé, c'était chose facile :
Fallait-il pour cela, dit-elle, m'appeler ?
La Couleuvre a raison ; pourquoi dissimuler ?
35 Je nourris celui-ci depuis longues années ;
Il n'a sans mes bienfaits passé nulles journées :
Tout n'est que pour lui seul ; mon lait et mes enfants
Le font à la maison revenir les mains pleines ;
Même j'ai rétabli sa santé, que les ans
40 Avaient altérée ; et mes peines
Ont pour but son plaisir ainsi que son besoin.
Enfin[5] me voilà vieille ; il me laisse en un coin
Sans herbe ; s'il voulait encor me laisser paître !
Mais je suis attachée, et si j'eusse eu pour maître
45 Un serpent, eût-il su jamais pousser si loin
L'ingratitude ? Adieu. J'ai dit ce que je pense. »
L'homme, tout étonné[6] d'une telle sentence,
Dit au Serpent : « Faut-il croire ce qu'elle dit ?
C'est une radoteuse, elle a perdu l'esprit.
50 Croyons ce bœuf. — Croyons », dit la rampante bête.
Ainsi dit, ainsi fait. Le bœuf vient à pas lents.
Quand il eut ruminé tout le cas en sa tête,
Il dit que du labeur des ans
Pour nous seuls il portait[7] les soins[8] les plus pesants,
55 Parcourant sans cesser ce long cercle de peines[9]
Qui, revenant sur soi, ramenait dans nos plaines
Ce que Cérès[10] nous donne et vend aux animaux ;
Que cette suite de travaux
Pour récompense avait, de tous tant que nous sommes,
60 Force coups, peu de gré[11] ; puis, quand il était vieux,
On croyait l'honorer chaque fois que les hommes

2. S'*arrêter*. — 3. ... à un arbitre (ellipse du complément). — 4. Qu'il en *soit fait* ainsi. — 5. A la fin. — 6. Frappé de stupeur. — 7. Il supportait. — 8. Les efforts. — 9. Souvenir probable de Virgile (*Géorgiques*, II, v. 401). — 10. Les dons de *Cérès* (les produits de la terre) ne sont dons que pour l'homme. C'est le travail de l'animal qui les achète. — 11. Gratitude.

Achetaient de son sang l'indulgence des dieux.
Ainsi parla le bœuf. L'Homme dit : « Faisons taire
Cet ennuyeux déclamateur.
65 Il cherche de grands mots, et vient ici se faire,
Au lieu d'arbitre, accusateur.
Je le récuse aussi. » L'arbre étant pris pour juge,
Ce fut bien pis encore. Il servait[12] de refuge
Contre le chaud, la pluie, et la fureur des vents ;
70 Pour nous seuls il ornait les jardins et les champs.
L'ombrage n'était pas le seul bien qu'il sût faire :
Il courbait sous les fruits. Cependant, pour salaire
Un rustre l'abattait, c'était là son loyer[13],
Quoique, pendant tout l'an, libéral il nous donne[14]
75 Ou des fleurs au printemps, ou du fruit en automne ;
L'ombre l'été ; l'hiver, les plaisirs du foyer.
Que ne l'émondait-on, sans prendre la cognée ?
De son tempérament[15], il eût encor vécu.
L'Homme, trouvant mauvais que l'on l'eût convaincu,
80 Voulut à toute force avoir cause gagnée.
« Je suis bien bon, dit-il, d'écouter ces gens-là ! »
Du sac et du Serpent aussitôt il donna
Contre les murs, tant qu'il tua la bête.

On en use ainsi chez les grands.
85 La raison les offense ; ils se mettent en tête
Que tout est né pour eux, quadrupèdes, et gens,
Et serpents.
Si quelqu'un desserre les dents,
C'est un sot. J'en conviens. Mais que faut-il donc faire ?
90 Parler de loin, ou bien se taire.

---

12. Sous-entendu : dit-il (style indirect libre). — 13. « Signifie aussi récompense » (*Dict. de l'Acad.*, 1694). — 14. Le présent s'explique par le fait que l'action est habituelle. — 15. Grâce à *son tempérament*.

● **Fable 1 : la morale —** Taine suppose « que notre poète, ayant relu sa fable du *Loup et de l'Agneau*, ne l'a pas trouvée assez forte » (*op. cit.*, p. 275). Selon Antoine Adam, La Fontaine « va plus loin dans son pessimisme qu'il n'avait fait en 1668. »

① Montrez-le.

CL. GIRAUDON

Miniature allemande du XVe siècle pour les Fables de Pilpay.

2 *La Tortue et les Deux Canards*

1 UNE Tortue était[1], à la tête légère,
Qui, lasse de son trou, voulut voir le pays.
Volontiers on fait cas d'une terre étrangère ;
Volontiers gens boiteux haïssent le logis.
5 Deux Canards, à qui la commère[2]
Communiqua ce beau dessein,
Lui dirent qu'ils avaient de quoi la satisfaire.
« Voyez-vous ce large chemin ?
Nous vous voiturerons par l'air en Amérique :
10 Vous verrez mainte république,
Maint royaume, maint peuple ; et vous profiterez
Des différentes mœurs que vous remarquerez.
Ulysse en fit autant. » On ne s'attendait guère
De voir[3] Ulysse en cette affaire.

Source. Le sujet a été souvent traité par les fabulistes. De la fable de **PILPAY (le Livre des Lumières,** p. 124-126), celle de La Fontaine diffère sur deux points importants : chez Pilpay, ce sont les canards qui, abandonnant leur étang desséché, proposent à la tortue le départ; et, à la fin de la fable, la tortue croit entendre des cris d'envieux.

1. Il y avait... — 2. La sotte bavarde. — 3. A *voir*.

15 La Tortue écouta la proposition.
Marché fait[4], les Oiseaux forgent une machine[5]
Pour transporter la pèlerine[6].
Dans la gueule, en travers, on lui passe un bâton.
« Serrez bien, dirent-ils, gardez de[7] lâcher prise. »
20 Puis chaque Canard prend ce bâton par un bout.
La Tortue enlevée, on s'étonne partout
De voir aller en cette guise[8]
L'animal lent et sa maison,
Justement[9] au milieu de l'un et l'autre Oison[10].
25 « Miracle ! criait-on. Venez voir dans les nues
Passer la reine des tortues.
— La reine ! vraiment oui. Je la suis en effet[11] ;
Ne vous en moquez point. » Elle eût beaucoup mieux fait
De passer son chemin sans dire aucune chose ;
30 Car, lâchant le bâton en desserrant les dents,
Elle tombe, elle crève aux pieds des regardants[12].
Son indiscrétion[13] de sa perte fut cause.

Imprudence[14], babil, et sotte vanité,
Et vaine curiosité,
35 Ont ensemble étroit parentage[15].
Ce sont enfants tous d'un lignage[16].

4. L'affaire une fois conclue. — 5. « Engin, instrument propre à faire mouvoir » (*Dict. de l'Acad.*, 1694). — 6. La voyageuse. — 7. *Gardez*-vous *de*. — 8. « Manière, façon » (*Acad.*, 1694). — 9. Exactement. — 10. Le mot désigne d'ordinaire une petite oie, et non un canard; mais La Fontaine se joue souvent du vocabulaire zoologique : voir le v. 30. — 11. « Réellement » (*Acad.*, 1694). — 12. Participe présent employé comme nom. — 13. Manque de jugement. — 14. Absence de sagesse. — 15. « Parenté. Il [le mot] vieillit et ne s'emploie guère qu'en vers » (*Acad.*, 1694). — 16. D'une même race.

3 *Les Poissons et le Cormoran*

1 Il n'était point d'étang dans tout le voisinage
Qu'un Cormoran[1] n'eût mis à contribution.
Viviers et réservoirs lui payaient pension[2] :
Sa cuisine allait bien ; mais, lorsque le long âge
5 Eut glacé le pauvre animal,
La même cuisine alla mal.

Source. Dans PILPAY (le Livre des Lumières, p. 92-95), l'écrevisse, devinant la ruse, se fait porter sur le bord du vivier par la grue et l'étrangle.

1. Oiseau aquatique, à plumage sombre. Il plonge pour se nourrir de poissons. — 2. Tribut.

Tout Cormoran se sert de pourvoyeur[3] lui-même.
Le nôtre, un peu trop vieux pour voir au fond des eaux,
N'ayant ni filets ni réseaux[4],
10 Souffrait[5] une disette extrême.
Que fit-il ? Le besoin, docteur en stratagème,
Lui fournit celui-ci. Sur le bord d'un étang
Cormoran vit une écrevisse.
« Ma commère[6], dit-il, allez tout à l'instant
15 Porter un avis important
A ce peuple. Il faut[7] qu'il périsse :
Le maître de ce lieu dans huit jours pêchera. »
L'écrevisse en hâte s'en va
Conter le cas. Grande est l'émute[8] ;
20 On court, on s'assemble, on députe
A l'Oiseau : « Seigneur Cormoran,
D'où vous vient cet avis ? Quel est votre garant ?
Êtes-vous sûr de cette affaire ?
N'y savez-vous remède ? Et qu'est-il bon de faire ?
25 — Changer de lieu, dit-il. — Comment le ferons-nous ?
— N'en soyez point en soin[9] : je vous porterai tous,
L'un après l'autre, en ma retraite.
Nul que[10] Dieu seul et moi n'en connaît les chemins :
Il n'est demeure plus secrète.
30 Un vivier que Nature y creusa de ses mains,
Inconnu des traîtres humains,
Sauvera votre république. »
On le crut. Le peuple aquatique
L'un après l'autre[11] fut porté
35 Sous ce rocher peu fréquenté.
Là, Cormoran, le bon apôtre[12],
Les ayant mis en un endroit
Transparent, peu creux, fort étroit,
Vous les prenait sans peine, un jour l'un, un jour l'autre.
40 Il leur apprit à leurs dépens
Que l'on ne doit jamais avoir de confiance
En ceux qui sont mangeurs de gens.

3. « Celui qui a soin de pourvoir une maison de vivres » (*Dict.* de Furetière, 1690). — 4. *Filets* pour prendre les poissons ou *réseaux* pour prendre les oiseaux. — 5. *Souffrir :* « endurer » (*Dict. de l'Acad.*, 1694). — 6. Mon amie (familier). — 7. Il est inévitable. — 8. L'émeute. — 9. Inquiétude. — 10. *Nul*, sinon... — 11. Les écrevisses l'une *après l'autre.* — 12. « On dit proverbialement et ironiquement *bon apôtre* pour dire un bon compagnon ou un bon hypocrite » (*Acad.*, 1694); c'est le second sens ici. Le Cormoran est traité, par le fabuliste, comme « Grippeminaud *le bon apôtre* » (VII, 16, v. 43). —

Ils y perdirent peu, puisque l'humaine engeance[13]
En aurait aussi bien croqué sa bonne part.

45 Qu'importe qui vous mange ? Homme ou loup, toute panse
Me paraît une[14] à cet égard ;
Un jour plus tôt, un jour plus tard,
Ce n'est pas grande différence.

13. Race. — 14. Semblable.

4 *L'Enfouisseur et son Compère*

1 UN Pincemaille[1] avait tant amassé
Qu'il ne savait où loger sa finance[2].
L'avarice, compagne et sœur de l'ignorance,
Le rendait fort embarrassé
5 Dans le choix d'un dépositaire ;
Car il en voulait un. Et voici sa raison :
« L'objet[3] tente ; il faudra[4] que ce monceau s'altère[5]
Si je le laisse à la maison ;
Moi-même de mon bien je serai le larron. »
10 Le larron ? Quoi ! jouir, c'est se voler soi-même ?
Mon ami, j'ai pitié de ton erreur extrême.
Apprends de moi cette leçon :
Le bien n'est bien qu'en tant que l'on s'en peut défaire ;
Sans cela, c'est un mal. Veux-tu le réserver
15 Pour un âge et des temps qui n'en ont plus que faire ?
La peine d'acquérir, le soin[6] de conserver,
Otent le prix à l'or, qu'on croit si nécessaire.
Pour se décharger d'un tel soin,
Notre homme eût pu trouver des gens sûrs au besoin.
20 Il aima mieux la terre, et prenant son Compère[7],
Celui-ci l'aide. Ils vont enfouir le trésor.
Au bout de quelque temps, l'homme va voir son or ;
Il ne retrouva que le gîte[8].

Source. ABSTEMIUS, l'Homme qui avait caché son trésor, au su de son compère (Nevelet, p. 605). Mais la fable d'Abstemius ne fait pas la critique de l'avarice du propriétaire.

1. Avare ; cf. l'expression *sans sou ni maille*, la *maille* valant un demi-denier. — 2. « Argent comptant » (*Dict. de l'Acad.*, 1694); donc pièces de monnaie. — 3. Le trésor présent devant soi. — 4. Il sera inévitable. — 5. Diminue. — 6. Le souci. — 7. Son voisin. — 8. Voir IV, 20, vers 21.

Soupçonnant à bon droit le Compère, il va vite
25 Lui dire : « Apprêtez-vous[9] ; car il me reste encor
Quelques deniers ; je veux les joindre à l'autre masse. »
Le compère aussitôt va remettre en sa place
L'argent volé, prétendant bien
Tout reprendre à la fois, sans qu'il y manquât rien.
30 Mais, pour ce coup, l'autre fut sage :
Il retint[10] tout chez lui, résolu de jouir,
Plus[11] n'entasser, plus n'enfouir ;
Et le pauvre voleur, ne trouvant plus son gage[12],
Pensa tomber de sa hauteur.
35 Il n'est pas malaisé de tromper un trompeur[13].

---

9. Préparez-vous. — 10. Il garda. — 11. De ne *plus* (ellipse de la préposition). — 12. Le dépôt. — 13. Et *c'est double plaisir de tromper le trompeur*, avait déjà dit La Fontaine (II, 15, v. 32).

5 *Le Loup et les Bergers*

1 UN Loup rempli d'humanité
(S'il en est de tels dans le monde)
Fit un jour sur sa cruauté,
Quoiqu'il ne l'exerçât que par nécessité,
5 Une réflexion profonde.
« Je suis haï, dit-il ; et de qui ? De chacun.
Le Loup est l'ennemi commun :
Chiens, chasseurs, villageois, s'assemblent pour sa perte.
Jupiter est là-haut étourdi de leurs cris ;
10 C'est par là[1] que de loups l'Angleterre est déserte[2] :
On y mit notre tête à prix.
Il n'est hobereau[3] qui ne fasse
Contre nous tels bans[4] publier ;
Il n'est marmot osant crier

Sources. PLUTARQUE, le Banquet des sept sages (paragr. 13) ; **CAMERARIUS** (fable 349) ; **ABSTEMIUS** (fable 9, Nevelet, p. 539) : il remplace le loup par un renard, les bergers par des femmes, et le mouton par une poule ; **MARIE DE FRANCE, du Loup qui jugea par serment** (elle nous montre seulement le loup regrettant son vœu d'abstinence) ; **HAUDENT** (2e partie, fable 70) : il reprend le récit d'Abstemius.

---

1. A cause de cela. — 2. Vide. Les *loups d'Angleterre* avaient été massacrés au xe siècle, le roi Edgar ayant remplacé le tribut en argent par trois cents têtes de loups. — 3. D'abord petit rapace, puis petit gentilhomme campagnard. — 4. Proclamations publiques telles que celle du roi Edgar.

15 Que du Loup aussitôt sa mère ne menace.
Le tout pour un âne rogneux[5],
Pour un mouton pourri[6], pour quelque chien hargneux,
Dont j'aurai passé mon envie[7].
Eh bien! ne mangeons plus de chose ayant eu vie;
20 Paissons l'herbe, broutons ; mourons de faim plutôt.
Est-ce une chose si cruelle?
Vaut-il mieux s'attirer la haine universelle? »
Disant ces mots, il vit des Bergers, pour leur rôt,
Mangeants[8] un agneau cuit en broche.
25 « Oh! oh! dit-il, je me reproche
Le sang de cette gent[9] : voilà ses gardiens
S'en repaissants, eux et leurs chiens ;
Et moi, Loup, j'en ferai scrupule[10]?
Non, par tous les dieux! non ; je serais ridicule.
30 Thibaut l'agnelet passera[11]
Sans qu'à la broche je le mette ;
Et non seulement lui, mais la mère qu'il tette,
Et le père qui l'engendra. »

Ce Loup avait raison. Est-il dit[12] qu'on nous voie
35 Faire festin de toute proie,
Manger les animaux ; et nous les réduirons
Aux mets de l'âge d'or autant que nous pourrons?
Ils n'auront ni croc[13] ni marmite?

Bergers, bergers, le Loup n'a tort
40 Que quand il n'est pas le plus fort :
Voulez-vous qu'il vive en ermite?

---

5. *Rogne :* « gale invétérée » (*Dict. de l'Acad.*, 1694). — 6. Le *pourri* est une maladie des moutons. — 7. Satisfait mon désir. — 8. Accord du participe présent. — 9. Nation, race. — 10. Je m'en *ferai* un *scrupule.* — 11. Y *passera :* je le dévorerai. — 12. On emploie habituellement le futur : sera-t-il dit que... — 13. Le *croc* où l'on suspendait la viande (comme dans les boucheries aujourd'hui).

● **La comédie** — La fable est en grande partie un double monologue du loup : vers 6-22 et vers 25-33.

① Montrez la différence de ton entre les deux passages.

● **La moralité** ② « La pensée de La Fontaine est pessimiste », écrit Georges Couton (*La Politique de La Fontaine*, p. 45).

---

6 *L'Araignée et l'Hirondelle*

1 « O JUPITER, qui sus de ton cerveau,
Par un secret[1] d'accouchement nouveau[2],
Tirer Pallas, jadis mon ennemie[3],
Entends ma plainte une fois en ta vie.
5 Progné[4] me vient enlever les morceaux ;
Caracolant[5], frisant[6] l'air et les eaux,
Elle me prend mes mouches à ma porte :
Miennes je puis les dire ; et mon réseau
En serait plein sans ce maudit oiseau :
10 Je l'ai tissu[7] de matière assez forte. »
Ainsi ,d'un discours insolent,
Se plaignait l'Araignée autrefois tapissière,
Et qui, lors étant filandière[8],
Prétendait enlacer[9] tout insecte volant.
15 La sœur de Philomèle, attentive à sa proie,
Malgré le bestion[10] happait mouches dans l'air,
Pour ses petits, pour elle, impitoyable joie[11],
Que ses enfants gloutons, d'un bec toujours ouvert,
D'un ton demi-formé, bégayante couvée,
20 Demandaient par des cris encor mal entendus.
La pauvre Aragne[12] n'ayant plus
Que la tête et les pieds, artisans superflus,
Se vit elle-même enlevée.
L'Hirondelle, en passant, emporta toile et tout,
25 Et l'animal pendant au bout.
Jupin pour chaque état[13] mit deux tables au monde :
L'adroit, le vigilant, et le fort sont assis
A la première ; et les petits
Mangent leur reste à la seconde.

Sources. ABSTEMIUS (fable 4), l'Araignée et l'Hirondelle (Nevelet, p. 537). L'araignée cherche à capturer l'hirondelle dans sa toile.

---

1. Moyen inconnu. — 2. D'un genre *nouveau* (Pallas sortit de la tête de Zeus). — 3. La jeune Arachné avait défié *Pallas* dans l'art de la broderie. Pallas la métamorphosa en araignée. — 4. C'est, dans la mythologie, le nom de l'hirondelle, sœur de Philomèle qui avait été métamorphosée en rossignol. — 5. Volant capricieusement de droite et de gauche. — 6. Effleurant. — 7. Tissé; participe passé du vieux verbe *tistre*. — 8. « Femme ou fille dont le métier est de filer » (*Dict. de l'Acad.*, 1694). — 9. Prendre dans son *lacs* (réseau). — 10. Mot déjà utilisé par La Fontaine pour désigner l'araignée (voir III, 8, v. 26). — 11. Souvenir de Virgile (*Géorgiques*, IV). — 12. Araignée (voir III, 8). — 13. Condition sociale.

7 *La Perdrix et les Coqs*

1 PARMI de certains[1] Coqs, incivils[2], peu galants,
Toujours en noise[3], et turbulents,
Une Perdrix était nourrie.
Son sexe, et l'hospitalité,
5 De la part de ces Coqs, peuple à l'amour porté,
Lui faisaient espérer beaucoup d'honnêteté[4] :
Ils feraient les honneurs de la ménagerie[5].
Ce peuple cependant, fort souvent en furie,
Pour la dame étrangère ayant peu de respec[6],
10 Lui donnait fort souvent d'horribles coups de bec.
D'abord elle en fut affligée ;
Mais, sitôt qu'elle eut vu cette troupe enragée
S'entre-battre elle-même et se percer les flancs,
Elle se consola. « Ce sont leurs mœurs, dit-elle,
15 Ne les accusons point, plaignons plutôt ces gens[7].
Jupiter sur un seul modèle
N'a pas formé tous les esprits ;
Il est des naturels de coqs et de perdrix.
S'il dépendait de moi, je passerais ma vie
20 En plus honnête compagnie.
Le maître de ces lieux en ordonne autrement.
Il nous prend avec des tonnelles[8],
Nous loge avec des coqs, et nous coupe les ailes :
C'est de l'homme qu'il faut se plaindre seulement. »

Source. ÉSOPE, les Coqs et les Perdrix (Nevelet, p. 94).

1. Emploi de la préposition *de* devant l'adjectif indéfini. — 2. Discourtois. — 3. « Querelle, dispute » (*Dict. de l'Acad.*, 1694). — 4. Courtoisie; *honnête* « signifie aussi : civil, courtois, poli » (*Acad.*, 1694). — 5. « Lieu bâti auprès d'une maison de campagne pour y engraisser des bestiaux, des volailles, etc. » (*Acad.*, 1694). — 6. Cette orthographe souligne la prononciation pour la rime. — 7. Terme dédaigneux. — 8. « Une espèce de chasse qu'on fait avec un bœuf ou un cheval de bois peint, que le chasseur pousse devant lui vers les perdrix pour les faire entrer dans un filet » (*Dict.* de Furetière, 1690).

8 *Le Chien à qui on a coupé les oreilles*

1 « QU'AI-JE fait, pour me voir ainsi
Mutilé par mon propre maître ?
Le bel état où me voici !
Devant les autres chiens oserai-je paraître ?

5 O rois des animaux, ou plutôt leurs tyrans,
Qui vous ferait[1] choses pareilles ? »
Ainsi criait Mouflar, jeune dogue ; et les gens
Peu touchés de ses cris douloureux et perçants,
Venaient de lui couper sans pitié les oreilles.
10 Mouflar y croyait perdre. Il vit avec le temps
Qu'il y gagnait beaucoup ; car, étant de nature
A piller[2] ses pareils, mainte mésaventure
L'aurait fait retourner chez lui
Avec cette partie en cent lieux altérée[3] :
15 Chien hargneux a toujours l'oreille déchirée.
Le moins qu'on peut laisser de prise aux dents d'autrui,
C'est le mieux. Quand on n'a qu'un endroit à défendre,
On le munit[4], de peur d'esclandre[5].
Témoin maître Mouflar armé d'un gorgerin[6] ;
20 Du reste ayant d'oreille[7] autant que sur ma main,
Un loup n'eût su par où le prendre.

1. Si l'on vous faisait... — 2. « Se dit aussi des chiens qui se jettent sur les animaux ou sur les personnes » (*Dict. de l'Acad.*, 1694); voir le *Discours à Madame de La Sablière*, p. 142, v. 89. — 3. Abîmée. — 4. *Munir :* « fortifier une place » (*Acad.*, 1694). — 5. «Vieux mot qui signifiait autrefois : accident fâcheux qui troublait ou interrompait le cours d'une affaire » (*Dict.* de Furetière, 1690). — 6. Son collier; au propre : la pièce d'une armure qui protégeait la *gorge*. — 7. *Ayant*, en fait *d'oreille*.

9 *Le Berger et le Roi*

1 Deux démons[1] à leur gré partagent notre vie,
Et de son patrimoine ont chassé la raison ;
Je ne vois point de cœur qui ne leur sacrifie.
Si vous me demandez leur état[2] et leur nom,
5 J'appelle l'un Amour, et l'autre Ambition.
Cette dernière étend le plus loin son empire ;
Car même elle entre dans l'amour.
Je le ferais bien voir ; mais mon but est de dire
Comme[3] un Roi fit venir un Berger à sa cour.
10 Le conte est du bon temps, non du siècle où nous sommes.
Ce Roi vit un troupeau qui couvrait tous les champs,
Bien broutant, en bon corps[4], rapportant tous les ans,
Grâce aux soins du Berger, de très notables sommes.

1. *Démon :* « esprit, soit bon, soit mauvais » (*Dict. de l'Acad.*, 1694). — 2. Condition. — 3. Comment. — 4. En bonne santé.

Le Berger plut au Roi par ces soins diligents.
15 « Tu mérites, dit-il, d'être pasteur de gens[5] ;
Laisse là tes moutons, viens conduire des hommes.
Je te fais juge souverain. »
Voilà notre Berger la balance[6] à la main.
Quoiqu'il n'eût guère vu d'autres gens qu'un ermite,
20 Son troupeau, ses mâtins, le loup, et puis c'est tout,
Il avait du bon sens ; le reste vient ensuite.
Bref, il en vint fort bien à bout.
L'ermite son voisin accourut pour lui dire :
« Veillé-je ? et n'est-ce point un songe[7] que je vois ?
25 Vous, favori ! vous, grand ! Défiez-vous des rois ;
Leur faveur est glissante, on s'y trompe ; et le pire
C'est qu'il en coûte cher : de pareilles erreurs
Ne produisent jamais que d'illustres malheurs.
Vous ne connaissez pas l'attrait qui vous engage.
30 Je vous parle en ami ; craignez tout. » L'autre rit,
Et notre ermite poursuivit :
« Voyez combien déjà la cour vous rend peu sage.
Je crois voir cet aveugle à qui, dans un voyage,
Un serpent engourdi de froid
35 Vint s'offrir sous la main : il le prit pour un fouet,
Le sien s'était perdu, tombant de sa ceinture.
Il rendait grâce au Ciel de l'heureuse aventure,
Quand un passant cria : « Que tenez-vous, ô dieux !
» Jetez cet animal traître et pernicieux,
40 » Ce serpent. — C'est un fouet. — C'est un serpent, vous [dis-je.
» A me tant tourmenter[8] quel intérêt m'oblige[9] ?
» Prétendez-vous garder ce trésor ? — Pourquoi non ?
» Mon fouet était usé ; j'en retrouve un fort bon ;
» Vous n'en parlez que par envie. »
45 L'aveugle enfin[10] ne le crut pas ;
Il en perdit bientôt la vie :
L'animal dégourdi piqua son homme au bras.
Quant à vous, j'ose vous prédire
Qu'il vous arrivera quelque chose de pire.
50 — Eh ! que me saurait-il arriver que[11] la mort ?
— Mille dégoûts[12] viendront », dit le prophète ermite.
Il en vint en effet ; l'ermite n'eut pas tort.

5. « Peuples ou nations » (*Dict.* de Furetière, 1690). — 6. Symbole de la justice. — 7. Une vision chimérique. — 8. Agiter. — 9. Me pousse. — 10. En fin de compte. — 11. Sinon. — 12. Déboires.

Mainte peste de cour fit tant, par maint ressort[13],
Que la candeur[14] du juge, ainsi que son mérite,
55 Furent suspects au Prince. On cabale, on suscite
Accusateurs, et gens grevés[15] par ses arrêts.
« De nos biens, dirent-ils, il s'est fait un palais. »
Le Prince voulut voir ces richesses immenses.
Il ne trouva partout que médiocrité[16],
60 Louanges[17] du désert et de la pauvreté ;
C'étaient là ses magnificences.
« Son fait[18], dit-on, consiste en des pierres de prix.
Un grand coffre en est plein, fermé de dix serrures. »
Lui-même ouvrit ce coffre, et rendit bien surpris
65 Tous les machineurs d'impostures.
Le coffre étant ouvert, on y vit des lambeaux,
L'habit[19] d'un gardeur de troupeaux,
Petit chapeau, jupon[20], panetière[21], houlette,
Et, je pense, aussi sa musette.
70 « Doux trésors, ce[22] dit-il, chers gages qui jamais
N'attirâtes sur vous l'envie et le mensonge,
Je vous reprends ; sortons de ces riches palais
Comme l'on sortirait d'un songe !
Sire, pardonnez-moi cette exclamation :
75 J'avais prévu ma chute en montant sur le faîte.
Je m'y suis trop complu ; mais qui n'a dans la tête
Un petit grain d'ambition ? »

13. Mainte intrigue. — 14. « Franchise, sincérité » (*Acad.*, 1694). — 15. Lésés. — 16. Biens en quantité très modérée. — 17. Apposition à *médiocrité*. Vie retirée et pauvreté étaient à la louange du juge. — 18. Ses biens. — 19. Le costume entier. — 20. « Se dit aussi d'une espèce de grand pourpoint ou de petit justaucorps qui a de longues basques et qui n'a point de busquière » (Furetière). — 21. « Ce qui sert aux bergers et aux bergères pour mettre leur *pain* » (Furetière). — 22. Emploi explétif.

Source. « M. Busson a récemment ouvert une voie féconde aux chercheurs en montrant que **le Berger et le Roi** avait été tiré des **Six voyages** de **TAVERNIER** et non du **Livre des Lumières**, comme on le supposait sur de vagues analogies. Encore La Fontaine a-t-il changé le cadre et le dénouement et a-t-il incorporé à son récit, avec quelques souvenirs bibliques ou évangéliques, toute une fable empruntée à **PILPAY** : **le Serpent pris pour un fouet** » (Pierre Clarac, **op. cit.**, p. 117-118).

① Estimez-vous que cet apologue incorporé au récit nuise à l'unité de la fable? En affaiblit-il l'intérêt?

② Montrez comment le style et la versification traduisent l'émotion personnelle du poète.

10 *Les Poissons et le Berger qui joue de la flûte*

1 TIRCIS[1], qui pour la seule Annette
Faisait résonner les accords
D'une voix et d'une musette[2]
Capables de toucher les morts,
5 Chantait un jour le long des bords
D'une onde arrosant des prairies
Dont Zéphire habitait les campagnes fleuries.
Annette cependant à la ligne pêchait ;
Mais nul poisson ne s'approchait :
10 La Bergère perdait ses peines.
Le Berger qui, par ses chansons,
Eût attiré des inhumaines,
Crut, et crut mal, attirer des Poissons.
Il leur chanta ceci : « Citoyens[3] de cette onde,
15 Laissez votre naïade en sa grotte profonde ;
Venez voir un objet mille fois plus charmant.
Ne craignez point d'entrer aux prisons[4] de la belle ;
Ce n'est qu'à nous qu'elle est cruelle.
Vous serez traités doucement ;
20 On n'en veut point à votre vie :
Un vivier vous attend, plus clair que fin cristal ;
Et, quand à quelques-uns l'appât serait fatal,
Mourir des mains d'Annette est un sort que j'envie. »
Ce discours éloquent ne fit pas grand effet ;
25 L'auditoire était sourd aussi bien que muet.
Tircis eut beau prêcher. Ses paroles miellées[5]
S'en étant aux vents envolées,
Il tendit un long rets[6]. Voilà les poissons pris ;
Voilà les poissons mis aux pieds de la Bergère.

30 O vous, pasteurs d'humains et non pas de brebis,
Rois, qui croyez gagner par raison les esprits
D'une multitude étrangère,

1. Nom de berger d'églogue, déjà utilisé dans les fables IV, 2, VIII, 13 *(Tircis et Amarante)*, X, 10. — 2. « Instrument de musique auquel on donne le vent avec un soufflet » (*Dict. de l'Acad.*, 1694). — 3. Habitants. — 4. Dans les *prisons*. — 5. L'expression, imitée d'Homère, semble créée par La Fontaine. — 6. Filet.

Ce n'est jamais par là que l'on en vient à bout ;
Il y faut une autre manière :
35 Servez-vous de vos rets, la puissance fait tout.

● **Fable 10 : l'originalité de La Fontaine** — Une fable d'ÉSOPE, *le Pêcheur qui joue de la flûte* (Nevelet, p. 194), a fourni à La Fontaine l'idée de sa fable. Mais, chez notre poète, c'est Annette qui pêche et Tircis qui joue de la flûte : ton de pastorale et prétexte à un madrigal, dont la galanterie demeure poétique.
① Quels autres vers de La Fontaine évoque pour vous le vers 21 ?
② Comment faut-il juger l'application de la fable à la politique ?

11 *Les Deux Perroquets, le Roi, et son Fils*

1 DEUX Perroquets, l'un père et l'autre fils,
Du rôt[1] d'un Roi faisaient leur ordinaire.
Deux demi-dieux[2], l'un fils et l'autre père,
De ces oiseaux faisaient leurs favoris.
5 L'âge liait une amitié sincère
Entre ces gens : les deux pères s'aimaient ;
Les deux enfants, malgré leur cœur frivole,
L'un avec l'autre aussi s'accoutumaient,
Nourris[3] ensemble, et compagnons d'école.
10 C'était beaucoup d'honneur au jeune Perroquet,
Car l'enfant était prince, et son père monarque.
Par le tempérament que lui donna la Parque[4],
Il aimait les oiseaux. Un moineau fort coquet[5],
Et le plus amoureux de toute la province,
15 Faisait aussi sa part des[6] délices du Prince.
Ces deux rivaux un jour ensemble se jouants[7],
Comme il arrive aux jeunes gens,
Le jeu devint une querelle.
Le passereau, peu circonspec[8],
20 S'attira de tels coups de bec,
Que, demi-mort et traînant l'aile,
On crut qu'il n'en pourrait guérir.

Source. POUSSINES, Specimen sapientiae Indorum veterum (p. 609-611).

1. Rôti; ici : repas. — 2. Le roi et son fils. — 3. *Nourrir :* « signifie aussi : instruire, élever » (*Dict. de l'Acad.*, 1694). — 4. Le destin. — 5. « Qui fait le galant » (*Acad.*, 1694). — 6. Était aussi associé aux... — 7. Le participe présent s'accordait alors. — 8. Voir X, 7, n. 6.

Le Prince indigné fit mourir
Son Perroquet. Le bruit[9] en vint au père.
25 L'infortuné vieillard crie et se désespère,
Le tout en vain ; ses cris sont superflus ;
L'Oiseau parleur est déjà dans la barque[10] :
Pour dire mieux, l'Oiseau ne parlant plus[11]
Fait qu'en fureur sur le fils du Monarque
30 Son père s'en va fondre, et lui crève les yeux.
Il se sauve aussitôt, et choisit pour asile
Le haut d'un pin. Là, dans le sein des dieux[12],
Il goûte sa vengeance en lieu sûr et tranquille.
Le Roi lui-même y court, et dit pour l'attirer :
35 « Ami, reviens chez moi ; que[13] nous sert de pleurer ?
Haine, vengeance et deuil, laissons tout à la porte.
Je suis contraint de déclarer,
Encor que ma douleur soit forte,
Que le tort vient de nous : mon fils fut l'agresseur.
40 Mon fils ! non ; c'est le sort qui du coup est l'auteur.
La Parque avait écrit de tout temps en son livre
Que l'un de nos enfants devait cesser de vivre,
L'autre de voir, par ce malheur.
Consolons-nous tous deux, et reviens dans ta cage. »
45 Le Perroquet dit : « Sire Roi,
Crois-tu qu'après un tel outrage
Je me doive fier à toi ?
Tu m'allègues le sort : prétends-tu, par ta foi[14],
Me leurrer de l'appât d'un profane[15] langage ?
50 Mais, que la Providence ou bien que le destin
Règle les affaires du monde,
Il est écrit là-haut qu'au faîte de ce pin,
Ou dans quelque forêt profonde,
J'achèverai mes jours loin du fatal objet[16]
55 Qui doit t'être un juste sujet
De haine et de fureur. Je sais que la vengeance
Est un morceau de roi, car vous vivez en dieux.
Tu veux oublier cette offense ;
Je le crois ; cependant il me faut, pour le mieux,
60 Éviter ta main et tes yeux.

---

9. La nouvelle. — 10. *La barque* infernale de Charon. — 11. Le fait que l'oiseau ne parle plus (latinisme). — 12. *Dans* les airs. — 13. A quoi. — 14. Promesse. — 15. Impie. — 16. Le prince aveuglé par moi.

Sire Roi, mon ami, va-t'en, tu perds ta peine ;
Ne me parle point de retour ;
L'absence est aussi bien un remède[17] à la haine
Qu'un appareil contre l'amour. »

17. *Remède* « se dit aussi des médicaments, des emplâtres qu'on applique sur une plaie » (*Acad.*, 1694).

12 *La Lionne et l'Ourse*

1 MÈRE Lionne avait perdu son fan[1] :
Un chasseur l'avait pris. La pauvre infortunée
Poussait un tel rugissement
Que toute la forêt était importunée.
5 La nuit[2] ni son obscurité,
Son silence et ses autres charmes[3],
De la Reine des bois n'arrêtait les vacarmes.
Nul animal n'était du sommeil visité.
L'Ourse enfin lui dit : « Ma commère[4],
10 Un mot sans plus ; tous les enfants
Qui sont passés entre vos dents
N'avaient-ils ni père ni mère ?
— Ils en avaient. — S'il est ainsi[5],
Et qu'aucun de leur mort n'ait nos têtes rompues[6],
15 Si tant de mères se sont tues,
Que[7] ne vous taisez-vous aussi ?
— Moi, me taire, moi, malheureuse ?
Ah ! j'ai perdu mon fils ! Il me faudra traîner
Une vieillesse douloureuse.
20 — Dites-moi, qui[8] vous force à vous y condamner ?
— Hélas ! c'est le Destin qui me hait. » Ces paroles
Ont été de tout temps en la bouche de tous.
Misérables[9] humains, ceci s'adresse à vous.
Je n'entends résonner que des plaintes frivoles.
25 Quiconque[10], en pareil cas, se croit haï des Cieux,
Qu'il considère Hécube[11], il rendra grâce aux dieux.

Source. POUSSINES *Specimen sapientiae Indorum veterum* (p. 618-619).

1. Lionceau. *Faon* signifia primitivement : le petit d'un animal quelconque. — 2. Nous dirions : ni *la nuit, ni son obscurité.* — 3. Sa puissance magique, qui devait suspendre la douleur. — 4. Mon amie. — 5. *S'il* en *est ainsi.* — 6. Participe passé rejeté au-delà du complément d'objet direct et accordé avec lui. — 7. Pourquoi. — 8. Pronom neutre : qu'est-ce *qui ?* — 9. Infortunés. — 10. Si quelqu'un. — 11. La vieille reine de Troie, qui vit massacrer ses enfants.

13 *Les Deux Aventuriers et le Talisman*

1 AUCUN chemin de fleurs ne conduit à la gloire.
Je n'en veux pour témoin qu'Hercule et ses travaux.
Ce dieu n'a guère de rivaux ;
J'en vois peu dans la Fable, encor moins dans l'Histoire.
5 En voici pourtant un, que de vieux talismans
Firent chercher fortune au pays des romans[1].
Il voyageait de compagnie.
Son camarade et lui trouvèrent un poteau[2]
Ayant au haut cet écriteau :
10 *Seigneur aventurier*[3], *s'il te prend quelque envie*
De voir ce que n'a vu nul chevalier errant,
Tu n'as qu'à passer ce torrent ;
Puis, prenant dans tes bras un éléphant de pierre
Que tu verras couché par terre,
15 *Le porter, d'une haleine, au sommet de ce mont*
Qui menace les cieux de son superbe[4] *front.*
L'un des deux Chevaliers saigna du nez[5]. « Si l'onde
Est rapide autant que profonde,
Dit-il, et supposé qu'on la puisse passer,
20 Pourquoi de l'éléphant s'aller embarrasser ?
Quelle ridicule entreprise !
Le sage[6] l'aura fait par tel art et de guise[7]
Qu'on le pourra porter peut-être quatre pas ;
Mais jusqu'au haut du mont ! d'une haleine ! il[8] n'est pas
25 Au pouvoir d'un mortel ; à moins que la figure[9]
Ne soit d'un éléphant nain, pygmée, avorton,
Propre à[10] mettre au bout d'un bâton :
Auquel cas, où[11] l'honneur d'une telle aventure ?
On nous veut attraper dedans[12] cette écriture ;
30 Ce sera quelque énigme à tromper un enfant.
C'est pourquoi je vous laisse avec votre éléphant. »
Le Raisonneur parti, l'Aventureux se lance,
Les yeux clos, à travers cette eau.

1. *Au pays des* chimères. — 2. Les *vieux talismans* ne sont autre chose que l'inscription portée sur l'*écriteau*. — 3. *Aventurier :* « homme qui cherche la gloire par les armes et à faire fortune » (*Dict.* de Furetière, 1690). — 4. Hautain. — 5. « Saigner du nez... Manquer de résolution, de courage dans l'action » (*Dict. de l'Acad.*, 1694); en argot moderne : se défila. — 6. Celui qui a préparé cette affaire. — 7. Manière. — 8. Cela. — 9. « Représentations qui se font par des corps solides, comme sont les statues » (Furetière). — 10. Bon à... — 11. *Où* est... (ellipse du verbe). — 12. Dans.

Ni profondeur ni violence
35 Ne purent l'arrêter ; et selon l'écriteau,
Il vit son éléphant couché sur l'autre rive.
Il le prend, il l'emporte, au haut du mont arrive,
Rencontre une esplanade, et puis une cité.
Un cri par l'éléphant est aussitôt jeté :
40 Le peuple aussitôt sort en armes.
Tout autre aventurier, au bruit de ces alarmes[13],
Aurait fui. Celui-ci, loin de tourner le dos,
Veut vendre au moins sa vie, et mourir en héros.
Il fut tout étonné d'ouïr cette cohorte[14]
45 Le proclamer monarque au lieu de son roi mort.
Il ne se fit prier que de la bonne sorte,
Encor que le fardeau fût, dit-il, un peu fort[15].
Sixte[16] en disait autant quand on le fit saint-père.
(Serait-ce bien une misère[17]
50 Que d'être pape ou d'être roi ?)
On reconnut bientôt son peu de bonne foi.
Fortune aveugle suit aveugle hardiesse.
Le sage quelquefois fait bien d'exécuter,
Avant que de donner le temps à la sagesse
55 D'envisager le fait, et sans la consulter.

13. Cet appel aux armes. — 14. Troupe. — 15. Lourd. — 16. Le pape *Sixte*-Quint avait feint d'être infirme au moment de son élection. Il lâcha ses béquilles une fois élu. — 17. Infortune.

Source. PILPAY, le Livre des Lumières (p. 62-66). C'est l'histoire de deux amis, Salem et Ganem, qui trouvent une écriture en lettres d'azur sur une pierre blanche, leur promettant un excellent festin et le bonheur s'ils portent au haut de la montagne, en dépit de périls variés, un lion de pierre. Salem se récuse; Ganem se décide, il arrive au sommet, le lion crie, et Ganem devient roi du pays en vertu d'une vieille coutume. La Fontaine a condensé le récit.

● **La morale** — « Quelle leçon peut-il résulter de son ardeur absurde et imprudente? » demande Chamfort à propos de l'aventurier.

① Discutez cette opinion.

14 *Les Lapins*

DISCOURS A M. LE DUC DE LA ROCHEFOUCAULD

1 JE me suis souvent dit, voyant de quelle sorte
L'homme agit, et qu'il se comporte
En mille occasions comme les animaux :

Le roi de ces gens-là[1] n'a pas moins de défauts
5 Que ses sujets, et la nature
A mis dans chaque créature
Quelque grain d'une masse où puisent les esprits ;
J'entends les esprits corps, et pétris de matière.
Je vais prouver ce que je dis.
10 A l'heure de l'affût, soit lorsque la lumière
Précipite ses traits dans l'humide séjour,
Soit lorsque le soleil rentre dans sa carrière,
Et que, n'étant plus nuit, il n'est pas encor jour,
Au bord de quelque bois sur un arbre je grimpe[2] ;
15 Et, nouveau Jupiter, du haut de cet Olympe,
Je foudroie à discrétion
Un Lapin qui n'y pensait guère.
Je vois fuir aussitôt toute la nation
Des Lapins qui, sur la bruyère,
20 L'œil éveillé, l'oreille au guet,
S'égayaient et de thym parfumaient leur banquet.
Le bruit du coup fait que la bande
S'en va chercher sa sûreté
Dans la souterraine cité ;
25 Mais le danger s'oublie, et cette peur si grande
S'évanouit bientôt ; je revois les Lapins,
Plus gais qu'auparavant, revenir sous mes mains.
Ne reconnaît-on pas en cela les humains ?
Dispersés par quelque orage,
30 A peine ils touchent le port
Qu'ils vont hasarder[3] encor
Même[4] vent, même naufrage.
Vrais lapins, on les revoit
Sous les mains de la Fortune.
35 Joignons à cet exemple une chose commune.
Quand des chiens étrangers passent par quelque endroit
Qui n'est pas de leur détroit[5],
Je laisse à penser quelle fête !
Les chiens du lieu, n'ayants[6] en tête
40 Qu'un intérêt de gueule, à cris, à coups de dents,
Vous accompagnent ces passants

1. Des hommes. — 2. La Fontaine chassait sur les terres du prince de Condé, avec l'autorisation de Gourville, intendant du prince. — 3. Braver. — 4. Noter la suppression de l'article. — 5. « Une étendue de pays soumis à une juridiction temporelle ou spirituelle. On l'appelle autrement : district » (*Dict. de l'Acad.*, 1694). — 6. Accord du participe (voir X, 5, v. 23).

Jusqu'aux confins du territoire.
Un intérêt de biens, de grandeur, et de gloire[7],
Aux gouverneurs d'États, à certains courtisans,
45 A gens de tous métiers, en fait tout autant faire.
On nous voit tous, pour l'ordinaire,
Piller[8] le survenant, nous jeter sur sa peau.
La coquette et l'auteur sont de ce caractère ;
Malheur à l'écrivain nouveau !
50 Le moins de gens qu'on peut à l'entour du gâteau,
C'est le droit du jeu[9], c'est l'affaire[10].

7. Vanité. — 8. Se jeter sur. — 9. « On dit *c'est le droit du jeu,* pour dire : c'est l'ordre, l'usage » (*Acad.,* 1694). — 10. L'occupation essentielle.

● **La Fontaine et La Rochefoucauld —** Dans le dernier vers de son poème, La Fontaine déclare en devoir l'inspiration générale à La Rochefoucauld. Or cette fable a été écrite peu avant la mort (1680) du célèbre moraliste. Une étude « Du rapport des hommes avec les animaux » figure dans les *Réflexions diverses* de La Rochefoucauld. Les lapins sont parmi les animaux que ce dernier invoque pour justifier ce rapport, et les réflexions qu'ils lui inspirent sont analogues à celles du poète. Il est donc vraisemblable d'admettre que La Fontaine a eu connaissance des *Réflexions diverses.*

● **Les idées de La Fontaine —** « L'animal, écrit Pierre Clarac (*op. cit.,* p. 121), a-t-il une âme raisonnable? Ou seulement une âme corporelle que l'homme possèderait aussi, comme il possède une âme immortelle? La Fontaine combat et soutient tour à tour chacune de ces thèses. » Et le critique de citer *les Lapins.*

① Montrez quelle thèse (vers 1 à 9) soutient ici le fabuliste.

② Analysez le sentiment de La Fontaine d'après les vers 10-14.

③ Comparez la manière des vers 15-27 et celle des vers 36-42.

④ Quel est l'intérêt des vers 43-51 ? Comparez ce que dit La Fontaine ici de la coquette et de l'auteur et ce qu'il écrit dans *Psyché* (livre II) sur les dames et les écrivains : « Elles font la guerre aux survenantes comme à celles qui leur ôtent, pour ainsi dire, le pain de la main. Je ne saurais vous assurer bien précisément si elles tiennent cette coutume-là des auteurs ou si les auteurs la tiennent d'elles. »

Cent exemples pourraient appuyer mon discours[11] ;
Mais les ouvrages les plus courts
Sont toujours les meilleurs. En cela, j'ai pour guide
55 Tous les maîtres de l'art, et tiens qu'il faut laisser
Dans les plus beaux sujets quelque chose à penser :
Ainsi ce discours doit cesser.
Vous qui m'avez donné ce qu'il a de solide,
Et dont la modestie égale la grandeur,
60 Qui ne pûtes jamais écouter sans pudeur[12]
La louange la plus permise,
La plus juste et la mieux acquise ;
Vous enfin dont à peine ai-je encore obtenu
Que votre nom reçût ici quelques hommages[13],
65 Du temps et des censeurs défendant mes ouvrages,
Comme un nom qui, des ans[14] et des peuples connu,
Fait honneur à la France, en grands noms plus féconde
Qu'aucun climat de l'univers,
Permettez-moi du moins d'apprendre à tout le monde
70 Que vous m'avez donné le sujet de ces vers.

11. Raisonnement. — 12. « Honnêteté, honte » (*Acad.*, 1694). — 13. Voir la dédicace de la fable I, 11. — 14. Allusion à la vieille noblesse de la Rochefoucauld.

15 *Le Marchand, le Gentilhomme, le Pâtre, et le Fils de roi*

1 QUATRE chercheurs de nouveaux mondes,
Presque nus échappés à la fureur des ondes,
Un Trafiquant, un Noble, un Pâtre, un Fils de roi,
Réduits au sort de Bélisaire[1],
5 Demandaient aux passants de quoi
Pouvoir soulager leur misère.
De raconter quel sort les avait assemblés,
Quoique sous divers points[2] tous quatre ils fussent nés,

1. *Bélisaire* était un grand capitaine qui, ayant commandé les armées de l'Empereur [l'empereur byzantin Justinien, au VIIe siècle] et perdu les bonnes grâces de son maître, tomba dans un tel point de misère qu'il demandait l'aumône sur les grands chemins (note de La Fontaine). — 2. « Se dit en astronomie... Le point de la nativité, c'est le degré ascendant sur l'horizon à la naissance de quelqu'un » (*Dict.* de Furetière, 1690).

C'est[3] un récit de longue haleine.
10 Ils s'assirent enfin au bord d'une fontaine.
Là le conseil se tint entre les pauvres gens.
Le Prince s'étendit sur le malheur des grands.
Le Pâtre fut d'avis qu'éloignant la pensée
De leur aventure[4] passée,
15 Chacun fît de son mieux, et s'appliquât au soin
De pourvoir au commun besoin.
« La plainte, ajouta-t-il, guérit-elle son homme ?
Travaillons : c'est de quoi nous mener jusqu'à Rome. »
Un pâtre ainsi parler ! Ainsi parler : croit-on
20 Que le Ciel n'ait donné qu'aux têtes couronnées
De l'esprit et de la raison,
Et que de tout berger, comme de tout mouton,
Les connaissances soient bornées ?
L'avis de celui-ci fut d'abord[5] trouvé bon
25 Par les trois échoués au bord de l'Amérique.
L'un (c'était le Marchand) savait l'arithmétique :
« A tant par mois, dit-il, j'en donnerai leçon.
— J'enseignerai la politique »,
Reprit le Fils de roi. Le Noble poursuivit :
30 « Moi, je sais le blason ; j'en veux tenir école. »
Comme si, devers l'Inde, on eût eu dans l'esprit
La sotte vanité de ce jargon[6] frivole !
Le Pâtre dit : « Amis, vous parlez bien, mais quoi !
Le mois a trente jours ; jusqu'à cette échéance
35 Jeûnerons-nous, par votre foi[7] ?
Vous me donnez une espérance
Belle, mais éloignée ; et cependant[8] j'ai faim.
Qui pourvoira de nous au dîner de demain ?
Ou plutôt sur quelle assurance
40 Fondez-vous, dites-moi, le souper d'aujourd'hui ?
Avant tout autre, c'est celui
Dont il s'agit. Votre science
Est courte là-dessus ; ma main y suppléera. »
A ces mots, le Pâtre s'en va
45 Dans un bois : il y fit des fagots, dont la vente,
Pendant cette journée et pendant la suivante,

3. Équivaut à : ce serait. — 4. Malheur. — 5. Tout de suite. — 6. « Langage... qui n'est plus intelligible » (Furetière). Il s'agit du *blason*, science des armoiries. — 7. En toute franchise. — 8. En attendant.

CL. BULLOZ

Gravure de Chauveau pour l'édition de 1678

Empêcha qu'un long jeûne à la fin ne fît tant
Qu'ils allassent là-bas[9] exercer leur talent[10].
Je conclus de cette aventure
50 Qu'il ne faut pas tant d'art pour conserver ses jours ;
Et, grâce aux dons de la nature,
La main est le plus sûr et le plus prompt secours.

9. Dans l'autre monde. — 10. « Aptitude naturelle pour certaines choses » (*Dict. de l'Acad.*, 1694).

Source. POUSSINES (p. 616). Mais dans son récit, le fils de roi, le marchand, le paysan et le gentilhomme doivent leur malheur à des causes différentes. Et si c'est bien le paysan qui, avec ses fagots, assure leur subsistance immédiate, le conteur nous explique comment les trois autres s'enrichissent; il conclut par le triomphe de la fatalité.

① Montrez quelle signification différente donnent, à la fable de La Fontaine, le discours du pâtre (v. 33-43) et la moralité (v. 49-53).

② « Le pâtre, avec ses fagots, nourrira la petite troupe :
La main est le plus sûr et le plus prompt secours [v. 52].
Voilà qui anticipe sur Rousseau : les parents du gentilhomme auraient été bien inspirés de lui faire apprendre dans son enfance un métier manuel, comme à Émile » (Georges Couton, *la Politique de La Fontaine*, p. 40).
Commentez ce jugement.

LIVRE ONZIÈME

fable 1 *Le Lion*

SULTAN Léopard autrefois
Eut, ce[1] dit-on, par mainte aubaine[2],
Force bœufs dans ses prés, force cerfs dans ses bois,
Force moutons parmi[3] la plaine.
5 Il naquit un Lion dans la forêt prochaine.
Après les compliments et d'une et d'autre part,
Comme entre grands il se pratique,
Le Sultan fit venir son vizir le renard,
Vieux routier[4] et bon politique.
10 « Tu crains, ce lui dit-il, Lionceau mon voisin ;
Son père est mort, que peut-il faire ?
Plains plutôt le pauvre orphelin.
Il a chez lui plus d'une affaire[5],
Et devra beaucoup au destin
15 S'il garde ce qu'il a sans tenter de conquête. »
Le renard dit, branlant la tête :
« Tels orphelins, Seigneur, ne me font point pitié ;
Il faut de celui-ci conserver l'amitié,
Ou s'efforcer de le détruire
20 Avant que la griffe et la dent
Lui soit crue[6], et qu'il soit en état de nous nuire.
N'y[7] perdez pas un seul moment.
J'ai fait son horoscope : il croîtra par la guerre ;
Ce sera le meilleur Lion,
25 Pour ses amis, qui soit sur terre ;
Tâchez donc d'en être, sinon
Tâchez de l'affaiblir. » La harangue fut vaine.

1. Pronom explétif. — 2. Le droit d'*aubaine* permettait au roi d'hériter des étrangers non naturalisés. — 3. Dans. — 4. « Homme qui est fort rompu, fort expérimenté en quelque chose » (*Dict. de l'Acad.*, 1694). — 5. *Affaire* qu'un combat doit conclure. — 6. Nous emploierions le pluriel avec l'auxiliaire *avoir : lui* aient *crû*. — 7. *Y* renvoie à l'alternative des vers 18-19.

Le Sultan dormait lors ; et dedans son domaine
Chacun dormait aussi, bêtes, gens ; tant qu'enfin
30 Le Lionceau devient vrai Lion. Le tocsin
Sonne aussitôt sur lui ; l'alarme[8] se promène
De toutes parts ; et le vizir,
Consulté là-dessus, dit avec un soupir :
« Pourquoi l'irritez-vous ? La chose est sans remède.
35 En vain nous appelons mille gens à notre aide.
Plus ils sont, plus il[9] coûte ; et je ne les tiens bons
Qu[11]'à manger leur part des moutons.
Apaisez le Lion : seul il passe[11] en puissance
Ce monde d'alliés vivants[12] sur notre bien.
40 Le Lion en a trois qui ne lui coûtent rien,
Son courage, sa force, avec sa vigilance.
Jetez-lui promptement sous la griffe un mouton ;
S'il n'en est pas content, jetez-en davantage.
Joignez-y quelque bœuf ; choisissez pour ce don
45 Tout le plus gras du pâturage.
Sauvez le reste ainsi. » Ce conseil ne plut pas.
Il en prit mal[13] et force États
Voisins du Sultan en pâtirent :
Nul n'y gagna, tous y perdirent.
50 Quoi que fît ce monde ennemi,
Celui qu'ils craignaient fut le maître.
Proposez-vous d'avoir le Lion pour ami,
Si vous voulez le laisser craître[14].

8. « Émotion causée par les ennemis ». — 9. Cela. — 10. Je les considère comme *bons* seulement. — 11. A lui *seul il* dépasse... — 12. On accorde alors le participe présent. — 13. — *Mal* leur *en prit*. — 14. Croître; prononciation ancienne, nécessaire pour la rime.

Source. **ARISTOPHANE**, dans **les Grenouilles** (v. 431), déclare qu'il ne faut pas élever de lion dans la cité, mais que, si on l'a élevé, il faut se soumettre à son caractère, **PLUTARQUE**, dans **la Vie d'Alcibiade**, cite ce passage qu'Amyot a traduit en vers :

Le mieux serait pour la chose publique
Ne nourrir point le lion tyrannique;
Mais, puisqu'on veut le nourrir, nécessaire
Il est qu'on serve à ses façons de faire.

C'est exactement ce que dit le vizir de **Sultan Léopard**.

L'actualité. Il semble que La Fontaine ait voulu représenter Louis XIV par le Lion, et que le Léopard symbolise l'Angleterre (le léopard figure dans ses armoiries). Après avoir été un faible lionceau à l'époque de la Fronde, Louis XIV domine maintenant ses adversaires, même après qu'en janvier 1678 le léopard, jadis son allié, se soit retourné contre lui.

2 *Les Dieux voulant instruire un fils de Jupiter*

POUR MONSEIGNEUR LE DUC DU MAINE

1 JUPITER eut un fils qui, se sentant du lieu[1]
Dont il tirait son origine,
Avait l'âme toute divine.
L'enfance n'aime rien : celle[2] du jeune dieu
5 Faisait sa principale affaire
Des doux soins[3] d'aimer et de plaire.
En lui l'amour et la raison
Devancèrent le temps, dont les ailes légères
N'amènent que trop tôt, hélas ! chaque saison.
10 Flore[4] aux regards riants, aux charmantes manières,
Toucha d'abord le cœur du jeune Olympien.
Ce que la passion peut inspirer d'adresse,
Sentiments délicats et remplis de tendresse,
Pleurs, soupirs, tout en fut : bref, il n'oublia rien.
15 Le fils de Jupiter devait, par sa naissance,
Avoir un autre esprit, et d'autres dons des Cieux,
Que les enfants des autres Dieux :
Il semblait qu'il n'agît que par réminiscence[5],
Et qu'il eût autrefois fait le métier d'amant,
20 Tant il le fit parfaitement.
Jupiter cependant voulut le faire instruire.
Il assembla les Dieux, et dit : « J'ai su conduire
Seul et sans compagnon jusqu'ici l'univers ;
Mais il est des emplois divers
25 Qu'aux nouveaux Dieux je distribue.
Sur cet enfant chéri j'ai donc jeté la vue.
C'est mon sang ; tout est plein déjà de ses autels.
Afin de mériter le rang des immortels,
Il faut qu'il sache tout. » Le Maître du tonnerre
30 Eut à peine achevé, que chacun applaudit.
Pour savoir tout, l'enfant n'avait que trop d'esprit.

---

1. « Origine, extraction, maison, famille » (*Dict.* de Furetière, 1690). — 2. Au contraire, *celle*... — 3. De la douce application à... — 4. Voir *le Duc du Maine*, p. 176. — 5. Allusion plaisante à la théorie de Platon.

« Je veux, dit le Dieu de la guerre,
Lui montrer moi-même cet art
Par qui maints héros ont eu part
35 Aux honneurs de l'Olympe, et grossi cet empire.
— Je serai son maître de lyre[6],
Dit le blond et docte Apollon.
— Et moi, reprit Hercule à la peau de lion,
Son maître à surmonter les vices,
40 A dompter les transports[7], monstres empoisonneurs[8],
Comme hydres[9] renaissants[10] sans cesse dans les cœurs :
Ennemi des molles délices,
Il apprendra de moi les sentiers peu battus
Qui mènent aux honneurs sur les pas des vertus. »
45 Quand ce vint au Dieu de Cythère,
Il dit qu'il lui montrerait tout.
L'Amour avait raison : de quoi ne vient à bout
L'esprit joint au désir de plaire?

6. Comme on dit « maître à chanter ». — 7. Les élans de la passion. — 8. Adjectif. — 9. Hercule se souvient de sa victoire sur l'*Hydre* de Lerne. — 10. Le participe présent s'accordait (voir X, I, v. 39).

● **Le Duc du Maine —** Fils de Louis XIV et de Mme de Montespan, il avait alors (1678) huit ans. C'était l'enfant prodige de la famille : Mme de Sévigné fait l'éloge de son esprit. Il était déjà écrivain, ayant publié les *Œuvres diverses d'un auteur de sept ans*, et il parlait d'entrer à l'Académie. La fable est une allégorie en son honneur, manière, pour le poète, de faire sa cour à Mme de Montespan, qui est peut-être *Flore* (v. 10) si l'on suit l'hypothèse de Georges Couton (*la Politique de La Fontaine*, p. 120) : il rappelle que Mignard a peint Mme de Montespan et le duc du Maine en Flore et Zéphyre, et suppose que le poète a voulu dire que l'enfant fut d'abord amoureux de sa mère.

Le tableau de Mignard (1612-1695)

3 *Le Fermier, le Chien, et le Renard*

1 Le Loup et le Renard sont d'étranges[1] voisins :
Je ne bâtirai point autour de leur demeure.
Ce dernier guettait à toute heure
Les poules d'un Fermier ; et, quoique des plus fins,
5 Il n'avait pu donner d'atteinte à la volaille.
D'une part l'appétit, de l'autre le danger,
N'étaient pas au compère un embarras léger.
« Hé quoi ! dit-il, cette canaille[2]
Se moque impunément de moi ?
10 Je vais, je viens, je me travaille[3],
J'imagine cent tours ; le rustre, en paix chez soi[4],
Vous fait argent de tout, convertit en monnaie
Ses chapons, sa poulaille[5] ; il en a même au croc[6] ;
Et moi, maître passé[7], quand j'attrape un vieux coq,
15 Je suis au comble de la joie !
Pourquoi sire Jupin m'a-t-il donc appelé
Au métier de renard ? Je jure les puissances
De l'Olympe et du Styx[8], il en sera parlé. »
Roulant en son cœur[9] ces vengeances,
20 Il choisit une nuit libérale en pavots[10] :
Chacun était plongé dans un profond repos ;
Le maître du logis, les valets, le chien même,
Poules, poulets, chapons, tout dormait. Le Fermier,
Laissant ouvert son poulailler,
25 Commit une sottise extrême.
Le voleur tourne tant qu'il entre au lieu guetté,
Le dépeuple, remplit de meurtres la cité.
Les marques de sa cruauté
Parurent[11] avec l'aube : on vit un étalage
30 De corps sanglants et de carnage.
Peu s'en fallut que le soleil

1. Redoutables. — 2. Populace. — 3. Je me donne de la peine. — 4. Chez lui. Le réfléchi renvoie au nom *rustre*. — 5. Mot sans doute forgé par La Fontaine, à l'imitation de : volaille. — 6. « Ustensile de cuisine qui a plusieurs pointes recourbées où on attache la viande » (*Dict.* de Furetière, 1690). Le mot *coq*, qui rime avec *croc*, se prononçait alors : *co*. — 7. « Un homme est *maître passé* en quelque art, quand il y est fort habile » (Furetière). — 8. Serment qui liait Jupiter lui-même. — 9. Souvenir de Virgile (*Énéide*, I) : « Talia flammato secum dea *corde volutans* ». — 10. « Les poètes disent : les *pavots* du sommeil pour dire l'assoupissement, le sommeil lui-même » (*Dict. de l'Acad.*, 1694). — 11. Apparurent.

Ne rebroussât d'horreur[12] vers le manoir[13] liquide.
Tel et d'un spectacle[14] pareil,
Apollon irrité contre le fier Atride
35 Joncha son camp de morts : on vit presque détruit
L'ost[15] des Grecs ; et ce fut l'ouvrage d'une nuit.
Tel encore autour de sa tente
Ajax, à l'âme impatiente[16],
De moutons et de boucs fit un vaste débris[17],
40 Croyant tuer en eux son concurrent Ulysse
Et les auteurs de l'injustice
Par qui l'autre emporta le prix.
Le Renard, autre Ajax, aux volailles funeste,
Emporte ce qu'il peut, laisse étendu le reste.
45 Le maître ne trouva de recours[18] qu'à crier
Contre ses gens, son chien : c'est l'ordinaire usage.
« Ah ! maudit animal, qui n'es bon qu'à noyer,
Que n'avertissais-tu dès l'abord[19] du carnage ?
— Que ne l'évitiez-vous ? c'eût été plus tôt fait.
50 Si vous, maître et fermier, à qui touche[20] le fait,
Dormez sans avoir soin que la porte soit close,
Voulez-vous que moi, Chien, qui n'ai rien à la chose,
Sans aucun intérêt je perde le repos ? »
Ce Chien parlait très à propos.
55 Son raisonnement pouvait être
Fort bon dans la bouche d'un maître ;
Mais, n'étant que d'un simple chien,
On trouva qu'il ne valait rien.
On vous sangla[21] le pauvre drille[22].
60 Toi donc, qui que tu sois, ô père de famille[23]
(Et je ne t'ai jamais envié cet honneur),
T'attendre[24] aux yeux d'autrui quand tu dors, c'est erreur.

---

12. Souvenir de la légende des Atrides : Atrée avait servi à Thyeste ses deux fils, au cours d'un festin. Le soleil, devant ce spectacle, avait rebroussé chemin pour se plonger dans l'Océan *(le manoir liquide)*. — 13. « Demeure, maison... On appelle poétiquement les Enfers, le sombre, le triste *manoir*, le manoir ténébreux » (*Acad.*, 1694). — 14. En offrant *un spectacle pareil*. — 15. L'armée. Souvenir de la guerre de Troie (*Iliade*, chant I) : Agamemnon avait refusé de rendre la liberté à sa captive Chriséis, fille du prêtre d'Apollon. Le dieu se vengea par un massacre. — 16. « Qui ne peut souffrir la douleur » (Furetière). Ici, souvenir d'Ovide (*Métamorphoses*, XIII, 3) : *Impatiens irae*. L'ensemble est un souvenir de l'*Ajax* de Sophocle. Ajax, frappé d'une véritable folie, parce que les armes d'Achille avaient été données à Ulysse et non à lui, fit un massacre de troupeaux, croyant tuer Ulysse et ses partisans. — 17. Une destruction. — 18. Remède. — 19. « Incontinent, aussitôt » (*Dict.* de Richelet, 1680). — 20. Que concerne. — 21. *Sangler :* frapper à coups de *sangle* (lanière de cuir). — 22. « Méchant soldat. Il se dit par mépris et par raillerie » (Furetière) ; ici : le pauvre diable. — 23. Chef de la maison *(pater familias)*. — 24. Te fier.

Couche-toi le dernier, et vois fermer ta porte.
Que si quelque affaire t'importe,
65 Ne la fais point par procureur[25].

25. « Celui qui a pouvoir d'agir pour les affaires d'autrui » (*Acad.*, 1694).

Source. ABSTEMIUS (fable 149), **le Père de famille s'emportant contre son chien à cause du rapt de ses poules** (Nevelet, p. 598). Un père de famille avait oublié de fermer l'abri dans lequel ses poules passaient la nuit. A son lever, au matin, il vit que le renard les avait toutes tuées et emportées. Indigné contre son chien de ce qu'il avait mal gardé son bien, il le roua de coups. Le chien lui dit : « Si toi, à qui les poules donnaient œufs et poulets, tu as été négligent à fermer ta porte, quoi d'étonnant à ce que moi, à qui les poules ne sont d'aucun profit, enseveli que j'étais dans un profond sommeil, je n'aie pas entendu venir le renard ? » Cette fable veut dire qu'on ne doit espérer des serviteurs de la maison aucune diligence lorsque le maître est négligent.

① Il est inutile d'affirmer la supériorité de la fable de La Fontaine sur ce sec apologue. Montrez seulement que ce qui est de l'invention du poète fait le principal intérêt de la fable.
② Quelle autre fable rappelle la moralité de celle-ci?

● **Art et poésie** — « Les tons les plus opposés, écrit Pierre Clarac à propos de cette fable (*op. cit.*, p. 116), se fondent dans l'unité d'une causerie souriante. Deux ou trois vers dont le charme échappe à l'analyse suffisent pour nous transporter dans le silence d'une ferme endormie. »

« Le renard, nous dit Ferdinand Gohin (*L'Art de La Fontaine*, p. 81-82), bénéficie de comparaisons héroïques, et La Fontaine les redouble pour peindre en style d'épopée les ravages qu'il a commis.

③ Analysez l'art du poète à la lumière de ce jugement.

4 *Le Songe d'un habitant du Mogol*

1 JADIS certain Mogol[1] vit en songe un vizir
Aux Champs Élysiens[2] possesseur d'un plaisir
Aussi pur qu'infini, tant en prix qu'en durée ;
Le même songeur[3] vit en une autre contrée
5 Un ermite entouré de feux[4],
Qui touchait de pitié même les malheureux.

1. Voir VII, 6, note 1. Ici, il s'agit d'un habitant de l'Empire. — 2. Voir VIII, 14, note 13. — 3. L'homme qui faisait ce *songe*. — 4. Ceux de l'enfer.

Le cas parut étrange, et contre l'ordinaire ;
Minos[5] en[6] ces deux morts semblait s'être mépris.
Le Dormeur s'éveilla, tant il en fut surpris.
10 Dans ce songe pourtant soupçonnant du mystère,
Il se fit expliquer l'affaire.
L'interprète lui dit : « Ne vous étonnez point ;
Votre songe a du sens ; et, si j'ai sur ce point
Acquis tant soit peu d'habitude,
15 C'est un avis des dieux. Pendant l'humain séjour[7],
Ce vizir quelquefois cherchait la solitude ;
Cet ermite aux vizirs allait faire sa cour. »
Si j'osais ajouter au mot de l'interprète,
J'inspirerais ici l'amour de la retraite :
20 Elle offre à ses amants des biens sans embarras[8],
Biens purs[9], présents du Ciel, qui naissent sous les pas.
Solitude, où je trouve une douceur secrète,
Lieux que j'aimai toujours, ne pourrai-je jamais,
Loin du monde et du bruit, goûter l'ombre et le frais[10] ?
25 Oh ! qui m'arrêtera[11] sous vos sombres asiles ?
Quand pourront les neuf Sœurs[12], loin des cours et des villes,
M'occuper tout entier, et m'apprendre des cieux
Les divers mouvements inconnus à nos yeux,
Les noms et les vertus[13] de ces clartés errantes[14]
30 Par qui sont nos destins et nos mœurs différentes[15] ?
Que si je ne suis né pour de si grands projets,
Du moins que les ruisseaux m'offrent de doux objets[16] !
Que je peigne en mes vers quelque rive fleurie !
La Parque à filets d'or[17] n'ourdira[18] point ma vie ;
35 Je ne dormirai point sous de riches lambris.
Mais voit-on que le somme en perde de son prix ?
En est-il moins profond, et moins plein de délices ?
Je lui voue au désert de nouveaux sacrifices.
Quand le moment viendra d'aller trouver les morts,
40 J'aurai vécu sans soins[19], et mourrai sans remords.

---

5. Le premier des trois juges infernaux (*Minos*, Éaque, Rhadamante). — 6. Sur le cas de. — 7. Chez les hommes. — 8. « Confusion de plusieurs choses difficiles à débrouiller » (*Dict. de l'Acad.*, 1694). — 9. Sans mélange. — 10. Souvenir de Virgile (*Bucoliques*, I, 53) : *Frigus opacum.* — 11. Fixera ma vie. — 12. Les Muses. — 13. Ici, puissances secrètes. — 14. Il s'agit des planètes. *Planète :* « étoile qu'on surnomme *errante* parce qu'on la voit en plusieurs points du ciel » (*Dict.* de Furetière, 1690). — 15. L'adjectif est au féminin parce que La Fontaine l'accorde avec le dernier nom. — 16. Sujets propres à m'inspirer. — 17. Avec des fils *d'or; filet :* fil simple ou retors que l'on destine au tissage. — 18. Ne tissera pas la trame de *ma vie;* littéralement, *ourdir* c'est disposer sur un appareil, l'*ourdissoir*, la chaîne que l'on portera sur le métier à tisser. — 19. Soucis.

Sources. Le poète persan **SADI** avait raconté une histoire analogue à celle des vers 1-17, dans **Gulistan ou l'Empire des roses. ANDRÉ DU RYER** l'avait traduite en français en 1634. Voici la conclusion : « Ce roi, lui dit-on, est allé en Paradis parce qu'il avait créance aux religieux, et ce religieux est allé en Enfer, parce qu'il avait créance aux rois. Le Roi est heureux qui fréquente les couvents des religieux, et le religieux devient méchant, qui fréquente la Cour. »

① La Fontaine n'a-t-il pas pu s'inspirer des mœurs de son temps?

Le développement des vers 18-40 est inspiré de **VIRGILE** (**Géorgiques,** II, v. 458 et 599). La poésie du ciel et des astres y est évoquée par le poète latin, avant qu'il ne se contente des forêts et des ruisseaux. Le même mouvement se trouve chez La Fontaine. Mais, nous dit Pierre Clarac (**op. cit.**, p. 118-119), « il n'emprunte quelques vers aux **Géorgiques** que pour en détourner le sens [...]. La Fontaine ne compare pas deux genres d'existence, mais deux genres d'inspiration. S'il ne peut, disciple de Lucrèce, célébrer dans ses vers les mystères du ciel, il se contente de peindre le charme des ruisseaux [...]. Nous savons que les grands sujets philosophiques et scientifiques ont toujours tenté le poète. » Fernand Gohin note (**op. cit.**, p. 73), à propos des vers 26-31, que « curieux des mystères de la nature et de la grandeur de l'univers, [La Fontaine] en éprouve et nous en donne en quelque sorte la sensation ».

② Connaissez-vous d'autres passages des *Fables* qui puissent nous donner cette sensation?

● **Solitude et mélancolie** — « Mais, nous dit encore Pierre Clarac, poète astronomique ou bucolique, la solitude lui est nécessaire, loin des cours et des villes; le poème qui semblait du dehors un jeu raffiné d'humaniste, est tout animé par le plus profond des sentiments que le poète porte en lui. »

③ Vous relèverez les détails qui peuvent en effet suggérer « un jeu raffiné d'humaniste » et vous étudierez l'expression du sentiment de la solitude en vous inspirant aussi de ces lignes de Fernand Gohin (p. 75) : « La mélancolie de La Fontaine ne ressemble en rien à celle des écrivains romantiques et de leurs héritiers; elle n'est pas si étendue, et n'est guère inspirée que par le sentiment de la fuite du temps et par le sentiment de la nature. Elle est aussi moins théâtrale et plus vraie. »

CL. GIRAUDON

Les Parques

Sculpture sur bois du XVIe siècle

5 *Le Lion, le Singe, et les Deux Anes*

1 Le Lion, pour bien gouverner,
Voulant apprendre la morale,
Se fit, un beau jour, amener
Le Singe, maître ès arts[1] chez la gent animale.
5 La première leçon que donna le régent[2]
Fut celle-ci : « Grand Roi, pour régner sagement,
Il faut que tout prince préfère
Le zèle[3] de l'État à certain mouvement[4]
Qu'on appelle communément
10 Amour-propre ; car c'est le père,
C'est l'auteur de tous les défauts
Que l'on remarque aux animaux.
Vouloir que de tout point[5] ce sentiment vous quitte,
Ce n'est pas chose si petite
15 Qu'on en vienne à bout en un jour :
C'est beaucoup de pouvoir modérer cet amour.
Par là, votre personne auguste
N'admettra jamais rien en soi
De ridicule ni d'injuste.
20 — Donne-moi, repartit le Roi,
Des exemples de l'un et l'autre.
— Toute espèce, dit le docteur,
Et je commence par la nôtre[6],
Toute profession s'estime dans son cœur,
25 Traite les autres d'ignorantes,
Les qualifie impertinentes[7],
Et semblables discours qui ne nous coûtent rien.
L'amour-propre, au rebours, fait qu'au degré suprême
On porte ses pareils ; car c'est un bon moyen
30 De s'élever aussi soi-même.
De tout ce que dessus j'argumente[8] très bien

1. « Les lettres humaines et la philosophie. En ce sens, on appelle *Maître ès arts* celui qui est passé maître en cette littérature avec pouvoir d'enseigner » (*Dict. de l'Acad.*, 1694). Encore aujourd'hui, dans de nombreuses universités, le diplôme de Maître ès arts (ès Lettres) est intermédiaire entre celui du licencié et celui du docteur. — 2. « Un professeur... qui tient une classe dans un collège » (*Acad.*, 1694). — 3. « Ardeur, passion qu'on a pour quelque chose » (*Dict.* de Furetière, 1690). — 4. « Impulsions, passions ou affections de l'âme » (*Acad.*, 1694). — 5. Tout à fait. — 6. Celle des singes. — 7. Sottes. — 8. De tout ce que je viens de dire, je conclus. Le maître ès arts emploie le langage du collège.

Qu'ici-bas maint talent n'est que pure grimace,
Cabale, et certain art de se faire valoir,
Mieux su des ignorants que des gens de savoir.

35 L'autre jour, suivant à la trace
Deux Anes qui, prenant tour à tour l'encensoir[9]
Se louaient tour à tour, comme c'est la manière,
J'ouïs que l'un des deux disait à son confrère :
« Seigneur, trouvez-vous pas[10] bien injuste et bien sot
40 » L'homme, cet animal si parfait ? Il profane
» Notre auguste nom, traitant d'*âne*
» Quiconque est ignorant, d'esprit lourd, idiot ;
» Il abuse encore d'un mot,
» Et traite notre rire et nos discours de *braire*.
45 » Les humains sont plaisants de prétendre exceller
» Par-dessus nous ! Non, non ; c'est à vous de parler,
» A leurs orateurs de se taire.
» Voilà les vrais braillards[11]. Mais laissons là ces gens :
» Vous m'entendez, je vous entends[12] ;
50 » Il suffit. Et quant aux merveilles
» Dont votre divin chant vient frapper les oreilles,
» Philomèle[13] est, au prix[14], novice dans cet art :

9. Expression proverbiale. — 10. Ellipse de *ne*, fréquente dans les *Fables*. — 11. Vient du mot *braire*. — 12. Comprends. — 13. Le rossignol. — 14. En comparaison.

● **Composition libre —** Une fable, *les Deux Anes*, encadrée (Chamfort le reproche à La Fontaine !) dans une autre fable, *le Lion et le Singe*. Aucune autre source que le fameux dicton *Asinus asinum fricat*, « l'âne frotte l'âne ». Équilibre du récit : le narrateur introduit son conte avec simplicité (v. 1-4) et le conclut sur une pointe malicieuse (v. 71-74).

① Le Singe et l'Ane font tous deux un discours. Mais chacun d'eux a son style. Montrez comment la différence de style traduit la personnalité de chacun des deux orateurs.

② La fable est composée uniquement d'alexandrins et d'octosyllabes avec prédominance des octosyllabes du vers 1 au vers 26. Choisissez quelques exemples qui vous permettent de montrer, dans chacune de ces parties, que le mètre le plus rare rend possible la mise en valeur d'un sentiment important.

» Vous surpassez Lambert[15]. » L'autre Baudet repart :
« Seigneur, j'admire en vous des qualités pareilles. »
55 Ces Anes, non contents de s'être ainsi grattés[16],
S'en allèrent dans les cités
L'un l'autre se prôner. Chacun d'eux croyait faire
En prisant ses pareils une fort bonne affaire,
Prétendant que l'honneur en reviendrait sur lui.
60 J'en connais beaucoup aujourd'hui,
Non parmi les baudets, mais parmi les puissances[17]
Que le Ciel voulut mettre en de plus hauts degrés,
Qui changeraient entre eux les simples Excellences[18],
S'ils osaient, en des Majestés.
65 J'en dis peut-être plus qu'il ne faut, et suppose
Que Votre Majesté gardera le secret.
Elle avait souhaité d'apprendre quelque trait
Qui lui fît voir, entre autre chose,
L'amour-propre donnant du ridicule aux gens.
70 L'injuste aura son tour : il y faut plus de temps. »
Ainsi parla ce Singe. On ne m'a pas su dire
S'il traita l'autre point, car il est délicat ;
Et notre maître ès arts, qui n'était pas un fat[19],
Regardait ce Lion comme un terrible sire.

15. Michel Lambert (1610-1696), un des maîtres de musique de la Chapelle de Louis XIV. — 16. « On dit qu'un âne *gratte* l'autre... quand deux personnes de peu de mérite se louent réciproquement » (Furetière). — 17. « Ceux qui possèdent les premières dignités de l'État, et alors [le mot] est toujours au pluriel » (*Acad.*, 1694). — 18. — Titre qu'on donne à de hauts personnages qui ne sont pas princes et n'ont, par conséquent, pas droit au titre d'Altesse; encore bien moins à celui de Majesté, réservé aux rois. — 19. Sot.

6 *Le Loup et le Renard*[1]

1 MAIS[2] d'où vient qu'au Renard Ésope accorde un point[3] ?
C'est d'exceller en tours pleins de matoiserie[4].
J'en cherche la raison, et ne la trouve point.
Quand le Loup a besoin de défendre sa vie,
5 Ou d'attaquer celle d'autrui,
N'en sait-il pas autant que lui ?
Je crois qu'il en sait plus ; et j'oserais peut-être
Avec quelque raison contredire mon maître[5].

1. La Fontaine a donné ce titre à une autre fable (XII, 9). — 2. Entrée vive dans le sujet; une discussion sur le Loup et le Renard se poursuit. — 3. Un avantage. — 4. Habileté. — 5. Ésope.

Voici pourtant un cas où tout l'honneur échut
10 A l'hôte[6] des terriers. Un soir il aperçut
La lune au fond d'un puits : l'orbiculaire[7] image
Lui parut un ample fromage.
Deux seaux alternativement
Puisaient le liquide élément.
15 Notre Renard, pressé par une faim canine,
S'accommode[8] en celui qu'au haut de la machine[9]
L'autre seau tenait suspendu.
Voilà l'animal descendu,
Tiré d'erreur, mais fort en peine,
20 Et voyant sa perte prochaine.
Car comment remonter, si quelque autre affamé,
De la même image charmé[10],
Et succédant à sa misère[11],
Par le même chemin ne le tirait d'affaire ?
25 Deux jours s'étaient passés sans qu'aucun[12] vînt au puits.
Le temps, qui toujours marche, avait, pendant deux nuits,
Échancré, selon l'ordinaire,
De l'astre au front d'argent la face circulaire.
Sire Renard était désespéré.
30 Compère Loup, le gosier altéré,
Passe par là. L'autre dit : « Camarade,
Je veux vous régaler ; voyez-vous cet objet ?
C'est un fromage exquis. Le dieu Faune[13] l'a fait,
La vache Io[14] donna le lait.

---

6. Habitant. — 7. Sphérique. — 8. Se dispose. — 9. « Engin, instrument propre à faire mouvoir » (*Dict. de l'Acad.*, 1694). — 10. Trompé par un charme magique. — 11. Lui *succédant* dans la situation malheureuse où il se trouve. — 12. Personne. — 13. Dieu des bois. — 14. Nymphe aimée de Jupiter et métamorphosée en génisse par Junon.

Sources. Nous trouvons des détails semblables à ceux de cette fable dans **le Roman de Renard** (la « machine » avec les deux seaux) ; chez **MARIE DE FRANCE** (fable 49, où figure la comparaison de la lune et d'un fromage), et même chez **JACQUES RÉGNIER** (**Apologues de Phèdre,** I, 18) où nous voyons le renard, tombé dans un puits en poursuivant une poule, réussir à s'y faire remplacer par le loup.

① Commentez ces remarques de Taine (*op. cit.*, p. 101), à propos des vers 31-39 : « L'Olympe entier y passe [...]. Mais quel langage de gastronome! Quelles hyperboles appétissantes! Gourmet et mythologue, en un instant le coquin a joué les deux rôles. »

35 Jupiter, s'il était malade,
Reprendrait l'appétit en tâtant[15] d'un tel mets.
J'en ai mangé cette échancrure ;
Le reste vous sera suffisante pâture.
Descendez dans un seau que j'ai là mis exprès. »
40 Bien qu'au moins mal qu'il pût il ajustât l'histoire,
Le Loup fut un sot de le croire.
Il descend, et son poids emportant l'autre part[16],
Reguinde en haut[17] maître Renard.
Ne nous en moquons point : nous nous laissons séduire[18]
45 Sur aussi peu de fondement ;
Et chacun croit fort aisément
Ce qu'il craint, et ce qu'il désire.

15. En goûtant. — 16. *L'autre* partie de la *machine*. — 17. Ramène *en haut; guinder :* hausser, lever par le moyen d'une machine. — 18. « Tromper, abuser, faire tomber dans l'erreur » (*Acad.*, 1694).

7 *Le Paysan du Danube*

1 Il ne faut point juger des gens sur l'apparence.
Le conseil en[1] est bon, mais il n'est pas nouveau.
Jadis l'erreur du souriceau[2]
Me servit à prouver le discours[3] que j'avance.
5 J'ai, pour le fonder à présent,
Le bon Socrate, Ésope[4], et certain paysan
Des rives du Danube, homme dont Marc-Aurèle
Nous fait un portrait fort fidèle.
On connaît les premiers : quant à l'autre, voici
10 Le personnage en raccourci.
Son menton nourrissait une barbe touffue ;
Toute sa personne velue
Représentait[5] un ours, mais un ours mal léché[6] :
Sous un sourcil épais il avait l'œil caché,
15 Le regard de travers, nez tortu[7], grosse lèvre,
Portait sayon[8] de poil de chèvre,
Et ceinture de joncs marins.

1. *Le conseil* de ne *point juger*, etc. — 2. Voir VI, 5. — 3. L'opinion. — 4. Socrate était laid, Ésope difforme. — 5. Réalisait l'idée qu'on se faisait de... — 6. Voir VIII, 10, v. 1. — 7. Voir XII, 10, v. 22. — 8. « *Saie*, vieux mot qui signifiait autrefois : une casaque » (*Dict.* de Furetière, 1690).

Cet homme ainsi bâti[9] fut député des villes
Que lave le Danube. Il n'était point d'asiles
20 Où l'avarice[10] des Romains
Ne pénétrât alors, et ne portât les mains.
Le député vint donc, et fit cette harangue :
« Romains, et vous Sénat assis pour m'écouter,
Je supplie avant tout les dieux de m'assister :
25 Veuillent les Immortels, conducteurs de ma langue,
Que je ne dise rien qui doive être repris !
Sans leur aide, il ne peut entrer dans les esprits
Que tout mal et toute injustice :
Faute d'y recourir, on viole leurs lois.
30 Témoin nous, que punit la romaine avarice :
Rome est, par nos forfaits plus que par ses exploits,
L'instrument de notre supplice.
Craignez, Romains, craignez que le Ciel quelque jour
Ne transporte chez vous les pleurs et la misère[11] ;
35 Et mettant en nos mains, par un juste retour,
Les armes dont se sert sa vengeance sévère,
Il ne vous fasse, en sa colère,
Nos esclaves à votre tour.
Et pourquoi sommes-nous les vôtres ? Qu'on me die[12]
40 En quoi vous valez mieux que cent peuples divers.
Quel droit vous a rendus maîtres de l'univers ?
Pourquoi venir troubler une innocente vie ?
Nous cultivions en paix d'heureux[13] champs ; et nos mains
Étaient propres aux arts[14], ainsi qu'au labourage.
45 Qu'avez-vous appris aux Germains ?
Ils ont l'adresse et le courage ;
S'ils avaient eu l'avidité,
Comme vous, et la violence,
Peut-être en votre place ils auraient la puissance,
50 Et sauraient en user sans inhumanité.
Celle que vos préteurs[15] ont sur nous exercée
N'entre qu'à peine en la pensée.
La majesté de vos autels
Elle-même en est offensée ;

9. Fait. — 10. La cupidité. — 11. Le malheur. — 12. Dise; forme ancienne du subjonctif présent de : dire. — 13. Fertiles. — 14. Les *arts* mécaniques : « ceux où l'on travaille plus de la main et du corps que de l'esprit » (Furetière). — 15 Magistrats rendant la justice et administrant une province.

55 Car sachez que les Immortels
Ont les regards sur nous. Grâces à vos exemples,
Ils n'ont devant les yeux que des objets[16] d'horreur,
De mépris d'eux et de leurs temples,
D'avarice qui va jusques à la fureur[17].
60 Rien ne suffit aux gens[18] qui nous viennent de Rome ;
La terre et le travail de l'homme
Font pour les assouvir des efforts superflus.
Retirez-les : on ne veut plus
Cultiver pour eux les campagnes.
65 Nous quittons les cités, nous fuyons aux montagnes ;
Nous laissons nos chères compagnes ;
Nous ne conversons[19] plus qu'avec des ours affreux,
Découragés de mettre au jour des malheureux,
Et de peupler pour Rome un pays qu'elle opprime.
70 Quant à nos enfants déjà nés,
Nous souhaitons de voir leurs jours bientôt bornés :
Vos préteurs[20] au malheur nous font joindre le crime.
Retirez-les : ils ne nous apprendront
Que la mollesse et que le vice ;
75 Les Germains comme eux deviendront
Gens de rapine et d'avarice.
C'est tout ce que j'ai vu dans Rome à mon abord[21].
N'a-t-on point de présent à faire ?
Point de pourpre[22] à donner ? c'est en vain qu'on espère
80 Quelque refuge aux lois ; encor leur ministère
A-t-il mille longueurs. Ce discours un peu fort[23]
Doit commencer à vous déplaire.
Je finis. Punissez de mort
Une plainte un peu trop sincère. »
85 A ces mots, il se couche ; et chacun étonné
Admire le grand cœur, le bon sens, l'éloquence
Du sauvage ainsi prosterné.

---

16. Causes *d'horreur*, exemples *de mépris, d'avarice*. — 17. « Se dit aussi de toutes les passions qui nous font agir avec de grands emportements » (Furetière). — 18. Nuance de mépris. — 19. *Converser :* fréquenter. — 20. Voir le vers 51. — 21. En y arrivant. — 22. Au propre : il s'agit de la précieuse teinture. — 23. Hardi.

Sources. ANTONIO DE GUEVARA, évêque de Cadix, publia en 1529 **Marco Aurelio con el relox de Principes,** « Marc-Aurèle et l'Horloge des Princes », ouvrage traduit en français en 1531 et qui contient, mise dans la bouche de Marc-Aurèle, l'histoire du Paysan du Danube. Il n'y a pas trace de cette histoire dans les œuvres de l'empereur philosophe. **L'Horloge des Princes** a obtenu un grand succès au XVIe siècle (traductions, emprunts partiels, imitations nombreuses). Mais c'est sans doute de **CASSANDRE**, le traducteur de la **Rhétorique** d'Aristote, que La Fontaine s'est surtout inspiré. Cassandre a publié, en 1680, des **Parallèles historiques** où cette histoire est largement contée. La Fontaine, qui avait bien connu Cassandre, a pu avoir eu connaissance, dès mars 1679, du manuscrit des **Parallèles** chez l'éditeur qui était le même que celui des **Fables** — ou il pouvait l'avoir connu antérieurement. L'analyse littéraire faite par Taine (**op. cit.**, p. 281-294) confirme ce point de vue.

① Voici quelques passages du texte de Cassandre, imités d'assez près par La Fontaine. Vous dégagerez d'une comparaison la supériorité du style du poète :

— **Cassandre** (p. 434; cf. La Fontaine, v. 13-17) : Il avait le visage petit et basané, de grandes lèvres, des yeux enfoncés dans la tête et presque tout cachés sous ses sourcils, une grande bouche épaisse, les cheveux hérissés, l'estomac et le cou velus comme un ours; du reste la tête nue, un bâton à la main, des souliers de cuir de porc-épic, et, pour habit, une toge de poil de chèvre liée d'une ceinture de joncs marins.
— **Cassandre** (p. 451; cf. La Fontaine, v. 30-40) : Ne vous imaginez pas, Romains, à cause que vous vous êtes rendus maîtres de notre Germanie, que ç'ait été par votre valeur et pour n'avoir pas vos pareils à la guerre, car je vous déclare que vous n'êtes ni plus courageux, ni plus hardis, ni plus vaillants que nous; mais bien comme nous avions offensé les dieux, ils ordonnèrent que vous seriez nos cruels bourreaux [...]. Et, pour dire la vérité, ce ne furent point les armes de Rome qui vous firent avoir la victoire, mais les torts de la Germanie. Je tiens pour certain, vu les cruautés que vous nous avez fait souffrir, que vous les paierez tôt ou tard; et en ce cas, il pourrait arriver que vous, qui à présent nous traitez d'esclaves, à notre tour vous nous reconnaissiez comme maîtres.

● **Les idées — «** Tableau d'histoire », écrit Pierre Clarac (*op. cit.*, p. 120). Mais aussi, source de réflexions, et peut-être méditation politique qui garde son actualité. De l'analyse exhaustive faite par Georges Couton (*op. cit.*, p. 92-96), nous dégageons quatre points :
— La condamnation des guerres de conquête : « Qu'on plaque sur ces évocations concrètes les mots abstraits dont nous avons contracté le regrettable besoin, son discours semblera prononcé d'aujourd'hui. C'est d'impérialisme, de colonialisme, de malthusianisme qu'il s'agit. »
— « Un réquisitoire contre l'impérialisme romain » que ne peut faire oublier la « nostalgie [...] de la *Pax Romana* ». Ajoutons que ce réquisitoire, La Fontaine pouvait l'avoir trouvé chez des écrivains latins, et souvenons-nous des mots que Tacite prête à un chef barbare parlant des Romains : « Là où ils ont fait le désert, ils disent que c'est la paix. »
— L'actualité peut intervenir, avec cette guerre de Hollande que La Fontaine a déjà évoquée dans le recueil, protestation discrète... élevée à l'heure où la lassitude générale rend la paix possible.
— Georges Couton évoque l'existence, encore mal connue, de tout un courant pacifiste dans la littérature du temps.
Il suffit de rapprocher ces quatre points pour dégager la signification de ce beau morceau d'éloquence.

On le créa patrice[24], et ce fut la vengeance
Qu'on crut qu'un tel discours méritait. On choisit
90 D'autres préteurs ; et par écrit
Le Sénat demanda[25] ce qu'avait dit cet homme,
Pour servir de modèle aux parleurs à venir.
On ne sut pas longtemps à Rome
Cette éloquence entretenir.

24. Le *patriciat* ne fut institué que par l'empereur Constantin. — 25. *Le Sénat* se fit donner le texte écrit.

8 *Le Vieillard et les Trois Jeunes Hommes*

1 Un octogénaire plantait.
« Passe encor de bâtir ; mais planter à cet âge ! »
Disaient trois jouvenceaux, enfants du voisinage ;
Assurément il radotait[1].
5 « Car, au nom des dieux, je vous prie,
Quel fruit de ce labeur pouvez-vous recueillir ?
Autant qu'un patriarche il vous faudrait vieillir.
A quoi bon charger votre vie
Des soins[2] d'un avenir qui n'est pas fait pour vous ?
10 Ne songez désormais qu'à vos erreurs passées ;
Quittez le long espoir[3] et les vastes pensées ;
Tout cela ne convient qu'à nous.
— Il[4] ne convient pas à vous-mêmes,
Repartit le Vieillard. Tout établissement[5]
15 Vient tard, et dure peu. La main des Parques blêmes[6]
De vos jours et des miens se joue également.
Nos termes[7] sont pareils par leur courte durée.
Qui de nous des clartés de la voûte azurée
Doit jouir le dernier ? Est-il aucun moment
20 Qui vous puisse assurer d'un second seulement ?
Mes arrière-neveux[8] me devront cet ombrage :
Eh bien ! défendez-vous au sage
De se donner des soins pour le plaisir d'autrui ?
Cela même est un fruit que je goûte aujourd'hui :
25 J'en puis jouir demain, et quelques jours encore ;
Je puis enfin compter l'aurore

1. Style indirect libre. — 2. Soucis, préoccupations. — 3. Souvenir d'Horace, *Odes* (I, 4, v. 15 et suiv.). — 4. Cela. — 5. Ce que l'homme établit, fonde. — 6. Voir la fable suivante, n. 3. — 7. Les bornes qui limitent notre vie. — 8. Descendants.

Plus d'une fois sur vos tombeaux. »
Le Vieillard eut raison : l'un des trois jouvenceaux
Se noya dès le port, allant à[9] l'Amérique ;
30 L'autre, afin de monter aux grandes dignités,
Dans les emplois de Mars servant la république[10],
Par un coup imprévu vit ses jours emportés ;
Le troisième tomba d'un arbre
Que lui-même il voulut enter[11] ;
35 Et, pleurés[12] du Vieillard, il grava sur leur marbre
Ce que je viens de raconter.

9. *A* est employé dans le sens de : en. — 10. L'État. — 11. Greffer. — 12. Construction libre : le participe passé ne se rapporte pas au sujet.

Source. Des souvenirs de VIRGILE, HORACE, CICÉRON, SÉNÈQUE. Une source précise, la fable 168 d'**ABSTEMIUS, le Vieillard décrépit qui greffait des arbres** (Nevelet, p. 605) :
Le vieillard décrépit était raillé par un jeune homme qui l'accusait de folie parce qu'il greffait des arbres dont il n'était pas destiné à voir les fruits. « Toi non plus, lui dit le vieillard, tu ne cueilleras peut-être pas les fruits des arbres que tu te prépares en ce moment à greffer. » Cela ne tarda pas : le jeune homme, tombant d'un arbre où il était monté pour y prendre des greffes, se rompit le cou — La fable montre que la mort est commune à tous les âges.

● **Art et pensée :** méditation sobre et puissante dans le cadre d'un petit drame.

① Comment La Fontaine a-t-il enrichi le sujet? Montrez l'intérêt de ces modifications.

② Analysez la composition dramatique du récit. Montrez comment, dans les quatre premiers vers, la brusquerie de l'entrée en matière crée un tableau vivant où s'opposent déjà les personnages. Dans la fin de la fable (v. 28-36), la simplicité de la narration contraste heureusement avec l'ampleur poétique du dialogue. Analysez cette simplicité et montrez que ce contraste met mieux la pensée en valeur que ne le ferait un long commentaire.

③ La méditation se développe au cœur du dialogue, essentiellement entre le vers 9 et le vers 20 : brièveté de la vie, incertitude de l'heure de la mort. Ce thème, si souvent traité par les poètes, trouve dans ces vers une de ses plus belles expressions poétiques. Montrez-le par l'analyse du style.

④ Cette méditation s'enrichit d'une leçon. Au mépris présomptueux des jouvenceaux, le vieillard répond en justifiant l'œuvre de ses derniers jours par la solidarité avec les générations futures. Montrez comment cette morale donne son accent personnel à la réplique du vieillard.

9 *Les Souris et le Chat-huant*

1 Il ne faut jamais dire aux gens :
« Écoutez un bon mot, oyez une merveille. »
Savez-vous si les écoutants[1]
En feront une estime à la vôtre pareille ?
5 Voici pourtant un cas qui peut être excepté.
Je le maintiens prodige, et tel que d'une fable
Il a l'air[2] et les traits, encor que véritable.

On abattit un pin pour son antiquité,
Vieux palais d'un Hibou, triste et sombre retraite
10 De l'oiseau qu'Atropos[3] prend pour son interprète.
Dans son tronc caverneux, et miné par le temps,
Logeaient, entre autres habitants,
Force Souris sans pieds, toutes rondes de graisse.
L'Oiseau les nourrissait parmi des tas de blé,
15 Et de son bec avait leur troupeau mutilé[4].
Cet Oiseau raisonnait : il faut qu'on le confesse.
En son temps, aux Souris le compagnon[5] chassa.
Les premières qu'il prit du logis échappées[6],
Pour y remédier, le drôle estropia
20 Tout ce qu'il prit ensuite ; et leurs jambes coupées[7]
Firent qu'il les mangeait à sa commodité,
Aujourd'hui l'une, et demain l'autre.
Tout manger à la fois, l'impossibilité
S'y trouvait, joint aussi le soin de sa santé.
25 Sa prévoyance allait aussi loin que la nôtre :
Elle allait jusqu'à leur porter
Vivres et grains pour subsister.
Puis[8], qu'un Cartésien s'obstine

Source. L'histoire est contée par **BERNIER** dans son **Abrégé de la philosophie de Gassendi** (VII, 674). Bernier donne le nom des témoins et précise qu'il y avait soixante ou quatre-vingts souris. La fable pourrait prendre sa place dans le **Discours à Madame de la Sablière** (voir p. 140) et fournir à La Fontaine un exemple supplémentaire : les bêtes seraient capables d'un raisonnement suivi. Toutefois, si le poète l'affirme dans la fable, il introduit une réserve dans son commentaire...

1. Participe présent employé comme nom. — 2. « Manière, façon » (*Dict. de l'Acad.*, 1694). — 3. La Parque qui tranche le fil de la vie. Le cri du hibou passait pour présager la mort. — 4. Le complément d'objet direct *(leur troupeau)* est placé entre l'auxiliaire et le verbe. — 5. Le mot est malicieux : le gaillard. — 6. S'étant *échappées*. — 7. Tour latin : le fait qu'il leur coupait les jambes. — 8. Après cela.

A traiter ce Hibou de montre et de machine !
30 Quel ressort lui pouvait donner
Le conseil de tronquer[8] un peuple mis en mue[9] ?
Si ce n'est pas là raisonner,
La raison m'est chose inconnue.
Voyez que d'arguments[10] il fit :
35 « Quand ce peuple[11] est pris, il s'enfuit ;
Donc il faut le croquer aussitôt qu'on le happe.
Tout, il[12] est impossible. Et puis, pour le besoin
N'en dois-je pas garder ? Donc il faut avoir soin
De le nourrir sans qu'il échappe.
40 Mais comment ? Otons-lui les pieds. » Or, trouvez-moi
Chose par les humains à sa fin mieux conduite.
Quel autre art de penser Aristote et sa suite[13]
Enseignent-ils, par votre foi[14] ?

Ceci n'est point une fable ; et la chose, quoique merveilleuse et presque incroyable, est véritablement arrivée. J'ai peut-être porté trop loin la prévoyance de ce Hibou ; car je ne prétends pas établir dans les bêtes un progrès de raisonnement tel que celui-ci : mais ces exagérations sont permises à la poésie, surtout dans la manière d'écrire dont je me sers.

8. Mutiler (lat. *truncare*). — 9. « Un lieu obscur et serré où l'on tient la volaille pour l'engraisser » (*Dict. de l'Acad.*, 1694). — 10. Raisonnements. — 11. Le peuple *souris*. — 12. Cela. — 13. Ceux qui se sont inspirés de lui. — 14. En vous demandant une réponse de bonne *foi*.

CL. FOTOGRAM-CORSON

Epilogue

1 C'EST ainsi que ma Muse, aux bords d'une onde pure,
Traduisait en langue les dieux[1]
Tout ce que disent sous des cieux
Tant d'êtres empruntants[2] la voix de la nature.
5 Trucheman[3] de peuples divers,
Je les faisais servir d'acteurs en mon ouvrage ;
Car tout parle dans l'univers ;
Il n'est rien qui n'ait son langage.
Plus éloquents chez eux qu'ils ne sont dans mes vers,
10 Si ceux que j'introduis me trouvent peu fidèle,
Si mon œuvre n'est pas un assez bon modèle,
J'ai du moins ouvert le chemin :
D'autres pourront y mettre une dernière main.
Favoris des neuf Sœurs[4], achevez l'entreprise ;
15 Donnez mainte leçon que j'ai sans doute omise :
Sous ces inventions il faut l'envelopper.
Mais vous n'avez que trop de quoi vous occuper :
Pendant le doux emploi de ma Muse innocente,
Louis[5] dompte l'Europe ; et, d'une main puissante,
20 Il conduit à leur fin[6] les plus nobles projets
Qu'ait jamais formés un monarque.
Favoris des neuf Sœurs, ce sont là des sujets
Vainqueurs du temps et de la Parque.

Source. L'épilogue des **Géorgiques** de **VIRGILE** (IV, v. 559-566).

1. Voir IX, 1, vers 5 et 6. — 2. On accordait alors le participe présent (voir XI, 2, n. 10). — 3. Truchement : interprète. — 4. Les Muses dont les *favoris* sont les poètes. — 5. *Louis* compte pour deux syllabes (diérèse). — 6. Il mène à bonne *fin :* les traités de Nimègue viennent d'être signés.

● **L'inspiration** — « L'entretien de La Fontaine avec les bois, les arbres, les eaux, avec toutes choses enfin, ce qu'il en entend, ce qu'il en répète, a quelque chose de profond et de mystérieux, sans que pourtant ce sentiment cesse d'être clair et aimable » (Saint-Marc Girardin).

① Justifiez ce jugement.

LIVRE DOUZIÈME

A MONSEIGNEUR LE DUC DE BOURGOGNE[1]

MONSEIGNEUR,

JE ne puis employer pour mes fables de protection qui me soit plus glorieuse que la vôtre. Ce goût exquis et ce jugement si solide que vous faites paraître dans toutes choses au delà d'un âge où à peine les autres princes sont-ils touchés[2] *de ce qui les environne avec le plus d'éclat; tout cela, joint au devoir de vous obéir et à la passion de vous plaire, m'a obligé*[3] *de vous présenter un ouvrage*[4] *dont l'original*[5] *a été l'admiration de tous les siècles aussi bien que celle de tous les sages. Vous m'avez même ordonné de continuer; et, si vous me permettez de le dire, il y a des sujets dont je vous suis redevable, et où vous avez jeté des grâces qui ont été admirées de tout le monde. Nous n'avons plus besoin de consulter ni Apollon ni les Muses, ni aucune des divinités du Parnasse. Elles se rencontrent toutes dans les présents que vous a faits la nature, et dans cette science de bien juger des ouvrages de l'esprit, à quoi vous joignez déjà celle de connaître toutes les règles qui y conviennent*[6]*. Les fables d'Esope sont une ample matière pour ces talents*[7]*. Elles embrassent toutes sortes d'événements et de caractères. Ces mensonges sont proprement une manière d'histoire où on ne flatte personne. Ce ne sont pas choses de peu d'importance que ces sujets. Ces animaux sont les précepteurs des hommes dans mon ouvrage. Je ne m'étendrai pas davantage là-dessus : vous voyez mieux que moi le profit qu'on en peut tirer. Si vous vous connaissez maintenant en orateurs et en poètes, vous vous connaîtrez encore mieux quelque jour en bons politiques et en bons généraux d'armée; et vous vous tromperez aussi peu au choix des personnes qu'au mérite des actions. Je ne suis pas d'un âge*[8] *à espérer d'en être témoin. Il faut que je me contente de travailler*

1. Né le 6 août 1682, le fils du Grand Dauphin est alors (en septembre 1693) âgé de onze ans. Il a comme précepteur Fénelon qui lui donne des exercices latins d'après les *Fables* de La Fontaine. — 2. Intéressés. — 3. Engagé à... — 4. Il s'agit des *Fables* déjà publiées. — 5. La source : les fables d'Ésope. — 6. Les concernent. — 7. « Don de nature, disposition... » (*Dict. de l'Acad.*, 1694). — 8. La Fontaine a soixante-treize ans.

sous vos ordres. L'envie de vous plaire me tiendra lieu d'une imagination que les ans ont affaiblie. Quand vous souhaiterez quelque fable, je la trouverai dans ce fonds-là. Je voudrais bien que vous y pussiez trouver des louanges dignes du monarque qui fait maintenant le destin 30 *de tant de peuples et de nations, et qui rend toutes les parties du monde attentives à ses conquêtes, à ses victoires, et à la paix qui semble*[9] *se rapprocher et dont il impose les conditions avec toute la modération que peuvent souhaiter nos ennemis. Je me le figure comme un conquérant qui veut mettre des bornes à sa gloire et à sa puissance, et de qui on* 35 *pourrait dire, à meilleur titre qu'on ne l'a dit d'Alexandre, qu'il va tenir les états de l'univers, en obligeant*[10] *les ministres de tant de princes de s'assembler pour terminer une guerre qui ne peut être que ruineuse à leurs maîtres. Ce sont des sujets au-dessus de nos paroles : je les laisse à de meilleures plumes que la mienne, et suis avec un profond* 40 *respect,*

MONSEIGNEUR,

Votre très humble, très obéissant,
et très fidèle serviteur,

DE LA FONTAINE.

Le duc de Bourgogne
gravure d'Edelinck

CL. GIRAUDON

9. Le traité de Ryswick sera signé en 1697. —10. En amenant (sans idée de contrainte).

fable 1 *Les Compagnons d'Ulysse*[1]

A MONSEIGNEUR LE DUC DE BOURGOGNE

1 PRINCE, l'unique objet du soin[2] des Immortels,
Souffrez que mon encens parfume vos autels.
Je vous offre un peu tard ces présents de ma Muse ;
Les ans et les travaux me serviront d'excuse.
5 Mon esprit diminue, au lieu qu'à chaque instant
On aperçoit le vôtre aller en augmentant.
Il ne va pas, il court, il semble avoir des ailes.
Le héros[3] dont il tient des qualités si belles
Dans le métier de Mars brûle d'en faire autant ;
10 Il ne tient pas à lui que, forçant la victoire,
Il ne marche à pas de géant
Dans la carrière de la gloire.
Quelque dieu le retient : c'est notre souverain,
Lui qu'un mois a rendu maître et vainqueur du Rhin.
15 Cette rapidité fut alors nécessaire ;
Peut-être elle serait aujourd'hui téméraire.
Je m'en tais : aussi bien les Ris et les Amours
Ne sont pas soupçonnés d'aimer les longs discours.
De ces sortes de dieux votre cour se compose ;
20 Ils ne vous quittent point. Ce n'est pas qu'après tout
D'autres divinités n'y tiennent le haut bout[4] :
Le sens[5] et la raison y règlent toute chose.
Consultez ces derniers sur un fait où les Grecs,
Imprudents et peu circonspects,
25 S'abandonnèrent à des charmes[6]
Qui métamorphosaient en bêtes les humains.

Les compagnons d'Ulysse, après dix ans d'alarmes,
Erraient au gré du vent, de leur sort incertains.
Ils abordèrent un rivage
30 Où la fille du dieu du jour,
Circé, tenait alors sa cour.
Elle leur fit prendre un breuvage

1. Fable publiée en 1690 dans *le Mercure Galant*. — 2. « Sollicitude » (*Dict. de l'Acad.*, 1694). — 3. Le Grand Dauphin, père du duc de Bourgogne. — 4. La place d'honneur. — 5. « L'esprit, le jugement » (*Acad.*, 1694). — 6. Puissances magiques.

Délicieux, mais plein d'un funeste poison.
D'abord ils perdent la raison ;
35 Quelques moments après, leur corps et leur visage
Prennent l'air et les traits d'animaux différents.
Les voilà devenus ours, lions, éléphants ;
Les uns sous une masse énorme,
Les autres sous une autre forme ;
40 Il s'en vit de petits, *exemplum, ut talpa*[7].
Le seul Ulysse en[8] échappa ;
Il sut se défier de la liqueur traîtresse.
Comme il joignait à la sagesse
La mine d'un héros et le doux entretien,
45 Il fit tant que l'enchanteresse
Prit un autre poison[9] peu différent du sien.
Une déesse dit tout ce qu'elle a dans l'âme :
Celle-ci déclara sa flamme.
Ulysse était trop fin pour ne pas profiter
50 D'une pareille conjoncture :
Il obtint qu'on rendrait à ces Grecs leur figure[10].
« Mais la voudront-ils bien, dit la nymphe, accepter ?
Allez le proposer de ce pas à la troupe. »
Ulysse y court, et dit : « L'empoisonneuse[11] coupe
55 A son remède encore, et je viens vous l'offrir :
Chers amis, voulez-vous hommes redevenir ?
On vous rend déjà la parole. »
Le lion dit, pensant rugir :
« Je n'ai pas la tête si folle ;
60 Moi, renoncer aux dons que je viens d'acquérir ?
J'ai griffe et dent, et mets en pièces qui m'attaque.
Je suis roi : deviendrai-je un citadin[12] d'Ithaque !
Tu me rendras peut-être encor simple soldat :
Je ne veux point changer d'état. »
65 Ulysse du lion court à l'ours : « Eh ! mon frère,
Comme te voilà fait ! je t'ai vu si joli !
— Ah ! vraiment nous y voici,
Reprit l'ours à sa manière ;
Comme me voilà fait ? comme doit être un ours.
70 Qui t'a dit qu'une forme est plus belle qu'une autre ?

---

7. « Par exemple, la taupe » (formule de la grammaire latine). — 8. Y (on disait : échapper *de*). — 9. L'amour. — 10. « Forme extérieure d'une chose matérielle » (*Acad.*, 1694). Variante (1690) : « *ses* Grecs ». — 11. Adjectif. — 12. Ici, simple citoyen.

Est-ce à la tienne à juger de la nôtre ?
Je me rapporte[13] aux yeux d'une ourse mes amours.
Te déplais-je ? va-t'en ; suis ta route et me laisse.
Je vis libre, content, sans nul soin qui me presse,
75 Et te dis tout net et tout plat[14] :
Je ne veux point changer d'état. »
Le prince grec au loup va proposer l'affaire ;
Il lui dit, au hasard[15] d'un semblable refus :
« Camarade, je suis confus
80 Qu'une jeune et belle bergère
Conte aux échos les appétits gloutons
Qui t'ont fait manger ses moutons.
Autrefois on t'eût vu sauver sa bergerie :
Tu menais une honnête vie.
85 Quitte ces bois, et redevien[16],
Au lieu de loup, homme de bien.
— En est-il ? dit le loup ; pour moi, je n'en vois guère.
Tu t'en viens me traiter de bête carnassière ;
Toi qui parles, qu'es-tu ? N'auriez-vous pas, sans moi,
90 Mangé ces animaux que plaint[17] tout le village ?
Si j'étais homme, par ta foi,
Aimerais-je moins le carnage ?
Pour un mot quelquefois vous vous étranglez tous :
Ne vous êtes-vous pas l'un à l'autre des loups[18] ?
95 Tout bien considéré, je te soutiens en somme
Que, scélérat pour scélérat,
Il vaut mieux être un loup qu'un homme ;
Je ne veux point changer d'état. »
Ulysse fit à tous une même semonce[19].
100 Chacun d'eux fit même réponse,
Autant le grand que le petit.
La liberté, les bois, suivre[20] leur appétit,
C'était leurs délices suprêmes ;
Tous renonçaient au lôs[21] des belles actions.
105 Ils croyaient s'affranchir, suivant[22] leurs passions ;
Ils étaient esclaves d'eux-mêmes.

---

13. *Je* m'en *rapporte*. — 14. « Librement, franchement, nettement, sans déguisement et sans détours » (*Dict.* de Richelet, 1680. — 15. En courant le risque. — 16. Orthographe étymologique. — 17. Regrette. — 18. Le philosophe anglais Hobbes a rendu fameuse cette formule : *Homo homini lupus*, « l'homme est un loup pour l'homme ». — 19. Invitation. — 20. Infinitif coordonné aux noms précédents. — 21. A la gloire. — 22. En suivant.

Prince, j'aurais voulû vous choisir un sujet
Où je pusse mêler le plaisant à l'utile :
C'était sans doute un beau projet,
110 Si ce choix eût été facile.
Les compagnons d'Ulysse enfin se sont offerts ;
Ils ont force pareils en ce bas univers,
Gens à qui j'impose pour peine
Votre censure et votre haine.

Fable 1 : sources. L'histoire de la magicienne Circé, qui transforma les compagnons d'Ulysse en pourceaux, nous est contée dans le livre X de l'**Odyssée.** Mais c'est dans un passage des **Œuvres morales** de **PLUTARQUE (Que les bêtes usent de raison)** que nous voyons Gryllus, transformé en porc, préférer son état actuel à sa condition humaine. Le sujet a été repris par **MACHIAVEL** dans **l'Ane d'or.**

● **Les idées —** Après un exorde flatteur où ni le Roi ni le Grand Dauphin ne sont oubliés, le conte enfantin se développe avec une grâce nonchalante. Il prendra son sens avec le dialogue d'Ulysse et de ses compagnons. Mais le vers 106, *Ils étaient esclaves d'eux-mêmes*, dégage-t-il complètement ce sens?

① Comparez ce dialogue avec la fable *la Besace* (I, 7).

② En particulier, comparez la réplique du Loup (v. 87-98) à la fable *le Loup et les Bergers* (X, 5). Même satire de l'homme qui condamne les animaux pour des crimes dont il se rend lui-même coupable. Montrez, par des exemples, qu'il s'agit là d'une idée familière à La Fontaine.

2 *Le Chat et les Deux Moineaux*

A MONSEIGNEUR LE DUC DE BOURGOGNE

1 UN Chat, contemporain d'un fort jeune Moineau,
Fut logé près de lui dès l'âge du berceau :
La cage et le panier avaient mêmes pénates[1].
Le Chat était souvent agacé par l'oiseau ;
5 L'un s'escrimait du bec, l'autre jouait des pattes.
Ce dernier toutefois épargnait son ami.
Ne le corrigeant qu'à demi,

1. Voir VII, 16, vers 5.

Il se fût fait un grand scrupule
D'armer de pointes sa férule[2].
10 Le Passereau, moins circonspec[3],
Lui donnait force coups de bec.
En sage et discrète[4] personne,
Maître Chat excusait ces jeux :
Entre amis, il ne faut jamais qu'on s'abandonne
15 Aux traits d'un courroux sérieux.
Comme ils se connaissaient tous deux dès leur bas âge,
Une longue habitude en paix les maintenait ;
Jamais en vrai combat le jeu ne se tournait :
Quand un Moineau du voisinage
20 S'en vint les visiter, et se fit compagnon
Du pétulant Pierrot et du sage Raton ;
Entre les deux oiseaux il arriva querelle ;
Et Raton de prendre parti.
« Cet inconnu, dit-il, vous la vient donner belle
25 D'insulter ainsi notre ami !
Le Moineau du voisin viendra manger[5] le nôtre ?
Non, de par tous les chats ! » Entrant lors au combat,
Il croque l'étranger. « Vraiment, dit maître Chat,
Les moineaux ont un goût exquis et délicat ! »
30 Cette réflexion fit aussi croquer l'autre.
Quelle morale puis-je inférer[6] de ce fait ?
Sans cela, toute fable est un œuvre[7] imparfait[8].
J'en crois voir quelques traits ; mais leur ombre m'abuse.
Prince, vous les aurez incontinent trouvés :
35 Ce sont des jeux pour vous, et non point pour ma Muse ;
Elle et ses sœurs n'ont pas l'esprit que vous avez.

2. Le chat ne sort pas ses griffes. — 3. Voir X, 7, n. 6, et X, 11, v. 19. — 4. *Discret :* « avisé, prudent, judicieux » (*Dict. de l'Acad.*, 1694). *Sage et discrète personne* est un titre d'honneur que les notaires, dans les contrats, donnaient à des gens d'Église ou de Robe. — 5. Maltraiter. — 6. Dégager en conclusion. — 7. Le mot *œuvre* n'est aujourd'hui au masculin que dans certaines acceptions. — 8. Incomplet.

● **L'art** — La source de cette fable est inconnue, la morale laissée au gré du jeune prince. Il reste la grâce légère du récit, et le style : « un goût exquis et délicat ».

① Relevez les détails qui font, de ce petit récit, un chef-d'œuvre d'esprit.

3 *Du Thésauriseur et du Singe*[1]

1 UN homme accumulait. On sait que cette erreur
Va souvent jusqu'à la fureur[2].
Celui-ci ne songeait que ducats[3] et pistoles[4].
Quand ces biens sont oisifs[5], je tiens qu'ils sont frivoles[6].
5 Pour sûreté[7] de son trésor,
Notre Avare habitait un lieu dont Amphitrite[8]
Défendait aux voleurs de toutes parts l'abord[9].
Là, d'une[10] volupté selon moi fort petite,
Et selon lui fort grande, il entassait toujours ;
10 Il passait les nuits et les jours
A compter, calculer, supputer sans relâche,
Calculant, supputant, comptant comme à la tâche[11] :
Car il trouvait toujours du mécompte[12] à son fait[13].
Un gros Singe, plus sage, à mon sens, que son maître,
15 Jetait quelque doublon[14] toujours par la fenêtre,
Et rendait le compte imparfait.
La chambre, bien cadenassée,
Permettait de laisser l'argent sur le comptoir[15].
Un beau jour dom Bertrand[16] se mit dans la pensée
20 D'en faire un sacrifice au liquide manoir[17].
Quant à moi, lorsque je compare
Les plaisirs de ce Singe à ceux de cet Avare,
Je ne sais bonnement auxquels donner le prix.
Dom Bertrand gagnerait près de certains esprits ;
25 Les raisons en seraient trop longues à déduire.
Un jour donc l'Animal, qui ne songeait qu'à nuire,
Détachait du monceau tantôt quelque doublon,
Un jacobus[18], un ducaton[19].
Et puis quelque noble à la rose[20];
30 Éprouvait son adresse et sa force à jeter
Ces morceaux de métal, qui se font souhaiter

1. Fable publiée en 1691, sans nom d'auteur, dans *le Mercure galant*. — 2. Voir XI, 7, vers 59. — 3. « Sorte de monnaie d'or valant cent dix sous » (*Dict.* de Richelet, 1680). — 4. Pièce valant dix ou onze livres. — 5. Improductifs. — 6. Sans valeur. — 7. Noter l'omission de l'article. — 8. La déesse de la mer, donc la mer personnifiée. — 9. L'accès. Il s'agissait donc d'une île. — 10. Avec une. — 11. Comme s'il était engagé pour accomplir cette *tâche*. — 12. Une erreur; *se mécompter :* « se tromper dans le compte » (*Dict. de l'Acad.*, 1694). — 13. Son argent. — 14. Monnaie d'or espagnole. — 15. « Table... qui sert aux marchands à *compter* leur argent et à le serrer » (*Acad.*, 1694). — 16. Voir IX, 3, et IX, 17. — 17. Voir XI, 3, vers 32. — 18. Monnaie d'or anglaise du temps de *Jacques Ier*. — 19. *Ducat* d'argent. — 20. Encore une monnaie d'or anglaise.

Par les humains sur[21] toute chose.
S'il n'avait entendu son compteur[22] à la fin
Mettre la clef dans la serrure,
35 Les ducats auraient tous pris le même chemin,
Et couru la même aventure ;
Il les aurait fait tous voler jusqu'au dernier
Dans le gouffre enrichi par maint et maint naufrage.
Dieu veuille préserver maint et maint financier
40 Qui n'en fait pas meilleur usage !

21. Au-dessus de. — 22. « Celui qui compte... Ce mot est peu en usage » (*Dict.* de Furetière, 1690).

Source. Dans **les Facétieuses nuits de Straparole,** 1550 (traduction Louveau et Larrivée, 1573, VIIIe nuit, fable 4), l'histoire se passe en pleine mer. Le singe jette à l'eau un des deux sacs d'écus du marchand qui s'est enrichi en mettant moitié d'eau dans son vin. Chez **TRISTAN L'HERMITE, le Page disgrâcié** (1643, II, 41), Maître Robert, singe ivrogne, vole les pistoles du Payeur des gens d'armes dans l'espoir de les dépenser au cabaret, et s'amuse à les jeter du toit sur le pavé.

● **Le style**

La critique de la *fureur d'accumuler* n'est pas nouvelle chez La Fontaine : voir *le Loup et le Chasseur* (VIII, 27). C'est l'étude du détail qui permet de dégager l'intérêt du récit.
« Amoncelez, écrit Taine (*op. cit.*, p. 299), les *pistoles*, les *doublons*, les *jacobus*, les *ducatons*, les *nobles à la rose*; nous nous rappellerons l'effigie et l'exergue, et, au lieu de comprendre, nous verrons. »

① Dans quels autres endroits de la fable, l'art du poète nous permet-il de « voir »?

② Comment l'expression nous impose-t-elle le sentiment, dans les vers 9-13 et 37-39?

4 *Les Deux Chèvres*[1]

1 Dès que les Chèvres ont brouté,
Certain esprit de liberté
Leur fait chercher fortune ; elles vont en voyage
Vers les endroits du pâturage
5 Les moins fréquentés des humains.

1. Fable publiée en 1691 dans *le Mercure Galant.*

Là, s'il est quelque lieu sans route et sans chemins,
Un rocher, quelque mont pendant en précipices,
C'est où[2] ces dames vont promener leurs caprices ;
Rien ne peut arrêter cet animal grimpant.
10 Deux Chèvres donc s'émancipant,
Toutes deux ayant patte blanche[3],
Quittèrent les bas prés, chacune de sa part[4] :
L'une vers l'autre allait pour[5] quelque bon hasard.
Un ruisseau se rencontre, et pour pont une planche ;
15 Deux belettes à peine auraient passé de front
Sur ce pont ;
D'ailleurs, l'onde rapide et le ruisseau profond
Devaient faire trembler de peur ces amazones.
Malgré tant de dangers, l'une de ces personnes
20 Pose un pied sur la planche, et l'autre en fait autant.
Je m'imagine voir, avec Louis le Grand,
Philippe Quatre qui s'avance
Dans l'île de la Conférence[6].
Ainsi s'avançaient pas à pas,
25 Nez à nez, nos aventurières[7],
Qui, toutes deux étant fort fières,
Vers le milieu du pont ne se voulurent pas
L'une à l'autre céder. Elles avaient la gloire
De compter dans leur race, à ce que dit l'histoire,
30 L'une, certaine chèvre, au mérite sans pair,
Dont Polyphème fit présent à Galatée[8],
Et l'autre la chèvre Amalthée[9],
Par qui fut nourri Jupiter.
Faute de reculer, leur chute fut commune ;
35 Toutes deux tombèrent dans l'eau.

Cet accident n'est pas nouveau
Dans le chemin de la Fortune.

---

2. Là *où.* — 3. Elles appartiennent à l'aristocratie des chèvres : voir les v. 28-33. — 4. De son côté. — 5. Sans doute : dans l'espoir de. — 6. *L'île* des Faisans dans la Bidassoa. Là se tinrent en 1659 les *conférences* qui aboutirent à la paix des Pyrénées et au mariage de Louis XIV et de l'infante Marie- Thérèse. — 7. Pas de nuance péjorative. — 8. Le Cyclope *Polyphème* avait aimé la Nymphe *Galatée.* L'histoire est contée par Théocrite et Ovide. — 9. *La chèvre Amalthée* nourrissait Jupiter quand sa mère, Rhéa, le cachait en Crète.

Source. Le duc de Bourgogne a traité en latin le même sujet, en quelques lignes. On doit penser qu'il s'est inspiré de la fable de La Fontaine. La rencontre des deux chèvres sur un pont trop étroit est racontée par **PLINE L'ANCIEN** (VIII, 76), mais son récit fait l'éloge de leur adresse. Enfin, **SAINT-SIMON** parle de la « ridicule dispute » qui opposa deux grandes dames, la duchesse de Brissac et la marquise de Beringhem, « dans une rue fort étroite où leurs carrosses ne pouvaient passer » et qui demeurèrent ainsi cinq heures, « chacune revendiquant la préséance ». Le ton de la fable autorise à voir en ces deux grandes dames les deux chèvres de La Fontaine.

① A propos des vers 20 et suiv. Fernand Gohin (*L'Art de La Fontaine*, p. 85) écrit : « Cet exemple suffirait à caractériser la gaieté du fabuliste. » Expliquez cette opinion par l'analyse du détail.

Gravure de J.-B. Oudry

CL. GIRAUDON

A MONSEIGNEUR LE DUC DE BOURGOGNE,

qui avait demandé à M. de La Fontaine
une fable qui fût nommée le Chat et la Souris.

1 POUR plaire au jeune Prince à qui la Renommée
Destine un temple en mes écrits,
Comment composerai-je une fable nommée
Le Chat et la Souris ?
5 Dois-je représenter dans ces vers une belle
Qui, douce en apparence, et toutefois cruelle,
Va se jouant des cœurs que ses charmes ont pris
Comme le chat et la souris ?

Prendrai-je pour sujet les jeux de la Fortune ?
10 Rien ne lui convient[1] mieux, et c'est chose commune
Que de lui voir traiter ceux qu'on croit ses amis
Comme le chat fait la souris.

Introduirai-je un roi[2] qu'entre ses favoris
Elle respecte seul, roi qui fixe sa roue[3],
15 Qui n'est point empêché[4] d'un monde d'ennemis,
Et qui des plus puissants, quand il lui plaît, se joue
Comme le chat de la souris ?

Mais insensiblement, dans le tour que j'ai pris,
Mon dessein se rencontre[5] ; et, si je ne m'abuse,
20 Je pourrais tout gâter par de plus longs récits :
Le jeune Prince alors se jouerait de ma Muse
Comme le chat de la souris.

Source. Il semble que ce poème ait pu être inspiré par un thème que Fénelon avait proposé au duc de Bourgogne. En tout cas, ces vers semblent bien servir de Prologue à la fable **le Vieux Chat et la Jeune Souris.**

1. *Rien ne convient mieux* à la Fortune qu'un tel sujet. — 2. Louis XIV. — 3. La *roue* est le symbole de l'inconstance de la Fortune. Louis XIV a seul le pouvoir de l'immobiliser. — 4. Embarrassé. — 5. Se réalise.

5 *Le Vieux Chat et la Jeune Souris*

1 UNE jeune Souris, de peu d'expérience,
Crut fléchir un vieux Chat, implorant[1] sa clémence,

Source. Une fable d'**ABSTEMIUS** (fable 151, Nevelet, p. 599), **le Renard qui voulait tuer une poule en train de couver,** a pu, bien que les personnages en soient différents, servir de modèle à La Fontaine.

CL. RAPHO-YLLA

Et payant[1] de raisons le Raminagrobis[2].
« Laissez-moi vivre : une souris
5 De ma taille et de ma dépense[3]
Est-elle à charge en ce logis ?
Affamerais-je, à votre avis,
L'hôte et l'hôtesse, et tout leur monde ?
D'un grain de blé je me nourris ;
10 Une noix me rend toute ronde.
A présent je suis maigre ; attendez quelque temps ;
Réservez ce repas à Messieurs vos enfants. »
Ainsi parlait au Chat la Souris attrapée.
L'autre lui dit : « Tu t'es trompée ;
15 Est-ce à moi que l'on tient de semblables discours[4] ?
Tu gagnerais autant de parler à des sourds.
Chat, et vieux, pardonner ? Cela n'arrive guères.
Selon ces lois, descends là-bas[5],

1. *Implorant... payant* : gérondifs. — 2. Voir VII, 16. — 3. Dépensant, c'est-à-dire me nourrissant comme je le fais. — 4. Raisonnements. — 5. Aux Enfers.

● **Le sujet de la fable 5** — La fable 3 du livre V (*Le Petit Poisson et le Pêcheur*) et la fable 18 du livre IX (*Le Milan et le Rossignol*) traitent un sujet analogue, avec une moralité différente.
① Connaissez-vous des fables où La Fontaine juge différemment la vieillesse ?

Meurs, et va-t'en, tout de ce pas,
20 Haranguer les Sœurs filandières[6] ;
Mes enfants trouveront assez d'autres repas. »
Il tint parole. Et, pour ma fable,
Voici le sens moral qui peut y convenir :
La jeunesse se flatte[7], et croit tout obtenir ;
25 La vieillesse est impitoyable.

6. Les Parques qui *filent* la vie humaine; et surtout Atropos qui coupe le fil. — 7. S[e] leurre de fausses espérances.

6 *Le Cerf malade*

1 EN pays pleins[1] de cerfs, un Cerf tomba malade.
Incontinent maint camarade
Accourt à son grabat le voir, le secourir,
Le consoler du moins : multitude importune.
5 « Eh ! Messieurs, laissez-moi mourir.
Permettez qu'en forme[2] commune
La Parque m'expédie[3], et finissez vos pleurs. »
Point du tout : les consolateurs
De ce triste devoir tout au long s'acquittèrent,
10 Quand il plut à Dieu s'en allèrent :
Ce ne fut pas sans boire un coup,
C'est-à-dire sans prendre un droit de pâturage.
Tout se mit à brouter les bois du voisinage.
La pitance[4] du Cerf en déchut[5] de beaucoup.
15 Il ne trouva plus rien à frire[6] ;
D'un mal il tomba dans un pire,
Et se vit réduit à la fin
A jeûner et mourir de faim.
Il en coûte à qui vous réclame,
20 Médecins du corps et de l'âme !
O temps ! ô mœurs[7] ! j'ai beau crier,
Tout le monde se fait payer.

Source. L'origine est une fable de **LOCMAN**, traduite par **ERPENIUS** en 1615. Une traduction en vers latins avait été faite par **TANAQUIL FABER** en 1673, et une adaptation en vers français par **DESMAY** en 1677 (**Le Cerf malade ou la grande alliance nuisible**). La moralité de Desmay s'adressait aux Hollandais, en guerre contre la France.

1. Le pluriel s'explique peut-être par le fait que le mot *pays* est souvent employé au pluriel en langage de vénerie. — 2. Selon les formes habituelles. — 3. *Expédier* « se dit aussi pour : faire mourir vite » (*Dict. de l'Acad.*, 1694). — 4. Voir VIII, 7, vers 5. — 5. Diminua. — 6. Populaire : rien à manger. — 7. Souvenir de Cicéron, qui s'exprima ainsi *(O tempora! O mores!)* dans sa deuxième *Catilinaire*.

7 *La Chauve-souris, le Buisson, et le Canard*

1 LE Buisson, le Canard, et la Chauve-Souris,
Voyant tous trois qu'en leur pays
Ils faisaient petite fortune,
Vont trafiquer au loin, et font bourse commune.
5 Ils avaient des comptoirs, des facteurs[1], des agents
Non moins soigneux qu'intelligents,
Des registres exacts de mise[2] et de recette.
Tout allait bien ; quand leur emplette[3],
En passant par certains endroits
10 Remplis d'écueils et fort étroits,
Et de trajet[4] très difficile,
Alla tout emballée au fond des magasins
Qui du Tartare sont voisins.
Notre trio poussa maint regret[5] inutile,
15 Ou plutôt il n'en poussa point :
Le plus petit marchand est savant sur ce point ;
Pour sauver son crédit, il faut cacher sa perte.
Celle que, par malheur, nos gens avaient soufferte
Ne put se réparer : le cas fut découvert.
20 Les voilà sans crédit, sans argent, sans ressource,
Prêts à[6] porter le bonnet vert[7].
Aucun ne leur ouvrit sa bourse.
Et le sort principal[8], et les gros intérêts,
Et les sergents[9], et les procès,
25 Et le créancier à la porte
Dès devant[10] la pointe du jour,

Source. L'idée de cette étrange association vient d'ÉSOPE, fable 42, **la Chauve-souris, le Buisson et le Plongeon** (Nevelet, p. 124). GILBERT COUSIN et HAUDENT ont également traité ce sujet. L'originalité de La Fontaine réside dans l'application qu'il en fait à son temps et dans la satire des grands seigneurs perdus de dettes par laquelle il termine sa fable, sans qu'on puisse dire que cette satire se dégage vraiment du récit.

1. Voir VII, 14, vers 8. — 2. « Dépense d'un compte. Les deux parties d'un compte sont la *mise* et la *recette* » (*Dict.* de Furetière, 1690). — 3. Les marchandises achetées pour être revendues. — 4. Traversée. — 5. Par analogie avec : poussa des cris. — 6. Sur le point de. — 7. Voir Boileau, *Satire* I, vers 15-16. Un débiteur insolvable pouvait sortir de prison en acceptant qu'on lui mît un *bonnet vert* sur la tête. — 8. Le capital de la dette. — 9. « Bas officier de justice dont la fonction est de donner des exploits, des assignations, de faire des exécutions, des contraintes » (*Dict. de l'Acad.*, 1694). — 10. Avant.

N'occupaient le trio qu'à chercher maint détour
Pour contenter[11] cette cohorte[12].
Le Buisson accrochait les passants à tous coups.
30 « Messieurs, leur disait-il, de grâce, apprenez-nous
En quel lieu sont les marchandises
Que certains gouffres nous ont prises. »
Le Plongeon[13] sous les eaux s'en allait les chercher.
L'oiseau Chauve-Souris n'osait plus approcher
35 Pendant le jour nulle demeure :
Suivi de sergents à toute heure,
En des trous il s'allait cacher.
Je connais maint detteur[14] qui n'est ni souris-chauve,
Ni buisson, ni canard, ni dans tel cas tombé,
40 Mais simple grand seigneur, qui tous les jours se sauve
Par un escalier dérobé.

11. Payer. — 12. Voir Boileau, *Satire* V, vers 117 : « Et bravant des sergents la timide *cohorte* ». — 13. Oiseau aquatique « qui approche du canard » (Furetière). Il n'y a probablement là qu'une malice de La Fontaine : le canard sachant *plonger* peut être nommé un *plongeon*. — 14. Plus amusant que « débiteur ». Marque sans doute une habitude.

8 *La Querelle des Chiens et des Chats, et celle des Chats et des Souris*

1 La Discorde a toujours régné dans l'univers ;
Notre monde en fournit mille exemples divers :
Chez nous cette déesse a plus d'un tributaire[1].
Commençons par les éléments[2] :
5 Vous serez étonnés de voir qu'à tous moments
Ils seront appointés contraire[3].
Outre ces quatre potentats,
Combien d'êtres de tous états[4]
Se font une guerre éternelle !

10 Autrefois un logis plein de Chiens et de Chats,
Par cent arrêts rendus en forme solennelle,
Vit terminer tous leurs débats.

Source. HAUDENT (II, fable 61), la Guerre des chiens, des chats et des souris.

1. Qui lui paie *tribut*, c'est-à-dire qui lui est soumis. — 2. Les quatre *éléments :* l'air, la terre, l'eau, le feu. — 3. « On dit proverbialement que des gens sont toujours *appointés contraires*, quand ils se contredisent toujours, lorsqu'ils ont de différentes opinions et de différents intérêts» (*Dict.* de Furetière, 1690). Ici, La Fontaine emploie *contraire* adverbialement, sans doute pour les besoins de la rime. — 4. Conditions sociales.

Le maître ayant réglé leurs emplois, leurs repas,
Et menacé du fouet quiconque aurait querelle,
15 Ces animaux vivaient entre eux comme cousins.
Cette union si douce, et presque fraternelle,
Édifiait tous les voisins.
Enfin elle cessa. Quelque plat de potage[5],
Quelque os, par préférence, à quelqu'un d'eux donné,
20 Fit que l'autre parti s'en vint tout forcené[6]
Représenter[7] un tel outrage.
J'ai vu des chroniqueurs attribuer le cas
Aux passe-droits qu'avait une Chienne en gésine.
Quoi qu'il en soit, cet altercas[8]
25 Mit en combustion[9] la salle[10] et la cuisine ;
Chacun se déclara pour son Chat, pour son Chien.

On fit un règlement dont les Chats se plaignirent,
Et tout le quartier étourdirent.
Leur avocat disait qu'il fallait bel et bien
30 Recourir aux arrêts. En vain ils les cherchèrent.
Dans un coin où d'abord leurs agents les cachèrent,
Les Souris enfin les mangèrent.
Autre procès nouveau : le peuple souriquois[12]
En pâtit. Maint vieux Chat, fin, subtil et narquois[13],
35 Et d'ailleurs en voulant à toute cette race,
Les guetta, les prit, fit main basse[14].
Le maître du logis ne s'en trouva que mieux.

J'en reviens à mon dire. On ne voit sous les cieux
Nul animal, nul être, aucune créature,
40 Qui n'ait son opposé : c'est la loi de nature.
D'en chercher la raison, ce sont soins[15] superflus.
Dieu fit bien ce qu'il fit, et je n'en sais pas plus.
Ce que je sais, c'est qu'aux grosses paroles[16]
On en vient sur un rien, plus des trois quarts du temps.
45 Humains, il vous faudrait encore à soixante ans
Renvoyer chez les barbacoles[17].

5. Volaille avec légumes et sauce. — 6. « Qui est emporté d'amour, de colère, ou d'une autre passion jusqu'à en perdre le sens et la raison » (Furetière). Ancienne orthographe : « forsené » (lat. *foris sensus*, hors de sens). — 7. Terme juridique : porter devant le juge. — 8. Débat; « *altercas* est vieux » (Furetière). — 9. « Division, dissension, guerre civile » (Furetière). — 10. Sans doute la grande pièce de réception. — 11. Les avaient mangés. — 12. Voir IV, 6, v. 21. — 13. « Filou adroit et rusé qui trompe les autres » (Furetière). — 14. *Faire main basse :* « ne donner point de quartier » (*Dict. de l'Acad.*, 1694). — 15. Soucis. — 16. Propos injurieux. — 17. Maîtres d'écoles (lat. *barbam colere :* les maîtres d'école cultivaient leur barbe).

9 *Le Loup et le Renard*

1 D'où vient que personne en la vie
N'est satisfait de son état ?
Tel voudrait bien être soldat,
A qui le soldat porte envie[1].

5 Certain Renard voulut, dit-on,
Se faire loup. Hé ! qui peut dire
Que pour le métier de mouton
Jamais aucun loup ne soupire ?

Ce qui m'étonne est qu'à huit ans
10 Un prince en fable ait mis la chose,
Pendant que sous mes cheveux blancs
Je fabrique à force de temps
Des vers moins sensés que sa prose.

Les traits dans sa fable semés
15 Ne sont en l'ouvrage du poète[2]
Ni tous ni si bien exprimés :
Sa louange[3] en est plus complète.

De la chanter sur la musette,
C'est mon talent[4], mais je m'attends
20 Que mon héros, dans peu de temps,
Me fera prendre la trompette[5].

Je ne suis pas un grand prophète :
Cependant je lis dans les cieux
Que bientôt ses faits glorieux
25 Demanderont plusieurs Homères ;
Et ce temps-ci n'en produit guères.
Laissant à part tous ces mystères,
Essayons de conter la fable avec succès.

Source. Un exercice latin sur un sujet donné par Fénelon au duc de Bourgogne. C'est la seconde fable ainsi intitulée : voir XI, 6.

---

1. Ces vers sont un souvenir d'Horace : *Satires*, I, 1, vers 1-12. — 2. Versification : le mot compte pour une seule syllabe. — 3. Gloire. — 4. Don de nature. — 5. Pour chanter des exploits guerriers.

Le Renard dit au Loup : « Notre cher, pour tous mets
30 J'ai souvent un vieux coq, ou de maigres poulets :
C'est une viande[6] qui me lasse.
Tu fais meilleure chère avec moins de hasard[7] :
J'approche des maisons ; tu te tiens à l'écart.
Apprends-moi ton métier, camarade, de grâce ;
35 Rends-moi le premier de ma race
Qui fournisse[8] son croc[9] de quelque mouton gras :
Tu ne me mettras point au nombre des ingrats.
— Je le veux, dit le loup ; il m'est mort un mien frère ;
Allons prendre sa peau, tu t'en revêtiras. »
40 Il vint, et le Loup dit : « Voici comme il faut faire,
Si tu veux écarter les mâtins[10] du troupeau. »
Le Renard, ayant mis la peau,
Répétait les leçons que lui donnait son maître.
D'abord il s'y prit mal, puis un peu mieux, puis bien ;
45 Puis enfin il n'y manqua rien.
A peine il fut instruit autant qu'il pouvait l'être,
Qu'un troupeau s'approcha. Le nouveau Loup y court
Et répand la terreur dans les lieux d'alentour.
Tel, vêtu des armes d'Achille,
50 Patrocle[11] mit l'alarme au camp et dans la ville :
Mères, brus et vieillards, au temple couraient tous.
L'ost au peuple bêlant[12] crut voir cinquante loups :
Chien, berger et troupeau, tout fuit vers le village,
Et laisse seulement une brebis pour gage.
55 Le larron s'en saisit. A quelque[13] pas de là,
Il entendit chanter un coq du voisinage.
Le disciple aussitôt droit au coq s'en alla,
Jetant bas sa robe de classe,
Oubliant les brebis, les leçons, le régent[14],
60 Et courant d'un pas diligent.
Que sert-il qu'on se contrefasse ?
Prétendre ainsi changer est une illusion :
L'on reprend sa première trace
A la première occasion.

65 De votre esprit, que nul autre n'égale,

---

6. Nourriture. — 7. Risque. — 8. Garnisse. — 9. Voir X, 5, vers 38. — 10. Voir VII, 1, vers 47 et la note. — 11. Souvenir de l'*Iliade*, chant XVI. — 12. L'armée du *peuple bêlant* (*au* est employé pour introduire le complément de nom). — 13. Le singulier marque une valeur indéterminée. — 14. Son professeur, le Loup.

Prince, ma Muse tient tout entier ce projet :
Vous m'avez donné le sujet,
Le dialogue, et la morale.

● **Fable 9 : la morale** — Horace dit dans une Épître : « Tu peux chasser le naturel à coups de fourche, il reviendra toujours au galop. » Et La Fontaine (II, 18) : « Il reviendra par les fenêtres »; « Vous ne détournerez nul être de sa fin » (IX, 7). Les vers 61-64 de notre fable ne font que reprendre la même pensée.

① La comédie : étudiez, dans les vers 29-37, le ton du Renard s'adressant au Loup. Comparez les vers 48-55 aux vers 26-40 de la fable *le Fermier, le Chien et le Renard* (XI, 3).

10 *L'Écrevisse et sa Fille*

1 Les sages[1] quelquefois, ainsi que l'Écrevisse,
Marchent à reculons, tournent le dos au port.
C'est l'art des matelots : c'est aussi l'artifice[2]
De ceux qui, pour couvrir[3] quelque puissant effort,
5 Envisagent un point directement contraire,
Et font vers ce lieu-là courir leur adversaire.
Mon sujet est petit, cet accessoire[4] est grand ;
Je pourrais l'appliquer à certain conquérant[5]
Qui tout seul déconcerte[6] une ligue à cent têtes.
10 Ce qu'il n'entreprend pas, et ce qu'il entreprend,
N'est d'abord qu'un secret, puis devient des conquêtes.
En vain l'on a les yeux sur ce qu'il veut cacher,
Ce sont arrêts du sort qu'on ne peut empêcher :
Le torrent à la fin devient insurmontable.
15 Cent dieux sont impuissants contre un seul Jupiter[7].
LOUIS et le Destin me semblent de concert
Entraîner l'univers. Venons à notre fable.

Sources. Deux fables ésopiques : **APHTONIUS, Fable de l'écrevisse nous avertissant de ne pas «conseiller l'impossible»** (Nevelet, p. 330); et **ÉSOPE, l'Écrevisse et sa Mère**; mais aussi des fables d'**AVIANUS** (I,3), de **JACQUES RÉGNIER** (I, 39), d'**HAUDENT** (I. 184).

1. Gens avisés. — 2. Procédé habile. — 3. Dissimuler. — 4. « Ce qu'on ajoute et qui arrive comme par surcroît à la chose principale » (*Dict.* de Richelet, 1680). — 5. Louis XIV : voir *la Politique*, p. 457. — 6. *Déconcerter* « signifie rompre les mesures et les résolutions que quelques personnes auraient prises ensemble, troubler leurs desseins » (*Dict. de l'Acad.*, 1694). — 7. Souvenir de l'*Iliade*, chant VIII.

Mère Écrevisse un jour à sa fille disait :
« Comme tu vas, bon Dieu ! ne peux-tu marcher droit ?
20 — Et comme vous allez vous-même ! dit la fille.
Puis-je autrement marcher que ne fait ma famille ?
Veut-on que j'aille droit quand on y va tortu[8] ? »
Elle avait raison : la vertu[9]
De tout exemple domestique
25 Est universelle, et s'applique
En bien, en mal, en tout ; fait des sages, des sots ;
Beaucoup plus de ceux-ci. Quant à tourner le dos
A son but, j'y reviens ; la méthode en est bonne,
Surtout au métier de Bellone[10] :
30 Mais il faut le faire à propos.

8. Adjectif employé adverbialement : voir XI, 7, v. 15. — 9. Valeur. — 10. Déesse de la guerre.

● **Fable 10 : la politique —** C'est « l'occasion » qui fait l'intérêt de cette fable. La *ligue à cent têtes* (v. 9), c'est la Ligue d'Augsbourg conclue en 1686, accrue en 1687, et qui en 1689 comprend en outre l'Angleterre. Les armées françaises, avec Luxembourg et Catinat, tiennent tête, mais le pays souffre, et en 1697, la paix est conclue à Ryswick. Louis XIV rendra les territoires annexés depuis la paix de Nimègue (chambres de réunion), sauf Strasbourg. Il est possible que La Fontaine fasse allusion au repli opéré par les Français sur le Rhin en 1689 et 1690 pour préparer une attaque contre l'Angleterre. En tout cas, les guerres précédentes donneraient déjà des exemples du *secret* (v. 11) : feintes dérobades sur certains points pour attaquer ailleurs.

Gravure du Nevelet 1610

11 *L'Aigle et la Pie*

1 L'AIGLE[1], reine des airs, avec Margot[2] la Pie,
Différentes d'humeur, de langage, et d'esprit,
Et d'habit,
Traversaient un bout de prairie.
5 Le hasard les assemble en un coin détourné.
L'Agasse[2] eut peur ; mais l'Aigle, ayant fort bien dîné,
La rassure, et lui dit : « Allons de compagnie ;
Si le maître des dieux assez souvent s'ennuie,
Lui qui gouverne l'univers,
10 J'en puis bien faire autant, moi qu'on sait qui[3] le sers.
Entretenez-moi donc, et sans cérémonie. »
Caquet-bon bec[4] alors de jaser au plus dru,
Sur ceci, sur cela, sur tout. L'homme d'Horace[5],
Disant le bien, le mal, à travers champs[6], n'eût su
15 Ce qu'en fait de babil y[7] savait notre Agasse.
Elle offre d'avertir de tout ce qui se passe,
Sautant, allant de place en place,
Bon espion, Dieu sait. Son offre ayant déplu,
L'Aigle lui dit tout en colère :
20 « Ne quittez point votre séjour,
Caquet-bon bec, ma mie ; adieu. Je n'ai que faire
D'une babillarde à ma cour :
C'est un fort méchant[8] caractère. »
Margot ne demandait pas mieux.
25 Ce n'est pas ce qu'on croit que d'entrer chez les dieux ;
Cet honneur a souvent de mortelles angoisses.
Rediseurs[9], espions, gens à l'air gracieux,
Au cœur tout différent, s'y rendent odieux :
Quoiqu'ainsi que la Pie il faille dans ces lieux
30 Porter habit de deux paroisses[10].

Sources. ABSTEMIUS (fable 26), **l'Aigle et la Pie** (Nevelet, p. 545); **HAUDENT** (II, 87), **la Pie et l'Aigle.** A la pie lui demandant de l'accueillir parmi ses familiers en invoquant sa beauté et son langage, l'aigle répond : « J'accèderais à ta requête si je ne craignais que ton bavardage ne divulgue tout ce qui se passe chez moi. »

1. Masculin ou féminin au XVIIe s. — 2. Nom populaire de *la pie.* — 3. Dont *on sait* que je *le sers.* — 4. « *Caquet-bon-bec,* la poule à ma tante » : formule populaire plaisante qu'on trouve dans *la Comédie des proverbes* (1636). — 5. Il s'agit du crieur public, Vulteius Mena, que raille Horace dans une *Épître* (I, 7). — 6. A tort et à travers. — 7. *Y* reprend l'idée contenue dans *disant le bien,* disant *le mal.* — 8. Méprisable. — 9. « Qui va redire, rapporter aux autres ce qu'on dit d'eux » (Furetière). — 10. « On dit de deux choses dépariées qu'on porte ensemble, qu'elles sont *de deux paroisses* » (Furetière); la pie porte un *habit* noir et blanc. Les courtisans jouent double jeu.

12 *Le Milan, le Roi, et le Chasseur*

A SON ALTESSE SÉRÉNISSIME
MONSEIGNEUR LE PRINCE DE CONTI

1 COMME les dieux sont bons, ils veulent que les rois
Le soient aussi : c'est l'indulgence
Qui fait le plus beau de leurs droits,
Non les douceurs de la vengeance :
5 Prince, c'est votre avis. On sait que le courroux
S'éteint en votre cœur sitôt qu'on l'y voit naître.
Achille, qui du sien ne put se rendre maître,
Fut par là moins héros que vous.
Ce titre n'appartient qu'à ceux d'entre les hommes
10 Qui, comme en l'âge d'or, font cent biens ici-bas.
Peu de grands sont nés tels en cet âge où nous sommes ;
L'univers leur sait gré du mal qu'ils ne font pas.
Loin que vous suiviez ces exemples,
Mille actes généreux vous promettent des temples.
15 Apollon, citoyen[1] de ces augustes lieux[2],
Prétend[3] y célébrer votre nom sur sa lyre.
Je sais qu'on vous attend dans le palais des dieux :
Un siècle de séjour doit ici[4] vous suffire.
Hymen veut séjourner tout un siècle chez vous.
20 Puissent ses plaisirs les plus doux
Vous composer des destinées
Par ce temps[5] à peine bornées !
Et la Princesse et vous n'en méritez pas moins.
J'en prends ses charmes pour témoins ;
25 Pour témoins j'en prends les merveilles
Par qui le Ciel, pour vous prodigue en ses présents,
De qualités qui n'ont qu'en vous seuls leurs pareilles
Voulut orner vos jeunes ans.
Bourbon[6] de son esprit ces grâces assaisonne ;
30 Le Ciel joignit, en sa personne,
Ce qui sait se faire estimer
A ce qui sait se faire aimer.
Il ne m'appartient pas d'étaler[7] votre joie ;

1. Habitant. — 2. Les temples. — 3. A l'intention de. — 4. *Ici*-bas. — 5. Un siècle. — 6. La princesse Marie-Thérèse de *Bourbon*. — 7. Exposer publiquement.

Je me tais donc, et vais rimer
35 Ce que fit un oiseau de proie.

Un Milan, de son nid antique possesseur,
Étant pris vif par un Chasseur,
D'en faire au Prince un don cet homme se propose.
La rareté du fait donnait prix à la chose.
40 L'Oiseau, par le Chasseur humblement présenté,
Si ce conte n'est apocryphe,
Va tout droit imprimer sa griffe
Sur le nez de Sa Majesté.
— Quoi ! sur le nez du Roi ? — Du Roi même en personne.
45 — Il n'avait donc alors ni sceptre ni couronne ?
— Quand il en aurait eu, ç'aurait été tout un.
Le nez royal fut pris comme un nez du commun.
Dire des courtisans les clameurs et la peine
Serait se consumer en efforts impuissants.
50 Le Roi n'éclata point : les cris sont indécents
A la majesté souveraine.
L'Oiseau garda son poste : on ne put seulement[8]
Hâter son départ d'un moment.
Son maître le rappelle, et crie, et se tourmente[9],
55 Lui présente le leurre[10], et le poing, mais en vain.
On crut que jusqu'au lendemain
Le maudit animal à la serre insolente
Nicherait là malgré le bruit,
Et sur le nez sacré voudrait passer la nuit.
60 Tâcher de l'en tirer irritait son caprice.
Il quitte enfin le Roi, qui dit : « Laissez aller
Ce Milan, et celui qui m'a cru régaler[11].
Ils se sont acquittés tous deux de leur office,
L'un en milan, et l'autre en citoyen des bois.
65 Pour moi, qui sais comment doivent agir les rois,
Je les affranchis du supplice. »
Et la cour d'admirer. Les courtisans ravis
Élèvent[12] de tels faits, par eux si mal suivis[13].
Bien peu, même des rois, prendraient un tel modèle ;
70 Et le Veneur[14] l'échappa belle,

8. Même pas. — 9. Se démène. — 10. « Certain morceau de cuir rouge façonné en forme d'oiseau, dont les fauconniers se servent pour rappeler les oiseaux de fauconnerie qui ne reviennent pas tout droit sur le poing » (*Dict. de l'Acad.*, 1694). — 11. M'offrir un présent. — 12. Vantent. — 13. Imités. — 14. Chasseur.

Coupable seulement, tant lui que l'animal,
D'ignorer le danger d'approcher trop du maître.
Ils n'avaient appris à connaître
Que les hôtes[15] des bois : était-ce un si grand mal ?

75 Pilpay fait près du Gange arriver l'aventure.
Là, nulle humaine créature
Ne touche aux animaux pour leur sang épancher.
Le Roi même ferait scrupule[16] d'y toucher.
« Savons-nous, disent-ils, si cet oiseau de proie
80 N'était point au siège de Troie ?
Peut-être y tint-il lieu d'un prince ou d'un héros
Des plus huppés et des plus hauts ;
Ce qu'il fut autrefois, il pourra l'être encore.
Nous croyons, après Pythagore[17],
85 Qu'avec les animaux de forme nous changeons,
Tantôt milans, tantôt pigeons,
Tantôt humains, puis volatilles[25]
Ayant dans les airs leurs familles. »

Comme l'on conte en deux façons
90 L'accident du Chasseur, voici l'autre manière.
Un certain Fauconnier ayant pris, ce dit-on,
A la chasse un Milan (ce qui n'arrive guère),
En voulut au Roi faire un don,
Comme de chose singulière[18] :
95 Ce cas n'arrive pas quelquefois[19] en cent ans ;
C'est le *non plus ultra*[20] de la fauconnerie.
Ce chasseur perce donc un gros[21] de courtisans,
Plein de zèle, échauffé, s'il le fut de sa vie.
Par ce parangon[22] des présents
100 Il croyait sa fortune faite,
Quand l'animal porte-sonnette[23],
Sauvage encore et tout grossier,
Avec ses ongles tout d'acier,
Prend le nez du Chasseur, happe le pauvre sire[24] :
105 Lui de crier ; chacun de rire,

15. Habitants. — 16. Se *ferait* un *scrupule*. — 17. La croyance des Indes en la métempsycose est antérieure à *Pythagore*; voir d'ailleurs IX, 7, vers 12. — 18. Extraordinaire. — 19. Une fois. — 20. « Rien au-delà ». — 21. « Grande troupe » (*Acad.*, 1694). — 22. « Modèle, patron... [le mot] est vieux « (*Acad.*, 1694). Il « ne peut entrer aujourd'hui que dans le comique » (*Dict.* de Richelet, 1680). — 23. On mettait une *sonnette* au cou ou aux pattes des oiseaux de chasse. — 24. Mot employé par raillerie.

Monarque et courtisans. Qui n'eût ri? Quant à moi,
Je n'en eusse quitté ma part pour un empire.
Qu'un pape rie, en bonne foi
Je ne l'ose assurer ; mais je tiendrais un roi
110 Bien malheureux, s'il n'osait rire :
C'est le plaisir des dieux. Malgré son noir sourci[25],
Jupiter, et le peuple immortel, rit aussi.
Il en fit des éclats[26], à ce que dit l'histoire,
Quand Vulcain, clopinant, lui vint donner à boire.
115 Que le peuple immortel se montrât sage ou non,
J'ai changé mon sujet avec juste raison ;
Car, puisqu'il s'agit de morale,
Que nous eût du Chasseur l'aventure fatale
Enseigné de nouveau? L'on a vu de tout temps
120 Plus de sots fauconniers que de rois indulgents.

25. Licence poétique, comme au v. 87. — 26. ...de rire.

● **Le texte** — De cette fable 12, composée en 1688, nous avons deux versions : celle du livre XII et celle des *Œuvres posthumes*; cette dernière paraît la plus ancienne. Selon Georges Couton (*La Politique de La Fontaine*, p. 132-135), « le texte des *Fables* est une version retravaillée quant à la forme, mais édulcorée quant à la pensée ». Il ne semble pas que la référence à Pilpay (v. 75) soit autre chose qu'une plaisanterie du poète.

● **Politique et actualité** — François-Louis de Conty (1664-1709), neveu du Grand Condé, est au moment de son mariage (1688) avec Marie-Thérèse de Bourbon. Les vers 19-33 célèbrent cet événement. Mais l'essentiel, c'est la vertu de la clémence. Conty avait en effet grand besoin de la clémence royale. En 1685, il avait été mêlé à un scandale très grave : une correspondance insultante pour le Roi. S'il avait obtenu son pardon, c'était parce que le Roi n'avait pu le refuser à Condé mourant (il mourut en 1686). Un propos sur l'indulgence du Maître était à sa place. Mais ne comporte-t-il pas ici des nuances au moins malicieuses? « Je verrais volontiers dans cette fable, dit Georges Couton (p. 134), nombre de sous-entendus : la clémence des rois n'est pas si méritoire; elle ne devrait pas être si rare qu'il y ait lieu de s'extasier [...] d'ailleurs un nez de manant ne diffère pas tellement, pour un milan qui en veut faire son perchoir, d'un nez royal. Tout cela est d'un badinage un tantinet irrévérencieux ou d'une amertume profonde. »

① Badinage ou amertume? Ces deux nuances ne peuvent-elles se mêler?

CL. RAPHO-FELTER

13 *Le Renard, les Mouches, et le Hérisson*

1 Aux traces de son sang, un vieux[1] hôte[2] des bois,
Renard fin, subtil et matois,
Blessé par des chasseurs, et tombé dans la fange[3],
Autrefois attira ce parasite ailé
5 Que nous avons mouche appelé.
Il accusait les dieux, et trouvait fort étrange
Que le sort à tel point le voulût affliger[4],
Et le fît aux[5] Mouches manger.
« Quoi ! se jeter sur moi, sur moi le plus habile
10 De tous les hôtes des forêts ?
Depuis quand les renards sont-ils un si bon mets ?
Et que[6] me sert ma queue ? est-ce un poids inutile ?
Va, le Ciel te confonde, animal importun !
Que ne vis-tu sur le commun[7] ! »

Source. Fable ésopique citée par **ARISTOTE** (**Rhétorique**, II, 20); **ÉSOPE** utilise la fable pour défendre à Samos un démagogue qui s'était enrichi aux dépens de la fortune publique. La moralité de La Fontaine rejoint le commentaire final d'Ésope. Le sujet a été traité par d'autres, notamment par **ABSTEMIUS** [**Proemium**].

---

1. Usage ancien pour : vieil. — 2. Habitant. — 3. « Boue de campagne » (*Dict.* de Furetière, 1690). — 4. Frapper à mort, accabler. — 5. Par les. — 6. À quoi. — 7. Aux dépens de tous.

15 Un Hérisson du voisinage,
Dans mes vers nouveau personnage,
Voulut le délivrer de l'importunité
Du peuple plein d'avidité :
« Je les vais de mes dards enfiler par centaines,
20 Voisin Renard, dit-il, et terminer tes peines.
— Garde-t'en bien, dit l'autre ; ami, ne le fais pas ;
Laisse-les, je te prie, achever leur repas.
Ces animaux sont soûls[8] ; une troupe nouvelle
Viendrait fondre sur moi, plus âpre et plus cruelle. »

25 Nous ne trouvons que trop de mangeurs ici-bas :
Ceux-ci sont courtisans, ceux-là sont magistrats.
Aristote appliquait cet apologue aux hommes.
Les exemples en sont communs,
Surtout au pays où nous sommes.
30 Plus telles gens sont pleins, moins ils sont importuns.

— 8. Rassasiés.

● **L'art** — Nous possédons une première rédaction de cette fable 13 (cf. Georges Couton, *Poétique de La Fontaine*, p. 35) :

LE RENARD ET LES MOUCHES
Un Renard tombé dans la fange,
Et des mouches presque mangé,
Trouvait Jupiter fort étrange
De souffrir qu'à ce point le sort l'eût outragé.
Un Hérisson du voisinage,
Dans mes vers nouveau personnage [v. 15-16],
Voulut le délivrer de l'importun essaim.
Le Renard aima mieux les garder, et fut sage.
« Vois-tu pas, dit-il, que la faim
Va rendre une autre troupe encor plus importune ?
Celle-ci déjà soûle aura moins d'âpreté. »
Trouver à cette fable une moralité
Me semble chose assez commune.
On peut sans grand effort d'esprit
En appliquer l'exemple aux hommes.
Que de mouches voit-on dans le siècle où nous sommes !
Cette fable est d'Ésope, Aristote le dit.

14 *L'Amour et la Folie*[1]

1 Tout est mystère dans l'Amour,
Ses flèches, son carquois, son flambeau, son enfance[2].
Ce n'est pas l'ouvrage d'un jour
Que d'épuiser cette science.
5 Je ne prétends donc point tout expliquer ici ;
Mon but est seulement de dire, à ma manière,
Comment l'aveugle que voici
(C'est un dieu), comment, dis-je, il perdit la lumière ;
Quelle suite eut ce mal, qui peut-être est un bien,
10 J'en fais juge un amant, et ne décide rien.

La Folie et l'Amour jouaient un jour ensemble :
Celui-ci n'était pas encor privé des yeux.
Une dispute vint : l'Amour veut qu'on assemble
Là-dessus le conseil des dieux ;
15 L'autre n'eut pas[3] la patience ;
Elle lui donne un coup si furieux,
Qu'il en perd la clarté des cieux.
Vénus en demande vengeance.
Femme et mère, il suffit pour juger de ses cris :
20 Les dieux en furent étourdis,
Et Jupiter, et Némésis[4],
Et les juges d'Enfer, enfin toute la bande[5].
Elle représenta l'énormité du cas.
Son fils, sans un bâton ne pouvait faire un pas :
25 Nulle peine n'était pour ce crime assez grande :
Le dommage devait être aussi réparé.
Quand on eut bien considéré
L'intérêt du public[6], celui de la partie[7],
Le résultat[8] enfin de la suprême cour
30 Fut de condamner la Folie
A servir de guide à l'Amour.

Sources. La poétesse lyonnaise **LOUISE LABBÉ**, « la Belle Cordière » (1524-1566), avait écrit (en prose) un long **Débat de Folie et d'Amour.** D'autre part, le **PÈRE COMMIRE**, dans ses **Carmina** (1681), avait publié une pièce en vers latins, **Dementia amorem ducens.**

1. Publiée en 1685. — 2. Le fait qu'on le représente sous les traits d'un enfant. — 3. *N'en eut pas.* — 4. Déesse de la vengeance. — 5. Troupe. — 6. *L'intérêt* général. — 7. « Se dit de tous les plaideurs » (*Dict.* de Furetière, 1690); ici, l'Amour, demandeur contre la Folie. — 8. De la délibération.

15 *Le Corbeau, la Gazelle, la Tortue, et le Rat*[1]

A MADAME DE LA SABLIÈRE

1 JE vous gardais un temple dans mes vers :
Il n'eût fini qu'avecque l'univers.
Déjà ma main en fondait la durée
Sur ce bel art[2] qu'ont les dieux inventé,
5 Et sur le nom de la divinité
Que dans ce temple on aurait adorée.
Sur le portail j'aurais ces mots écrits[3] :
PALAIS SACRÉ DE LA DÉESSE IRIS[4] ;
Non celle-là qu'a Junon à ses gages[5] ;
10 Car Junon même et le maître des dieux
Serviraient l'autre, et seraient glorieux
Du seul honneur de porter ses messages.
L'apothéose à la voûte eût paru[6] ;
Là, tout l'Olympe en pompe eût été vu
15 Plaçant Iris sous un dais de lumière.
Les murs auraient amplement contenu
Toute sa vie, agréable matière,
Mais peu féconde en ces événements
Qui des États font les renversements.
20 Au fond du temple eût été son image,
Avec ses traits, son souris, ses appas,
Son art de plaire et de n'y penser pas,
Ses agréments à qui tout rend hommage.
J'aurais fait voir à ses pieds des mortels
25 Et des héros, des demi-dieux encore,
Même des dieux : ce que le monde adore
Vient quelquefois parfumer ses autels.
J'eusse en ses yeux fait briller de son âme

Source. PILPAY, le Livre des Lumières (p. 226-232): Comment il faut rechercher la compagnie des amis, et le profit qu'on reçoit de leurs assistances.

1. Fable publiée en 1685. — 2. La poésie. — 3. L'auxiliaire est séparé du participe par le complément direct et le participe s'accorde avec ce complément. — 4. Voir le début du *Discours à Mme de la Sablière* (p. 382, v. 1). — 5. *Iris*, la messagère des dieux, était la servante de *Junon*. — 6. Peinte sur *la voûte* du temple.

Tous les trésors, quoique imparfaitement :
30 Car ce cœur vif et tendre infiniment
Pour ses amis, et non point autrement,
Car cet esprit, qui, né du firmament[7],
A beauté d'homme avec grâces de femme[8],
Ne se peut pas, comme on veut, exprimer.
35 O vous, Iris, qui savez tout charmer,
Qui savez plaire en un degré suprême,
Vous que l'on aime à l'égal de soi-même
(Ceci soit dit sans nul soupçon d'amour,
Car c'est un mot banni de votre cour,
40 Laissons-le donc), agréez que ma Muse
Achève un jour cette ébauche confuse.
J'en ai placé l'idée et le projet,
Pour plus de grâce, au devant d'un sujet[9]
Où l'amitié donne de telles marques[10],
45 Et d'un tel prix, que leur simple récit
Peut quelque temps amuser[11] votre esprit.
Non que ceci se passe entre monarques :
Ce que chez vous nous voyons estimer
N'est pas un roi qui ne sait point aimer[12] ;
50 C'est un mortel qui sait mettre[13] sa vie
Pour son ami. J'en[14] vois peu de si bons.
Quatre animaux, vivants[15] de compagnie,
Vont aux humains en donner des leçons.

La Gazelle, le Rat, le Corbeau, la Tortue,
55 Vivaient ensemble unis : douce société.
Le choix d'une demeure aux humains inconnue
Assurait leur félicité.
Mais quoi ! l'homme découvre enfin[16] toutes retraites.
Soyez au milieu des déserts,
60 Au fond des eaux, au haut des airs,
Vous n'éviterez point ses embûches secrètes.
La Gazelle s'allait ébattre innocemment,
Quand un chien, maudit instrument
Du plaisir barbare des hommes,
65 Vint sur l'herbe éventer les traces de ses pas.

7. D'origine divine. — 8. Il cumule raison et finesse. — 9. En prologue à *un sujet*. — 10. De tels témoignages. — 11. Occuper. — 12. *Un roi qui* ne saurait *point aimer*. — 13. *Mettre* en jeu, risquer. — 14. *En* se rapporte à l'idée de *mettre sa vie pour son ami*. — 15. Accord du participe, comme au v. 67. — 16. A la fin.

Elle fuit, et le Rat, à l'heure du repas,
Dit aux amis restants : « D'où vient que nous ne sommes
Aujourd'hui que trois conviés[16] ?
La Gazelle déjà nous a-t-elle oubliés ? »
70 A ces paroles, la Tortue
S'écrie[17], et dit : « Ah ! si j'étais
Comme un Corbeau d'ailes pourvue,
Tout de ce pas je m'en irais
Apprendre au moins quelle contrée,
75 Quel accident tient arrêtée
Notre compagne au pied léger ;
Car, à l'égard du cœur, il en faut mieux juger. »
Le Corbeau part à tire d'aile.
Il aperçoit de loin l'imprudente Gazelle
80 Prise au piège, et se tourmentant[18].
Il retourne avertir les autres à l'instant ;
Car, de lui demander quand, pourquoi, ni comment
Ce malheur est tombé sur elle,
Et perdre en vains discours cet utile moment,
85 Comme eût fait un maître d'école[19],
Il avait trop de jugement.
Le Corbeau donc vole et revole.
Sur son rapport, les trois amis
Tiennent conseil. Deux sont d'avis
90 De se transporter sans remise[20]
Aux lieux où la Gazelle est prise.
« L'autre, dit le Corbeau, gardera le logis :
Avec son marcher lent, quand arriverait-elle ?
Après la mort de la Gazelle. »
95 Ces mots à peine dits, ils s'en vont secourir
Leur chère et fidèle compagne,
Pauvre Chevrette de montagne[21].
La Tortue y voulut courir.
La voilà comme eux en campagne[22],
100 Maudissant ses pieds courts avec juste raison,
Et la nécessité de porter sa maison.
Rongemaille (le Rat eut à bon droit ce nom)
Coupe les nœuds du lacs[23] : on peut penser la joie.

16. Convives. — 17. Se récrie. — 18. S'agitant inutilement. — 19. Voir fable I, 19. — 20. *Sans* délai. — 21. L'expression est dans la fable de Pilpay. — 22. En voyage. — 23. Voir IX, 2, vers 39.

Le chasseur vient et dit : « Qui m'a ravi ma proie ? »
105 Rongemaille, à ces mots, se retire en un trou,
Le Corbeau sur un arbre, en un bois la Gazelle ;
Et le Chasseur, à demi fou
De n'en avoir nulle nouvelle,
Aperçoit la Tortue, et retient son courroux.
110 « D'où vient, dit-il, que je m'effraie ?
Je veux qu'à mon souper celle-ci me défraie. »
Il la mit dans son sac. Elle eût payé pour tous,
Si le Corbeau n'en eût averti la Chevrette.
Celle-ci, quittant sa retraite,
115 Contrefait la boiteuse, et vient se présenter[24].
L'homme de suivre, et de jeter
Tout ce qui lui pesait : si bien que Rongemaille
Autour des nœuds du sac tant opère[25] et travaille,
Qu'il délivre encor l'autre sœur,
120 Sur qui s'était fondé[26] le souper du chasseur.

Pilpay conte qu'ainsi la chose s'est passée.
Pour peu que je voulusse invoquer Apollon,
J'en ferais, pour vous plaire, un ouvrage aussi long
Que l'*Iliade* ou l'*Odyssée*.
125 Rongemaille ferait le principal héros,
Quoiqu'à vrai dire ici chacun soit nécessaire.

24. S'offrir comme appât. — 25. Agit. — 26. Même expression : X, 15, vers 40.

● **Allégorie ?** La première partie du poème (v. 1-53) est un éloge tendre et passionné de MME DE LA SABLIÈRE et de l'amitié qu'elle sait inspirer. Il est naturel que, dans la fable qui suit, on ait cherché un sens allégorique. La Gazelle ne serait autre qu'Iris elle-même, au milieu de la *douce société* (v. 55) qui comprenait des amis chers, dont certains vivaient chez elle. Le cruel chasseur serait le MARQUIS DE LA FARE qui sut la prendre dans les rets d'une passion violente. Le Corbeau serait l'ami qui sut l'éclairer sur les vrais sentiments de l'infidèle La Fare, et le Rat celui qui l'aida à se libérer. Reste la Tortue qui ne serait autre que le poète lui-même, *maudissant ses pieds courts* (v. 100), c'est-à-dire son incapacité à se rendre utile... Si l'explication n'est pas vraie, elle mériterait de l'être.

Porte-maison l'Infante[27] y tient de tels propos
Que Monsieur du Corbeau va faire
Office d'espion, et puis de messager.
130 La Gazelle a d'ailleurs l'adresse d'engager[28]
Le chasseur à donner du temps à Rongemaille.
Ainsi chacun en son endroit[29]
S'entremet, agit, et travaille.
A qui donner le prix ? Au cœur si l'on m'en croit.

27. Véritable expression homérique, renforçant la solennité espagnole — très convenable à la tortue — qu'évoque le mot *Infante*. — 28. Amener. — 29. A la place qui lui convient.

16 *La Forêt et le Bûcheron*

1 Un Bûcheron venait de rompre ou d'égarer
Le bois dont il avait emmanché sa cognée.
Cette perte ne put sitôt[1] se réparer
Que[1] la Forêt n'en fût quelque temps épargnée.
5 L'Homme enfin[2] la prie humblement
De lui laisser tout doucement
Emporter une unique branche
Afin de faire un autre manche :
Il irait employer ailleurs son gagne-pain[3] ;
10 Il laisserait debout maint chêne et maint sapin
Dont chacun respectait la vieillesse et les charmes.
L'innocente Forêt lui fournit d'autres armes.
Elle en eut du regret. Il emmanche son fer ;
Le misérable ne s'en sert
15 Qu'à dépouiller sa bienfaitrice
De ses principaux ornements.
Elle gémit à tous moments :
Son propre don fait son supplice.

Source. La source essentielle est **la Forêt et le Vilain** de **VERDIZOTTI** : Un vilain entre dans une forêt et lui demande de lui prêter un jeune arbre pour faire un manche à sa cognée. La forêt lui accorde généreusement sa demande, et le vilain se sert de sa cognée pour raser la forêt. Verdizotti conclut qu'il ne faut pas se montrer bienveillant envers les méchants.

1. Assez tôt pour que. — 2. A la fin. — 3. Voir V, 1, vers 33-34.

Voilà le train du[4] monde et de ses sectateurs :
20 On s'y sert du bienfait contre les bienfaiteurs.
Je suis las d'en parler. Mais que de doux ombrages
Soient exposés à ces outrages,
Qui ne se plaindrait là-dessus ?
Hélas ! j'ai beau crier et me rendre incommode[5],
25 L'ingratitude et les abus[6]
N'en seront pas moins à la mode.

4. La manière dont marche le... — 5. « Se dit aussi des personnes et signifie : importun, fâcheux, embarrassant » (*Dict. de l'Acad.*, 1694). — 6. « Signifie aussi quelquefois : tromperie » (*Acad.*, 1694).

● **Le sentiment de la nature**

① « Ici, comme ailleurs, écrit Taine (*op. cit.*, p. 186) à propos de l'évocation de la forêt, l'émotion morale ne fait qu'exprimer un aspect physique, et le poète songe aux attitudes en développant cette opinion. »
Vous commenterez ce jugement.

17 *Le Renard, le Loup, et le Cheval*[1]

1 Un Renard, jeune encor, quoique des plus madrés,
Vit le premier Cheval qu'il eût vu de sa vie.
Il dit à certain Loup, franc[2] novice : « Accourez,
Un animal paît dans nos prés,
5 Beau, grand ; j'en ai la vue encor toute ravie.
— Est-il plus fort que nous ? dit le Loup en riant[3].
Fais-moi son portrait, je te prie.
— Si j'étais quelque peintre ou quelque étudiant[4],
Repartit le Renard, j'avancerais la joie
10 Que vous aurez en le voyant.
Mais venez. Que sait-on ? peut-être est-ce une proie
Que la Fortune nous envoie. »
Ils vont ; et le Cheval, qu'à l'herbe on avait mis,
Assez peu curieux de semblables amis,
15 Fut presque sur le point d'enfiler la venelle[5].

1. Fable publiée en 1685. — 2. « Se dit aussi dans la signification de : vrai » (*Dict. de l'Acad.*, 1694); donc : tout à fait *novice*. — 3. Il rit car il espère une proie. — 4. Voir les vers 22-23. — 5. « Petite rue ». L'expression « n'a d'usage que dans cette phrase proverbiale et figurée *enfiler la venelle*, pour dire : prendre la fuite » (*Acad.*, 1694).

« Seigneur, dit le Renard, vos humbles serviteurs
Apprendraient volontiers comment on vous appelle. »
Le Cheval, qui n'était dépourvu de cervelle,
Leur dit : « Lisez mon nom, vous le pouvez, Messieurs :
20 Mon cordonnier l'a mis autour de ma semelle. »
Le Renard s'excusa sur son peu de savoir.
« Mes parents, reprit-il, ne m'ont point fait instruire ;
Ils sont pauvres, et n'ont qu'un trou[6] pour tout avoir ;
Ceux du Loup, gros[7] Messieurs, l'ont fait apprendre à lire. »
25 Le Loup, par ce discours flatté,
S'approcha. Mais sa vanité
Lui coûta quatre dents : le Cheval lui desserre[8]
Un coup ; et haut le pied[9]. Voilà mon Loup par terre,
Mal en point, sanglant et gâté[10].
30 « Frère, dit le Renard, ceci nous justifie[11]
Ce que m'ont dit des gens d'esprit :
Cet animal vous a sur la mâchoire écrit
Que de tout inconnu le sage se méfie. »

6. Leur terrier. — 7. Importants. — 8. *Desserrer :* « décocher, mais en ce sens il est beau et poétique » (*Dict.* de Richelet, 1680); le verbe s'employait aussi dans le langage familier. — 9. Il détale. — 10. En mauvais état, meurtri. — 11. Nous prouve qu'est *juste*.

Source. Des histoires analogues ont été souvent contées **(ÉSOPE, BABRIUS, ROMULUS, le Roman de Renart, etc.)**, mais c'est **RÉGNIER (Satire III**, v. 211-252) qui a sans doute servi de modèle à La Fontaine. Un loup rencontre une lionne aussi affamée que lui, et le loup, « d'un langage flatteur, lui parle et la courtise ». Le hasard fait apparaître à leurs yeux un mulet gros et gras :

Ils cheminent dispos, croyant la table preste,
Et s'approchant tous deux assez près de la beste.
Le Loup qui la cognoist, malin et deffiant,
Luy regardant aux pieds, luy parloit en riant :
« — D'ou es-tu? Qui es-tu? Quelle est ta nourriture,
Ta race, ta maison, ton maistre, ta nature? »
Le Mulet, estonné de ce nouveau discours,
De peur ingénieux, aux ruses eut recours;
Et comme les Normans, sans lui respondre : « Voire!
Compère, ce dit-il, je n'ay point de mémoire;
Et comme sans esprit ma grand-mère me vit,
Sans m'en dire autre chose, au pied me l'escrivit. »
Lors il lève la jambe au jarret ramassée;
Et d'un œil innocent il couvroit sa pensée.
Se tenant suspendu sur les pieds de devant.
Le Loup qui l'apperçoit se lève de devant,
S'excusant de ne lire, avecq ceste parole
Que les loups de son temps n'alloient point à l'escole,
Quand la chaude Lionne, à qui l'ardente faim
Alloit précipitant la rage et le dessein,
S'approche, plus sçavante, en volonté de lire.

Le Mulet prend son temps, et du grand coup qu'il tire,
Luy enfonce la teste, et d'une autre façon,
Qu'elle ne sçavoit point, luy apprit sa leçon.
Alors le Loup s'enfuit, voyant la beste morte;
Et de son ignorance ainsi se reconforte :
« N'en desplaise aux Docteurs, Cordeliers, Jacobins,
Pardieu, les plus grands clercs ne sont pas les plus fins! »

① « La Fontaine, écrit Gohin (*op. cit.*, p. 57), a changé les personnages et renversé les rôles : il a substitué le renard à la lionne, le cheval au mulet; de plus, il a prêté au renard le rôle que Régnier avait attribué au loup et qui est seul conforme à son caractère. »
Comparez, au point de vue de l'art, la fable de La Fontaine à la satire de Régnier.

② Comparez cette même fable à la fable 8 du livre V, *le Cheval et le Loup.*

③* En vous inspirant de certains dessins publicitaires, dessinez le Loup *riant* (v. 6).

18 *Le Renard et les Poulets d'Inde*[1]

1 CONTRE les assauts d'un Renard
Un arbre à des Dindons[2] servait de citadelle.
Le perfide ayant fait tout le tour du rempart,
Et vu chacun en sentinelle,
5 S'écria : « Quoi ! Ces gens se moqueront de moi ?
Eux seuls seront exempts de la commune loi ?
Non, par tous les dieux ! non. » Il accomplit son dire.
La lune, alors luisant, semblait, contre le sire,
Vouloir favoriser la dindonnière gent.
10 Lui, qui n'était novice au métier d'assiégeant,
Eut recours à son sac de ruses scélérates,
Feignit[3] vouloir gravir, se guinda[4] sur ses pattes,
Puis contrefit le mort, puis le ressuscité.

Source. Cette fable pourrait, comme **les Souris et le Chat-Huant** (XI, 9), servir au débat sur l'âme des animaux. Elle est citée par H. Busson : « Trois fables anglaises de La Fontaine », **Europe**, mai-juin 1959. La Fontaine a pu tirer son sujet de différents auteurs qui ont participé à ce débat. Citons en particulier **THOMAS WILLIS**, auteur d'un traité **Sur l'âme des bêtes** (1672). Il y raconte (chap. 6) comment un renard tourne autour de l'arbre sur lequel est perché un coq d'Inde et comment celui-ci, s'épuisant à suivre des yeux le renard, finit par se laisser tomber de l'arbre.

1. Fable publiée en 1685. — 2. Diminutif de : coq *d'Inde.* — 3. Nous dirions : *feignit de.* — 4. Se haussa.

Arlequin n'eût exécuté
15 Tant de différents personnages[5].
Il élevait sa queue, il la faisait briller,
Et cent mille autres badinages,
Pendant quoi nul Dindon n'eût osé sommeiller.
L'ennemi les lassait en leur tenant la vue
20 Sur même objet toujours tendue.
Les pauvres gens étant à la longue éblouis,
Toujours il en tombait quelqu'un : autant de pris,
Autant de mis à part ; près de moitié succombe.
Le compagnon[6] les porte en son garde-manger.
25 Le trop d'attention qu'on a pour le danger
Fait le plus souvent qu'on y tombe.

---

5. Rôles. — 6. Le malin.

19 *Le Singe*[1]

1 Il est un Singe dans Paris
A qui l'on avait donné femme.
Singe en effet d'aucuns[2] maris,
Il la battait : la pauvre dame
5 En a tant soupiré qu'enfin elle n'est plus.
Leur fils se plaint d'étrange sorte[3],
Il éclate en cris superflus ;
Le père en rit : sa femme est morte.
Il a déjà d'autres amours
10 Que l'on croit qu'il battra toujours ;
Il hante la taverne et souvent il s'enivre.

N'attendez rien de bon du peuple imitateur,
Qu'il soit singe ou qu'il fasse un livre :
La pire espèce[4], c'est l'auteur.

Source. Inconnue. Georges Couton (**Fables**, p. 545) suppose une comédie de singes savants où un vieux singe battrait une jeune guenon. Attaque contre des plagiaires ? Ou peut-être, vu la date, allusion à Furetière, exclu de l'Académie française en janvier 1685, et dont le dictionnaire fut publié en 1690, quatre ans avant celui de l'Académie ? Mais déjà Horace (**Épitres, I, 19**) avait dénoncé « le troupeau servile des imitateurs », dans une formule que La Fontaine a reprise (**Épître à Huet**) : « quelques imitateurs, sot bétail, je l'avoue ».

---

1. Fable publiée en 1685. — 2. De certains. — 3. D'une manière extraordinaire. — 4. « On ne le dit des hommes que par dérision » (*Dict. de l'Acad.*, 1694).

20 *Le Philosophe scythe*[1]

1 UN Philosophe austère, et né dans la Scythie[2],
Se proposant de suivre[3] une plus douce vie,
Voyagea chez les Grecs, et vit en certains lieux
Un sage assez semblable au vieillard de Virgile[4],
5 Homme égalant les rois, homme approchant des dieux,
Et, comme ces derniers, satisfait et tranquille.
Son bonheur consistait aux[5] beautés d'un jardin.
Le Scythe l'y trouva qui, la serpe à la main,
De ses arbres à fruit retranchait l'inutile,
10 Ébranchait, émondait[6], ôtait ceci, cela,
Corrigeant partout la nature,
Excessive à[7] payer ses soins avec usure.
Le Scythe alors lui demanda :
« Pourquoi cette ruine ? Était-il d'homme sage[8]
15 De mutiler ainsi ces pauvres habitants ?
Quittez-moi votre serpe, instrument de dommage ;
Laissez agir la faux du Temps :
Ils iront assez tôt border le noir rivage.
— J'ôte le superflu, dit l'autre, et, l'abattant[9],
20 Le reste en profite d'autant. »
Le Scythe, retourné dans sa triste demeure,
Prend la serpe à son tour, coupe et taille à toute heure ;
Conseille à ses voisins, prescrit à ses amis
Un universel abatis.
25 Il ôte de chez lui les branches les plus belles,
Il tronque son verger contre toute raison,
Sans observer temps ni saison,
Lunes ni vieilles ni nouvelles.
Tout languit et tout meurt. Ce Scythe exprime[10] bien
30 Un indiscret[11] stoïcien :
Celui-ci retranche de l'âme
Désirs et passions, le bon et le mauvais,
Jusqu'aux plus innocents souhaits.
Contre de telles gens, quant à moi, je réclame.

1. Fable publiée en 1685. — 2. Pays situé au nord de la mer Noire et patrie du philosophe Anacharsis (VIe s. av. J.-C.) dont la légende fait un ami de Solon. — 3. Mener. — 4. Le *vieillard* du Galèse (*Géorgiques*, IV, v. 125-133). — 5. En les. — 6. Synonyme d'*ébranchait*. — 7. Construction rare. — 8. *Était*-ce le fait d'un *homme sage*... — 9. Gérondif qui ne se rapporte pas au sujet. — 10. Représente. — 11. Sans discernement.

[35] Ils ôtent à nos cœurs le principal ressort ;
Ils font cesser de vivre avant que l'on soit mort.

Fable 20 : source. AULU-GELLE, **Nuits attiques** (XIX, 12), et **Cognatus** (p. 85), qui suit Aulu-Gelle. Il s'agit, dans les **Nuits attiques,** d'un Thrace d'une extrême barbarie, ignorant de la culture, et qui achète un domaine de vignes et d'oliviers. Le récit est précédé par des considérations sur le mélange, dans l'âme, de passions mauvaises et de bonnes, et sur la nécessité de les discerner. Il s'achève sur la critique de la philosophie stoïcienne de l'insensibilité.

● **La poésie** — Chamfort admire « ce trait de poésie vive et animée, qui suppose que des arbres coupés et, pour ainsi dire, mis à mort, vont revivre sur les bords du Styx ». Et selon Taine (*op. cit.*, p. 227) « Hérodote peut dire de lui [La Fontaine], comme d'Hésiode et d'Homère, qu'il a créé un monde divin. Il donne aux arbres une immortalité *sur les bords du noir rivage* ».

① Montrez comment le style (vers 13-18) traduit sobrement la puissance de l'imagination du poète et prépare le trait final.

● **La morale** — Dans *les Filles de Minée* (v. 491), La Fontaine écrit :

Je veux des passions; et si l'état le pire
Est le néant, je ne sais point
De néant plus complet qu'un cœur froid à ce point.

② Que savez-vous de la doctrine stoïcienne, condamnée aussi bien par La Fontaine que par Aulu-Gelle? Quelles raisons peut-on avoir pour considérer que le poète songe aussi aux jansénistes?

③ Dans quelle mesure la conclusion de La Fontaine vous paraît-elle en accord avec sa conception de la vie?

CL. BULLOZ

21 *L'Éléphant et le Singe de Jupiter*[1]

1 Autrefois l'Éléphant et le Rhinocéros,
En dispute du pas[2] et des droits de l'empire,
Voulurent terminer la querelle en champ clos.
Le jour en[3] était pris, quand quelqu'un vint leur dire
5 Que le Singe de Jupiter,
Portant un caducée[4], avait paru dans l'air.
Ce Singe avait nom Gille[5], à ce que dit l'histoire.
Aussitôt l'Éléphant de croire
Qu'en qualité d'ambassadeur
10 Il venait trouver Sa Grandeur[6].
Tout fier de ce sujet de gloire,
Il attend maître Gille, et le trouve un peu lent
A lui présenter sa créance[7].

Source. Il n'y a pas de source véritable, mais on peut penser que La Fontaine s'est inspiré d'un texte de **PLINE L'ANCIEN** (**Histoire naturelle,** VIII) concernant l'éléphant, son amour-propre, et sa haine du rhinocéros.

1. Fable publiée en 1685. — 2. Sur la préséance; « se dit encore d'un certain point d'honneur qu'on observe pour la marche entre ceux qui ont quelque prééminence l'un sur l'autre » (*Dict. de* Furetière, 1690). — 3. *En* représente l'idée de la rencontre. — 4. Baguette surmontée de deux ailes et autour de laquelle s'entrelacent des serpents; attribut de Mercure, messager de *Jupiter*. — 5. Voir IX, 3, vers 16. — 6. Titre donné aux grands seigneurs; « titre d'honneur au-dessous des Altesses mais au-dessus des autres Grandeurs » (Furetière). — 7. Lettres de *créance* l'accréditant comme ambassadeur.

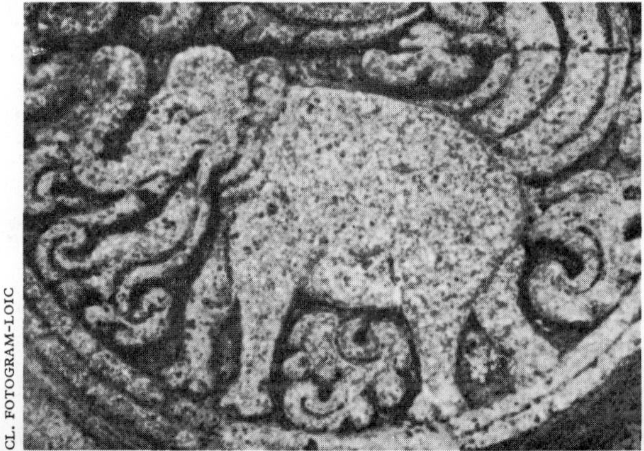

CL. FOTOGRAM-LOIC

Maître Gille enfin[8], en passant,
15 Va saluer Son Excellence.
L'autre était préparé sur la légation[9] ;
Mais pas un mot. L'attention
Qu'il croyait que les Dieux eussent[10] à sa querelle
N'agitait[11] pas encor chez eux cette nouvelle.
20 Qu'importe à ceux du firmament
Qu'on soit mouche ou bien éléphant ?
Il se vit donc réduit à commencer lui-même :
« Mon cousin[12] Jupiter, dit-il, verra dans peu
Un assez beau combat, de son trône suprême ;
25 Toute sa cour verra beau jeu[13].
— Quel combat ? » dit le Singe avec un front sévère.
L'Éléphant repartit : « Quoi ! vous ne savez pas
Que le rhinocéros me dispute le pas ;
Qu'Éléphantide a guerre avecque Rhinocère[14] ?
30 Vous connaissez ces lieux, ils ont quelque renom.
— Vraiment je suis ravi d'en apprendre le nom,

8. A la fin. — 9. Il était prêt à répondre sur le sujet de la mission dont il croyait le singe chargé. — 10. Nous emploierions l'indicatif. — 11. Ne les amenait pas encore à agiter cette question. — 12. « Terme d'honneur que les rois donnent aux cardinaux. aux princes de leur sang et à des princes étrangers » (Furetière). — 13. Un *beau* spectacle, — 14. *Éléphantide* et *Rhinocère* sont les noms des deux capitales ; cf. Ratopolis, VII, 3, v. 18.

CL. BULLOZ

Repartit maître Gille : on ne s'entretient guère
De semblables sujets dans nos vastes lambris. »
L'Éléphant, honteux et surpris,
35 Lui dit : « Et parmi nous que venez-vous donc faire ?
— Partager un brin d'herbe entre quelques fourmis :
Nous avons soin de tout. Et quant à votre affaire,
On n'en dit rien encor dans le conseil des dieux :
Les petits et les grands sont égaux à leurs yeux. »

22 *Un Fou et un Sage*[1]

1 CERTAIN Fou poursuivait à[2] coups de pierre un Sage.
Le Sage se retourne et lui dit : « Mon ami,
C'est fort bien fait à toi, reçois cet écu-ci :
Tu fatigues[3] assez pour gagner davantage.
5 Toute peine, dit-on, est digne de loyer[4].
Vois cet homme qui passe, il a de quoi payer ;
Adresse-lui tes dons, ils auront leur salaire. »
Amorcé par le gain, notre Fou s'en va faire
Même insulte à l'autre bourgeois[5].
10 On ne le paya pas en argent cette fois.
Maint estafier[6] accourt : on vous happe notre homme,
On vous[7] l'échine, on vous l'assomme.[8]

Auprès des rois il est de pareils fous :
A vos dépens ils font rire le maître.
15 Pour réprimer leur babil, irez-vous
Les maltraiter ? Vous n'êtes pas peut-être
Assez puissant. Il faut les engager[9]
A s'adresser à qui peut se venger.

Source. PHÈDRE, III, 5 (Nevelet, p. 419). La fable de La Fontaine aurait été faite « contre le sieur abbé du Plessis, une espèce de fou sérieux qui s'était mis sur le pied de censurer à la Cour les ecclésiastiques, et même les évêques, et que M. l'archevêque de Reims fit bien châtier ». (Note manuscrite figurant sur un exemplaire des **Ouvrages de prose et de poésie des sieurs de Maucroix et de La Fontaine**, 1685, et relevée par Walckenaer.)

1. Un homme sensé. — 2. *A* introduit le complément de moyen. — 3. Tu te donnes assez de fatigue... — 4. « Signifie encore *salaire*, ce qui est dû à un serviteur, à un ouvrier pour ses services, pour son travail... En ce sens, il vieillit » (*Dict. de l'Acad.*, 1694). — 5. « Citoyen, habitant d'une ville » (*Acad.*, 1694). — 6. « En Italie, on appelle ainsi les valets de pied » (*Dict.* de Richelet, 1680). — 7. Voir le même datif éthique en XI, 3, vers 59. — 8. On lui rompt *l'échine*, on *l'assomme*. — 9. Amener.

23 *Le Renard anglois*

A MADAME HARVEY[1]

1 Le bon cœur est chez vous compagnon du bon sens,
Avec cent qualités trop longues à déduire[2],
Une noblesse d'âme, un talent pour conduire
Et les affaires et les gens,
5 Une humeur[3] franche et libre[4], et le don d'être amie
Malgré Jupiter même et les temps orageux.
Tout cela méritait un éloge pompeux[5] ;
Il en eût été moins selon votre génie[6] :
La pompe vous déplaît, l'éloge vous ennuie[7].
10 J'ai donc fait celui-ci court et simple. Je veux
Y coudre encore un mot ou deux
En faveur de votre patrie :
Vous l'aimez. Les Anglois pensent profondément ;
Leur esprit, en cela, suit leur tempérament.
15 Creusant[8] dans les sujets, et forts d'expériences,
Ils étendent partout l'empire des sciences.
Je ne dis point ceci pour vous faire ma cour.
Vos gens à pénétrer[9] l'emportent sur les autres ;
Même les chiens de leur séjour[10]
20 Ont meilleur nez que n'ont les nôtres.
Vos renards sont plus fins ; je m'en vais le prouver
Par un d'eux qui, pour se sauver,
Mit en usage un stratagème
Non encor pratiqué, des mieux imaginés.
25 Le scélérat, réduit en un péril[11] extrême,
Et presque mis à bout[12] par ces chiens au bon nez,
Passa près d'un patibulaire[13].
Là, des animaux ravissants[14],

Sources. Voir H. Busson (**Europe**, mai-juin 1959; cf. XII, 18, **Sources**). Il s'agit d'une source anglaise : **DIGBY, Demonstratio immortalitatis animæ rationalis.**

1. Voir *La Fontaine et son temps* p. 228. — 2. « Signifie aussi : narrer, raconter au long et par le menu » *(Dict. de l'Acad.*, 1964). — 3. « Un naturel » (*Dict.* de Richelet, 1680). — 4. Indépendante. — 5. « Magnifique » (Richelet). — 6. *Moins* conforme à votre nature. — 7. Impatiente. — 8. *Creuser :* « pénétrer dans le fond d'une science » (*Dict.* de Furetière, 1690). — 9. Aller au fond des choses. — 10. Pays. — 11. A *un péril.* — 12. *Mis à* quia. — 13. Abréviation de « bois *patibulaires* » ou « fourches *patibulaires* » : gibet pouvant recevoir plusieurs pendus. — 14. *Ravissant :* « qui ravit par force » (*Acad.*, 1694); des *animaux* de proie.

Blaireaux, renards, hiboux, race encline à mal faire,
30 Pour l'exemple pendus, instruisaient les passants.
Leur confrère, aux abois, entre ces morts s'arrange.
Je crois voir Annibal[15] qui, pressé des Romains,
Met leurs chefs en défaut, ou leur donne le change[16],
Et sait, en vieux renard, s'échapper de leurs mains.
35 Les clefs[17] de meute, parvenues
A l'endroit où pour mort le traître se pendit,
Remplirent l'air de cris : leur maître les rompit[18],
.Bien que de leurs abois ils perçassent les nues.
Il ne put soupçonner ce tour assez plaisant.
40 « Quelque terrier, dit-il, a sauvé mon galant[19].
Mes chiens n'appellent point[20] au delà des colonnes[21]
Où sont tant d'honnêtes personnes[22].
Il y viendra, le drôle ! » Il y vint, à son dam[23].
Voilà maint basset clabaudant[24] ;
45 Voilà notre Renard au charnier[25] se guindant[26].
Maître pendu croyait qu'il en irait de même
Que le jour qu'il tendit de semblables panneaux[27] ;
Mais le pauvret, ce coup, y laissa ses houseaux[28] ;
Tant il est vrai qu'il faut changer de stratagème !
50 Le chasseur, pour trouver sa propre sûreté,
N'aurait pas cependant un tel tour inventé ;
Non point par peu d'esprit : est-il quelqu'un qui nie
Que tout Anglais n'en ait bonne provision ?
Mais le peu d'amour pour la vie
55 Leur nuit en mainte occasion.
Je reviens à vous, non pour dire
D'autres traits sur votre sujet ;
Tout long éloge est un projet
Peu favorable[29] pour ma lyre.
60 Peu de nos chants, peu de nos vers,

15. La Fontaine se souvient des ruses par lesquelles *Hannibal* échappa à Fabius Cunctator. — 16. *Change* « en terme de vénerie se dit quand des chiens qui poursuivaient un cerf ou quelque gibier, le quittent pour courir après un autre » (Furetière). — 17. « Se dit des meilleurs chiens et des mieux dressés, qui servent à redresser et conduire les autres » (Furetière). — 18. « On dit en termes de chasse *rompre les chiens* pour dire : les rappeler pour les empêcher de continuer la chasse » (*Acad.*, 1694). — 19. Rusé coquin. — 20. Ne donnent point de la voix. — 21. Les montants de pierre supportant les poutres du gibet. — 22. Voir VIII, 12, vers 15. — 23. Pour sa perte. — 24. *Clabauder :* aboyer fortement. — 25. Au gibet où étaient pendus les corps. — 26. Se haussant. — 27. Un chat avait tendu ainsi ses *panneaux* aux souris : III, 18, v. 15-16. — 28. « Vieux proverbe qui signifie mourir » (Furetière); les *houseaux* sont des jambières de cuir. — 29. Variante : « trop abondant ».

Par un encens flatteur amusent l'univers
Et se font écouter des nations étranges[30].
Votre prince[31] vous dit un jour
Qu'il aimait mieux un trait d'amour
65 Que quatre pages de louanges.
Agréez seulement le don que je vous fais
Des derniers efforts de ma Muse.
C'est peu de chose ; elle est confuse
De ces ouvrages imparfaits.
70 Cependant ne pourriez-vous faire
Que le même hommage pût plaire
A celle qui remplit vos climats[32] d'habitants
Tirés de l'île de Cythère[33] ?
Vous voyez par là que j'entends
75 Mazarin[34], des Amours déesse tutélaire.

30. Étrangères. — 31. Charles II. — 32. Votre pays : voir VII, 12, vers 29, et X, 14, vers 68. — 33. Ses habitants sont les Amours. — 34. Hortense Mancini, duchesse de *Mazarin.*

● **La Fontaine et son temps** — C'est en 1683 que La Fontaine connut à Paris Élisabeth Montagu, veuve de Daniel Harvey, qui avait été ambassadeur de Charles II en Turquie. Elle connaissait la duchesse de Bouillon (Marianne Mancini), qui avait été accusée par la Voisin lors de l'affaire des poisons et qui se réfugia finalement en Angleterre. La duchesse de Mazarin (Hortense Mancini) s'était enfuie en Angleterre (elle était en procès avec son mari et avait été enfermée dans un couvent). « Autour de la duchesse de Mazarin, écrit Pierre Clarac (*op. cit.*, p. 126), sœur de Marianne et de la mère des Vendôme, cousine de la mère des Conti, une petite colonie française s'est formée, dont Saint-Evremond est l'oracle et que fréquentent deux camarades de La Fontaine, notre ambassadeur Barrillon et Bonrepaux, chargé de missions diplomatiques. Lady Harvey, à qui une fable est dédiée, est l'amie intime d'Hortense de Mazarin. Saint-Evremond est peut-être de tous les contemporains de La Fontaine celui avec qui il se sent dans la plus étroite communion de pensée. »

① Relevez, dans la fable, les allusions à la vie et aux sentiments de ces personnes.

② Dans les vers 25-47, étudiez le pittoresque.

24 *Daphnis et Alcimadure*[1]

IMITATION DE THÉOCRITE

A MADAME DE LA MÉSANGÈRE[2]

1 AIMABLE fille d'une mère
A qui seule[3] aujourd'hui mille cœurs font la cour,
Sans ceux que l'amitié rend soigneux de vous plaire,
Et quelques-uns encor que vous garde[4] l'Amour,
5 Je ne puis[5] qu'en cette préface
Je ne partage entre elle et vous
Un peu de cet encens qu'on recueille au Parnasse,
Et que j'ai le secret de rendre exquis et doux.
Je vous dirai donc... Mais tout dire,
10 Ce serait trop ; il faut choisir,
Ménageant ma voix et ma lyre,
Qui bientôt vont manquer de force et de loisir[6].
Je louerai seulement un cœur plein de tendresse,
Ces nobles sentiments, ces grâces, cet esprit ;
15 Vous n'auriez en cela ni maître ni maîtresse,
Sans celle dont sur vous l'éloge rejaillit.
Gardez[7] d'environner ces roses
De trop d'épines, si jamais
L'Amour vous dit les mêmes choses.
20 Il les dit mieux que je ne fais ;
Aussi[8] sait-il punir ceux qui ferment l'oreille
A ses conseils. Vous l'allez voir.

Jadis une jeune merveille
Méprisait de ce dieu le souverain pouvoir ;
25 On l'appelait Alcimadure :
Fier[9] et farouche objet, toujours courant aux bois[10],
Toujours sautant aux prés[10], dansant sur la verdure,
Et ne connaissant autres lois[11]

---

1. Fable publiée en 1685. La source est l'*Idylle* 23 de Théocrite. — 2. La marquise à laquelle Fontenelle enseigne galamment l'astronomie dans ses *Entretiens sur la pluralité des mondes* (1686). Deuxième fille de Mme de la Sablière, elle est veuve. On peut penser que cette fable l'exhorte discrètement à se remarier. — 3. Ne peut avoir que *mère* comme antécédent : l'objet entre tous de *la cour*. — 4. Réserve. — 5. *Je ne puis* faire que je ne partage. — 6. Le temps va lui manquer parce qu'il approche de la mort. — 7. *Gardez*-vous. — 8. Mais aussi. — 9. Cruel. — 10. *Aux bois... aux prés :* dans les bois... dans les prés. — 11. D'*autres lois* (suppression de la préposition).

Que son caprice ; au reste, égalant les plus belles,
30 Et surpassant les plus cruelles ;
N'ayant trait qui ne plût, pas même en ses rigueurs :
Quelle l'eût-on trouvée au fort de ses faveurs[12] ?
Le jeune et beau Daphnis, berger de noble race,
L'aima pour son malheur : jamais la moindre grâce[13]
35 Ni le moindre regard, le moindre mot enfin,
Ne lui fut accordé par ce cœur inhumain.
Las de continuer une poursuite[14] vaine,
Il ne songea plus qu'à mourir ;
Le désespoir le fit courir
40 A la porte de l'inhumaine.
Hélas ! ce fut aux vents qu'il raconta sa peine ;
On ne daigna[15] lui faire ouvrir
Cette maison fatale, où, parmi ses compagnes,
L'ingrate, pour le jour de sa nativité[16],
45 Joignait aux fleurs de sa beauté
Les trésors des jardins et des vertes campagnes.
« J'espérais, cria-t-il, expirer à vos yeux ;
Mais je vous suis trop odieux,
Et ne m'étonne pas qu'ainsi que tout le reste
50 Vous me refusiez même un plaisir si funeste[17].
Mon père, après ma mort, et je l'en ai chargé,
Doit mettre à vos pieds l'héritage
Que votre cœur a négligé.
Je veux que l'on y joigne aussi le pâturage,
55 Tous mes troupeaux, avec mon chien ;
Et que du reste de mon bien
Mes compagnons fondent un temple
Où votre image se contemple[18],
Renouvelants[19] de fleurs l'autel à tout moment.
60 J'aurai près de ce temple un simple monument ;
On gravera sur la bordure :
Daphnis mourut d'amour. Passant, arrête-toi,
Pleure, et dis : « Celui-ci succomba sous la loi
De la cruelle Alcimadure. »

12. Dans une circonstance où on aurait obtenu sa plus grande faveur. — 13. Amabilité. — 14. Recherche amoureuse. — 15. *On ne daigna* pas. — 16. Naissance; « ne se dit guère en ce sens qu'en parlant de la naissance de Notre-Seigneur ou de celle de la Vierge et de quelques saints » (*Dict. de l'Acad.*, 1694). Donc, son emploi dans le sens d'anniversaire, comme ici, est rare. — 17. Funèbre. — 18. Soit contemplée. — 19. Le participe présent s'accordait alors : voir XI, 2, v. 41.

65 A ces mots, par la Parque il se sentit atteint ;
Il aurait poursuivi ; la douleur le prévint[20].
Son ingrate sortit triomphante et parée.
On voulut, mais en vain, l'arrêter un moment
Pour donner quelques pleurs au sort de son amant :
70 Elle insulta toujours au fils de Cythérée,
Menant dès ce soir même, au mépris de ses lois[21],
Ses compagnes danser autour de sa statue.
Le dieu tomba sur elle et l'accabla du poids :
Une voix sortit de la nue,
75 Écho redit ces mots dans les airs épandus :
« Que tout aime à présent : l'insensible n'est plus. »
Cependant[22] de Daphnis l'ombre au Styx descendue
Frémit et s'étonna la voyant accourir.
Tout l'Érèbe[23] entendit cette belle homicide
80 S'excuser[24] au berger, qui ne daigna l'ouïr
Non plus qu'Ajax[25] Ulysse, et Didon son perfide.

---

20. Le devança. — 21. Les *lois* du *fils de Cythérée.* — 22. *Pendant ce* temps. — 23. Ici, l'ensemble des Enfers. — 24. *S'excuser* auprès du... — 25. *Ajax, Ulysse, Didon :* souvenirs de l'*Odyssée* (XI, v. 563-564) où l'ombre d'Ajax refuse d'entendre Ulysse; et de l'*Énéide* (VI, v. 450) où Didon refuse d'entendre Énée. Mais, dans les deux cas, ce sont des vivants qui supplient des morts.

● **Art et préciosité —** La belle insensible et l'amant qui meurt de désespoir, ce sont là des scènes connues — et même rebattues — de la poésie amoureuse. Mais, en même temps qu'il suit son modèle grec (Théocrite), La Fontaine se conforme au goût toujours vivant de son époque pour la pastorale et le roman précieux. Daphnis évoque le parfait berger de *l'Astrée.* Toutefois, La Fontaine embellit son récit non seulement par la grâce précieuse du style, mais en certains endroits par la fermeté plastique du vers.

① Vous étudierez les traces du langage précieux dans l'ensemble du récit.

② Vous analyserez le style et le rythme des vers 77-81.

---

25 *Le Juge arbitre, l'Hospitalier, et le Solitaire*

1 Trois Saints, également jaloux[1] de leur salut,
Portés[2] d'un même esprit, tendaient à même[3] but.
Ils s'y prirent tous trois par des routes diverses.
Tous chemins vont à Rome : ainsi nos concurrents[4]
5 Crurent pouvoir choisir des sentiers différents.
L'un, touché des soucis, des longueurs, des traverses
Qu'en apanage[5] on voit aux procès attachés,
S'offrit de[6] les juger sans récompense aucune,
Peu soigneux d'établir ici-bas sa fortune.
10 Depuis qu'il est des lois, l'homme, pour ses péchés,
Se condamne à plaider la moitié de sa vie :
La moitié ? les trois quarts, et bien souvent le tout.
Le conciliateur crut qu'il viendrait à bout
De guérir cette folle et détestable envie.
15 Le second de nos Saints choisit les hôpitaux.
Je le loue ; et le soin[7] de soulager ces maux
Est une charité que je préfère aux autres.
Les malades d'alors, étant tels que les nôtres,
Donnaient de l'exercice[8] au pauvre Hospitalier[9] ;
20 Chagrins[10], impatients, et se plaignant sans cesse :
« Il a pour tels et tels un soin particulier,
Ce sont ses amis ; il nous laisse. »
Ces plaintes n'étaient rien au prix[11] de l'embarras
Où se trouva réduit l'appointeur[12] de débats :
25 Aucun n'était content ; la sentence arbitrale
A nul des deux[13] ne convenait :
Jamais le Juge ne tenait
A leur gré la balance égale.
De semblables discours rebutaient l'appointeur.
30 Il court aux hôpitaux, va voir leur directeur.

1. Désireux. — 2. Animés par. — 3. Au *même* (omission de l'article défini). — 4. Gens qui *couraient* vers le même but (lat. *concurrere*). — 5. « Choses qui sont les suites et les dépendances d'une autre » (*Dict. de l'Acad.*, 1694). — 6. Nous dirions : à. — 7. Souci. — 8. L'occasion de mettre à l'épreuve sa charité chrétienne. — 9. « Religieux ou religieuse qui fait vœu de servir, d'assister les pauvres, les malades ou les passants qu'on reçoit dans leur hôpital » (*Acad.*, 1694). — 10. « De fâcheuse, de mauvaise humeur » (*Acad.*, 1694). — 11. En comparaison. — 12. Du verbe « appointer » qui signifie : arranger un procès. — 13. *A* aucune *des deux* parties.

Tous deux ne recueillant que plainte et que murmure,
Affligés, et contraints de quitter ces emplois,
Vont confier leur peine au silence des bois.

● **Le dernier message** — Cette fable a été publiée au milieu de 1693 par Le Père Bouhours. La leçon qui s'en dégage et sa source invitent naturellement à y voir l'expression de la métamorphose spirituelle et du retour aux règles de la vie et de la pensée religieuse qui se manifestent à l'occasion de la maladie du poète, en décembre 1692, et que marquent sa confession générale et la séance publique de désaveu des *Contes.* C'est chez ARNAULD D'ANDILLY (les *Vies des saints Pères des déserts*, ouvrage publié de 1647 à 1653), dans le tome II, p. 496-497, que La Fontaine puisera l'inspiration de sa fable. Voici le texte de l'écrivain janséniste :

... Trois jeunes hommes qui étudiaient ensemble et étaient extrêmement amis s'étant rendus solidaires, l'un choisit de s'employer à réconcilier ceux qui auraient quelque différend, suivant cette parole de l'Évangile : **Bienheureux sont les pacifiques.** L'autre résolut de s'occuper à visiter les malades. Et le dernier se retira dans la solitude pour y demeurer en repos. Le premier travaillant à ce que j'ai dit et voyant qu'il ne pouvait rien gagner sur l'esprit de la plupart de ceux qu'il exhortait à vivre en paix avec leur prochain, il en conçut un tel déplaisir qu'il se retira vers celui qui assistait les malades : mais il le trouva tout aussi découragé de ce que son dessein ne réussissait pas mieux qu'à lui. Enfin ils s'en allèrent voir celui qui était dans le désert, et, lui ayant raconté leurs peines, le prièrent de leur dire de quelle sorte lui avait succédé son entreprise. Avant de leur répondre, il mit de l'eau dans un verre et puis leur dit : « Considérez cette eau, je vous prie. » Ce qu'ayant fait ils voient qu'elle était trouble. Quelque temps après, il leur dit : « Regardez maintenant comme elle est claire. » Ils la regardèrent et se virent dedans ainsi que dans un miroir. Alors il ajouta : « Celui qui demeure parmi la multitude ressemble à cette eau, car l'agitation et le trouble l'empêchent de voir ses péchés. Mais lorsqu'il se tient en repos, et principalement dans la solitude, il se rend capable de les discerner et de les connaître.

La Fontaine oppose la vie religieuse active à la vie religieuse méditative. Nous avons vu (note 9) ce qu'était un *hospitalier.* Un *juge arbitre* était un religieux qui s'attachait au règlement de ces procès dont le poète avait maintes fois montré combien ils étaient onéreux et souvent injustes. Il s'agit là d'une institution qui était encouragée par les évêques. Georges Couton cite l'exemple de la Compagnie du Saint-Sacrement de Marseille qui organisait des « bureaux des inimitiés », composés de quatre membres. Quant au *Solitaire*, il évoque un Monsieur de Port-Royal, tout en représentant sans doute un reclus des ordres méditatifs.

① Le fait que La Fontaine lui donne la préférence ne vous paraît-il pas en accord avec le reste de l'œuvre du poète?

Là, sous d'âpres rochers, près d'une source pure,
35 Lieu respecté des vents, ignoré du soleil,
Ils trouvent l'autre Saint, lui demandent conseil.
« Il faut, dit leur ami, le prendre[14] de soi-même.
Qui mieux que vous sait vos besoins ?
Apprendre à se connaître est le premier des soins
40 Qu'impose à tous mortels la Majesté suprême.
Vous êtes-vous connus dans le monde habité ?
L'on ne le peut qu'aux lieux pleins de tranquillité :
Chercher ailleurs ce bien est une erreur extrême.
Troublez l'eau : vous y voyez-vous ?
45 Agitez celle-ci. — Comment nous verrions-nous ?
La vase est un épais nuage
Qu'aux reflets du cristal[15] nous venons d'opposer.
— Mes frères, dit le Saint, laissez-la reposer
Vous verrez alors votre image.
50 Pour vous mieux contempler, demeurez au désert[16]. »
Ainsi parla le Solitaire.
Il fut cru ; l'on suivit ce conseil salutaire.
Ce n'est pas qu'un emploi ne doive être souffert.
Puisqu'on plaide, et qu'on meurt, et qu'on devient malade,
55 Il faut des médecins, il faut des avocats.
Ces secours, grâce à Dieu, ne nous manqueront pas :
Les honneurs et le gain, tout me le persuade.
Cependant on s'oublie[17] en ces communs besoins.
O vous dont le public[18] emporte tous les soins,
60 Magistrats, princes et ministres,
Vous que doivent troubler mille accidents[19] sinistres,
Que le malheur abat, que le bonheur corrompt,
Vous ne vous voyez point, vous ne voyez personne.
Si quelque bon moment à ces pensers vous donne,
65 Quelque flatteur vous interrompt.
Cette leçon sera la fin de ces ouvrages :
Puisse-t-elle être utile aux siècles à venir !
Je la présente aux rois, je la propose aux sages :
Par où saurais-je mieux finir ?

14. *Prendre* conseil; le pronom *le* renvoie à un mot de sens indéterminé, contrairement à la règle actuelle. — 15. De la pureté de l'eau. — 16. Dans la solitude : voir XI, 4, vers 38. — 17. *On oublie* de penser à soi. — 18. L'intérêt *public.* — 19. Calamités : voir VII, 1, vers 21.

Le Soleil et les Grenouilles

(Fable non reprise par La Fontaine dans ses recueils; une fable portant ce titre figure en VI, 12)

1 LES filles du limon tiraient du roi des astres[1]
Assistance et protection :
Guerre ni pauvreté, ni semblables désastres
Ne pouvaient approcher de cette nation ;
5 Elle faisait valoir en cent lieux son empire.
Les reines des étangs, Grenouilles veux-je dire,
(Car que coûte-t-il d'appeler
Les choses par noms honorables ?),
Contre leur bienfaiteur osèrent cabaler[2],
10 Et devinrent insupportables.
L'imprudence, l'orgueil, et l'oubli des bienfaits,
Enfants de la bonne fortune,
Firent bientôt crier cette troupe importune :
On ne pouvait dormir en paix.
15 Si l'on eût cru leur murmure[3],
Elles auraient, par leurs cris,
Soulevé grands et petits
Contre l'œil de la nature[4].
Le Soleil, à leur dire, allait tout consumer ;
20 Il fallait promptement s'armer,
Et lever des troupes puissantes.
Aussitôt qu'il faisait un pas,
Ambassades croassantes[5]
Allaient dans tous les États :
25 A les ouïr, tout le monde,
Toute la machine ronde[6]
Roulait sur les intérêts
De quatre méchants[7] marais.
Cette plainte téméraire[8]
30 Dure toujours ; et pourtant
Grenouilles devraient se taire,
Et ne murmurer pas tant :
Car si le Soleil se pique[9],

1. Le soleil. — 2. « Faire des pratiques secrètes » (*Dict. de l'Acad.*, 1694). — 3. « Bruit confus de plusieurs personnes qui parlent ensemble sans qu'on puisse discerner aucune en particulier » (*Dict.* de Furetière, 1690). — 4. Le soleil. — 5. Pour : c*oassantes* (*croasser* se dit des corbeaux). — 6. La terre. — 7. Méprisables. — 8. Faite à la légère. — 9. *Se piquer :* « se fâcher, se mettre en colère » (*Dict.* de Richelet, 1680).

Il le leur fera sentir ;
35 La République aquatique
Pourrait bien s'en repentir.

● **L'actualité** — Cette fable est une imitation d'une fable latine du PÈRE COMMIRE, *Sol et Ranae*, « le Soleil et les Grenouilles ». Comme son modèle, elle a été publiée en 1672. C'est une œuvre inspirée par le conflit entre Louis XIV (le *roi des astres* [v. 1]) et les Hollandais (les grenouilles, *filles du limon*). Il s'agit donc d'une œuvre de circonstance, et La Fontaine veut y montrer que les Hollandais ont tort de ne pas se confier sans arrière-pensée à l'ancienne amitié des Français et à la protection de Louis XIV. Il faut rappeler qu'en 1668, la médiation hollandaise, à la fin de la guerre de Dévolution, avait obligé le Roi à choisir entre ses conquêtes de Flandre et la Franche-Comté, et que la campagne de Hollande va commencer en 1672.

La Ligue des Rats[1]

(Fable non reprise par La Fontaine)

1 UNE Souris craignait un chat
Qui dès longtemps la guettait au passage.
Que faire en cet état ? Elle, prudente et sage,
Consulte son voisin : c'était un maître[2] Rat,
5 Dont la rateuse[3] Seigneurie
S'était logée en bonne hôtellerie,
Et qui cent fois s'était vanté, dit-on,
De ne craindre de chat ou chatte
Ni coup de dent, ni coup de patte.
10 « Dame Souris, lui dit ce fanfaron,
Ma foi, quoi que je fasse,
Seul, je ne puis chasser le chat qui vous menace :
Mais assemblant tous les Rats d'alentour,
Je lui pourrai jouer d'un mauvais tour[4]. »
15 La Souris fait une humble révérence ;

1. On rattache souvent cette fable à la précédente : la guerre de Hollande en serait aussi l'occasion. Mais elle n'a été publiée qu'en 1692, et elle peut se rapporter au nouveau conflit de la France avec la Hollande (guerre de la Ligue d'Augsbourg). — 2. Emploi burlesque. — 3. Marot avait déjà écrit : « Secouru seras *rateusement* » *(Épître à Lyon Jamet* : voir la fable II, 11*)*. — 4. Agir à son égard d'une manière mauvaise.

Et le Rat court en diligence
A l'office, qu'on nomme autrement la dépense[5],
Où maints Rats assemblés
Faisaient, aux frais de l'hôte, une entière bombance[6].
20 Il arrive, les sens troublés,
Et les poumons tout essoufflés.
« Qu'avez-vous donc ? lui dit un de ces Rats ; parlez.
— En deux mots, répond-il, ce qui fait[7] mon voyage,
C'est qu'il faut promptement secourir la Souris ;
25 Car Raminagrobis[8]
Fait en tous lieux un étrange[9] ravage.
Ce chat, le plus diable des chats,
S'il manque de souris, voudra manger des rats. »
Chacun dit : « Il est vrai. Sus ! sus ! courons aux armes !
30 Quelques Rates, dit-on, répandirent des larmes.
N'importe, rien n'arrête un si noble projet ;
Chacun se met en équipage[10] ;
Chacun met dans son sac un morceau de fromage[11],
Chacun promet enfin de risquer le paquet[12].
35 Ils allaient tous comme à la fête,
L'esprit content, le cœur joyeux.
Cependant le chat, plus fin qu'eux,
Tenait déjà la Souris par la tête.
Ils s'avancèrent à grands pas
40 Pour secourir leur bonne amie :
Mais le chat, qui n'en démord pas[13],
Gronde et marche au-devant de la troupe ennemie.
A ce bruit, nos très-prudents Rats,
Craignant mauvaise destinée,
45 Font, sans pousser plus loin leur prétendu fracas[14],
Une retraite fortunée.
Chaque Rat rentre dans son trou ;
Et si quelqu'un en sort, gare encor le matou !

---

5. « Lieu proche de la cuisine où on serre les provisions de table » (*Dict.* de Furetière, 1690). — 6. Faisaient ripaille, sans rien épargner. — 7. Cause. — 8. Voir VII, 16, vers 31. — 9. Terrible. — 10. Fait les préparatifs et s'*équipe* pour la campagne. — 11. ... de Hollande. — 12. Familier; « s'engager dans une affaire douteuse après avoir hésité » (*Dict. de l'Acad.*, 1694). — 13. Au propre : il tient la souris. — 14. L'expédition violente qu'ils prétendaient mener.

Le Renard et l'Écureuil[1]

(Fable non reprise par La Fontaine)

1 Il ne se faut jamais moquer des misérables,
Car qui peut s'assurer d'être toujours heureux ?
Le sage Ésope dans ses fables
Nous en donne un exemple ou deux ;
5 Je ne les cite point, et certaine chronique [2]
M'en fournit un plus authentique.
Le Renard se moquait un jour de l'Écureuil,
Qu'il voyait assailli d'une forte tempête :
« Te voilà, disait-il, prêt d'entrer au cercueil
10 Et de ta queue en vain tu te couvres la tête.
Plus tu t'es approché du faîte,
Plus l'orage te trouve en butte à tous ses coups.
Tu cherchais les lieux hauts et voisins de la foudre [3] :
Voilà ce qui t'en prend ; moi je cherche les trous,
15 Je ris, en attendant que tu sois mis en poudre. »
Tandis qu'ainsi le Renard se gabait [4],
Il prenait maint pauvre poulet
Au gobet [5] ;
Lorsque l'ire [6] du Ciel à l'Écureuil pardonne ;
20 Il n'éclaire plus ni ne tonne,
L'orage cesse ; et le beau temps venu,
Un chasseur ayant aperçu
Le train de ce Renard autour de sa tanière :
« Tu paieras, dit-il, mes poulets. »
25 Aussitôt nombre de bassets
Vous fait [7] déloger le compère ;
L'écureuil l'aperçoit qui fuit
Devant la meute qui le suit.
Ce plaisir ne lui coûte guère,
30 Car bientôt il le voit aux portes du trépas.
Il le voit ; mais il ne rit pas,
Instruit par sa propre misère.

1. Fable anonyme figurant dans les manuscrits de Conrart (t. XI, p. 535) et publiée par Édouard Fournier en 1861. Louis Roche et Pierre Clarac (*op. cit.*, p. 72 et 181) l'attribuent à La Fontaine; les quatre premiers vers reprennent d'ailleurs textuellement le début de la fable V, 17 *(Le Lièvre et la Perdrix)*. On voit généralement, dans cette fable, une allusion à Fouquet (l'écureuil, ou *fouquet* en vieux français, figure dans le blason du surintendant), dont les partisans espéraient qu'il aurait sa revanche sur Colbert (le Renard). — 2. Faut-il comprendre : l'histoire contemporaine ? — 3. Dans le blason de Fouquet, au-dessus de l'écureuil, figure cette devise : *Quo non ascendet ?* « Où ne montera-t-il pas ? ». — 4. Se moquait. — 5. A la gorge. — 6. La colère. — 7. Le pluriel s'imposerait aujourd'hui.

LA VIE D'ÉSOPE LE PHRYGIEN

1 Nous n'avons rien d'assuré touchant la naissance d'Homère et d'Ésope. A peine même sait-on ce qui leur est arrivé de plus remarquable. C'est de quoi il y a lieu de s'étonner, vu que l'histoire ne rejette pas des choses moins agréables et moins nécessaires que celle-là. Tant de destructeurs de nations, tant de princes sans mérite, ont trouvé des gens qui nous ont appris jusqu'aux moindres particularités de leur vie; et nous ignorons les plus importantes de celles d'Ésope et d'Homère, c'est-à-dire des deux personnages qui ont le mieux mérité des siècles suivants. Car Homère n'est pas seulement le père des dieux, c'est aussi celui des bons poètes. Quant à
10 Ésope, il me semble qu'on le devait mettre au nombre des sages[1] dont la Grèce s'est tant vantée, lui qui enseignait la véritable sagesse, et qui l'enseignait avec bien plus d'art que ceux qui en donnent des définitions et des règles. On a véritablement recueilli les vies de ces deux grands hommes; mais la plupart des savants les tiennent toutes deux fabuleuses, particulièrement celle que Planude a écrite[2]. Pour moi, je n'ai pas voulu m'engager dans cette critique. Comme Planude vivait dans un siècle où la mémoire des choses arrivées à Ésope ne devait pas être encore éteinte, j'ai cru qu'il savait par tradition ce qu'il a laissé[3]. Dans cette croyance, je l'ai suivi sans retrancher de ce qu'il a dit d'Ésope que ce qui m'a semblé trop puéril, ou
20 qui s'écartait en quelque façon de la bienséance[4].

Origines d'Ésope Ésope était Phrygien[5], d'un bourg appelé *Amorium.* Il naquit vers la cinquante-septième olympiade[6], quelque deux cents ans après la fondation de Rome. On ne saurait dire s'il eut sujet de remercier la nature, ou bien de se plaindre d'elle; car, en le douant d'un très bel esprit, elle le fit naître difforme et laid de visage[8], ayant à peine figure d'homme, jusqu'à lui refuser presque entièrement l'usage de la parole. Avec ces défauts, quand il n'aurait pas été de condition à être esclave, il ne pouvait manquer de le

---

1. Les sept *Sages :* Thalès, Pittacos, Bias, Cléobule, Myson, Chilon et Solon. Le mathématicien Thalès et l'homme d'État Solon sont aujourd'hui les plus connus. — 2. Même idée à la fin de la Préface (tome I, l. 170 et suiv.). En 1632, Méziriac avait publié une *Vie d'Ésope*,où il déclarait avoir corrigé Planude. — 3. Sainte-Beuve fait remarquer qu'approximativement dix-neuf siècles séparaient Ésope de Planude *(Portraits littéraires,* tome I, *La Fontaine).* — 4. Notamment dans l'épisode de Xantus. Les éditions originales ne comportaient d'alinéa qu'ici. Nous en avons ajouté par la suite, selon l'habitude, pour faciliter la lecture. — 5. Région d'Asie Mineure occupée aujourd'hui par la Turquie. Le bourg d'*Amorium* se trouvait dans la province de Galatie. — 6. Cycle de quatre ans séparant la célébration des Jeux Olympiques. A partir du IVe s. av. J.-C., les Grecs se servirent des Olympiades pour fixer les dates : la 1re Olympiade correspond à 776 av. J.-C.— 7. La fondation de Rome étant de 753 av. et la 57e *Olympiade* représentant 552-549 av. J.C-., ces précisions ne s'accordent guère avec les noms de rois cités ultérieurement. On place généralement Ésope vers 572 av. J.-C. — 8. Ésope partage avec Socrate cette laideur proverbiale, qui fait d'autant mieux ressortir la sagesse de leur esprit. Était-il bègue par surcroît ? Son biographe Méziriac (voir la n. 2) pense qu'il s'agit d'une invention de Planude. En tout cas, La Fontaine le considère *(Contes,* IIIe partie, 1671 : *le Petit Chien qui secoue de l'argent et des pierreries)* comme un symbole de la laideur :

> Un More très lippu, très hideux, très vilain,
> S'offre aux regards du juge, et semble la copie
> D'un Ésope d'Éthiopie.

devenir. Au reste, son âme se maintint toujours libre et indépendante de la fortune.

30 Le premier maître qu'il eut l'envoya aux champs labourer la terre, soit qu'il le jugeât incapable de toute autre chose, soit pour s'ôter de devant les yeux un objet si désagréable. Or il arriva que, ce maître étant allé voir sa maison des champs, un paysan lui donna des figues : il les trouva belles et les fit serrer fort soigneusement, donnant ordre à son sommelier, appelé Agathopus, de les lui apporter au sortir du bain. Le hasard voulut qu'Ésope eut[1] affaire dans le logis. Aussitôt qu'il y fut entré, Agathopus se servit de l'occasion, et mangea les figues avec quelques-uns de ses camarades; puis ils rejetèrent cette friponnerie sur Ésope, ne croyant pas qu'il se pût jamais justifier, tant il était bègue et paraissait idiot. Les châtiments dont les anciens 40 usaient envers leurs esclaves étaient fort cruels, et cette faute très punissable. Le pauvre Ésope se jeta aux pieds de son maître; et se faisant entendre du mieux qu'il put, il témoigna qu'il demandait pour toute grâce qu'on sursît de quelques moments sa punition.

L'épreuve de l'eau Cette grâce lui ayant été accordée, il alla querir[2] de l'eau tiède, la but en présence de son seigneur, se mit les doigts dans la bouche, et ce qui s'ensuit[3], sans rendre autre chose que cette eau seule. Après s'être ainsi justifié, il fit signe qu'on obligeât les autres d'en faire autant. Chacun demeura surpris : on n'aurait pas cru qu'une telle invention pût partir d'Ésope. Agathopus et ses camarades ne parurent point étonnés. Ils burent 50 de l'eau comme le Phrygien avait fait, et se mirent les doigts dans la bouche; mais ils se gardèrent bien de les enfoncer trop avant. L'eau ne laissa pas d'agir, et de mettre en évidence les figues toutes crues encore et toutes vermeilles. Par ce moyen Ésope se garantit, ses accusateurs furent punis doublement, pour leur gourmandise et pour leur méchanceté.

Le lendemain, après que leur maître fut parti, et le Phrygien étant à son travail ordinaire, quelques voyageurs égarés (aucuns disent que c'étaient des prêtres de Diane) le prièrent, au nom de Jupiter Hospitalier, qu'il leur enseignât le chemin qui conduisait à la ville. Ésope les obligea premièrement de se reposer à l'ombre; puis, leur ayant présenté une légère collation, 60 il voulut être leur guide, et ne les quitta qu'après qu'il les eut remis dans leur chemin. Les bonnes gens levèrent les mains au ciel, et prièrent Jupiter de ne pas laisser cette action charitable sans récompense. A peine Ésope les eut quittés, que le chaud et la lassitude le contraignirent de s'endormir.

Ésope retrouve la parole Pendant son sommeil, il s'imagina que la Fortune était debout devant lui, qui lui déliait la langue, et par ce même moyen lui faisait présent de cet art dont on peut dire qu'il est l'auteur. Réjoui de cette aventure, il s'éveilla en sursaut; et en s'éveillant : « Qu'est ceci? dit-il; ma voix est devenue libre, je prononce bien un râteau[4], une

1. L'indicatif, parce qu'il s'agit d'un fait réel (au lieu du subjonctif *eût*). On trouvera plus loin le subjonctif *sursît* (l. 43), le verbe dépendant de *demandait*. — 2. Chercher. — 3. La *bienséance* (voir la l. 20) interdit à La Fontaine de dire qu'Ésope vomit. — 4. Les bègues ont une particulière difficulté à prononcer les *r*. La tradition rapporte que le poète Racan n'arrivait pas à dire son nom.

charrue, tout ce que je veux. » Cette merveille fut cause qu'il changea de
70 maître. Car, comme un certain Zénas, qui était là en qualité d'économe et qui avait l'œil sur les esclaves, en eut battu un outrageusement pour une faute qui ne le méritait pas, Ésope ne put s'empêcher de le reprendre, et le menaça que ses mauvais traitements seraient sus. Zénas, pour le prévenir et pour se venger de lui, alla dire au maître qu'il était arrivé un prodige dans sa maison; que le Phrygien avait recouvré la parole, mais que le méchant ne s'en servait qu'à blasphémer et à médire de leur seigneur. Le maître le crut, et passa bien plus avant; car il lui donna Ésope, avec liberté d'en faire ce qu'il voudrait. Zénas de retour aux champs, un marchand l'alla trouver, et lui demanda si pour de l'argent il le voulait accommoder[1] de
80 quelque bête de somme. « Non pas cela, dit Zénas, je n'en ai pas le pouvoir; mais je te vendrai, si tu veux, un de nos esclaves. » Là-dessus ayant fait venir Ésope, le marchand dit : « Est-ce afin de te moquer que tu me proposes l'achat de ce personnage? On le prendrait pour un outre[2]. » Dès que le marchand eut ainsi parlé, il prit congé d'eux, partie murmurant, partie riant de ce bel objet. Ésope le rappela, et lui dit : « Achète-moi hardiment; je ne te serai pas inutile. Si tu as des enfants qui crient et qui soient méchants, ma mine les fera taire : on les menacera de moi comme de la bête[3]. » Cette raillerie plut au marchand. Il acheta notre Phrygien trois oboles[4], et dit en riant : « Les dieux soient loués! je n'ai pas fait grande acquisition, à la
90 vérité; aussi n'ai-je pas déboursé grand argent. »

Le panier au pain

Entre autres denrées, ce marchand trafiquait d'esclaves, si bien qu'allant à Éphèse[5] pour se défaire de ceux qu'il avait, ce que chacun d'eux devait porter pour la commodité du voyage fut départi[6] selon leur emploi et selon leurs forces. Ésope pria que l'on eût égard à sa taille, qu'il était nouveau venu et devait être traité doucement. « Tu ne porteras rien si tu veux », lui repartirent ses camarades. Ésope se piqua d'honneur et voulut avoir sa charge comme les autres. On le laissa donc choisir. Il prit le panier au pain : c'était le fardeau le plus pesant. Chacun crut qu'il l'avait fait par bêtise; mais dès la dînée[7] le panier fut entamé, et le Phrygien
100 déchargé d'autant; ainsi le soir, et de même le lendemain; de façon qu'au bout de deux jours il marchait à vide[8]. Le bon sens et le raisonnement du personnage furent admirés.

L'esclave qui sait tout et celui qui ne sait rien

Quant au marchand, il se défit de tous ses esclaves, à la réserve d'un grammairien, d'un chantre, et d'Ésope, lesquels il alla exposer en vente à Samos[9]. Avant que de les mener[10]

1. Voulait lui vendre. — 2. Masculin dans l'édition originale, conformément à l'étymologie (lat. *uter*); mais on trouve la variante *une outre* dans l'édition de 1668. Le *Dict.* de Furetière (1690) conserve le masculin. — 3. Comme du loup de la fable 16 du livre IV, *le Loup, la Mère et l'Enfant*. — 4. Monnaie d'argent athénienne; *trois oboles* équivalaient à une demi-drachme. — 5. Ancienne ville d'Ionie, non loin de la Smyrne d'aujourd'hui. Important centre commercial, *Éphèse* était célèbre pour son temple de Diane. — 6. Aujourd'hui : réparti. — 7. « Repas qu'on fait vers le milieu du jour » (Furetière) au cours d'un voyage, à l'étape. — 8. Comme l'âne chargé de sel (livre II, fable 10). — 9. Ile de la mer Égée, patrie du philosophe Pythagore. — 10. *Devant que* ou *avant que* s'employaient tantôt directement avec l'infinitif : « Faut-il tant de fois vaincre avant que triompher » (*Polyeucte*, V, 3, v. 1654), ou bien comme ici avec *de* (cf. *devant que de l'acheter*, I, 120).

sur la place, il fit habiller les deux premiers le plus proprement qu'il put, comme chacun farde sa marchandise. Ésope, au contraire, ne fut vêtu que d'un sac, et placé entre ses deux compagnons, afin de leur donner lustre. Quelques acheteurs se présentèrent, entre autres un philosophe appelé
110 Xantus. Il demanda au grammairien et au chantre ce qu'ils savaient faire : « Tout », reprirent-ils. Cela fit rire le Phrygien, on peut s'imaginer de quel air. Planude rapporte qu'il s'en fallut peu qu'on ne prît la fuite, tant il fit une effroyable grimace. Le marchand fit son chantre mille oboles, son grammairien trois mille; et, en cas que l'on achetât l'un des deux, il devait donner Ésope par-dessus le marché. La cherté du grammairien et du chantre dégoûta Xantus. Mais, pour ne pas retourner chez soi sans avoir fait quelque emplette, ses disciples lui conseillèrent d'acheter ce petit bout d'homme qui avait ri de si bonne grâce : on en ferait un épouvantail; il divertirait les gens par sa mine. Xantus se laissa persuader, et fit prix d'Ésope à soixante
120 oboles. Il lui demanda, devant que de l'acheter, à quoi il lui serait propre, comme il l'avait demandé à ses camarades. Ésope répondit : « A rien[1] », puisque les deux autres avaient tout retenu pour eux. Les commis de la douane remirent généreusement à Xantus le sou pour livre[2], et lui en donnèrent quittance sans rien payer[3].

Xantus avait une femme de goût assez délicat, et à qui toutes sortes de gens ne plaisaient pas : si bien que de lui aller présenter sérieusement son nouvel esclave, il n'y avait pas d'apparence[4], à moins qu'il ne la voulût mettre en colère et se faire moquer de lui. Il jugea plus à propos d'en faire un sujet de plaisanterie, et alla dire au logis qu'il venait d'acheter un jeune
130 esclave le plus beau du monde et le mieux fait. Sur cette nouvelle, les filles qui servaient sa femme se pensèrent battre à qui l'aurait pour son serviteur; mais elles furent bien étonnées quand le personnage parut. L'une se mit la main devant les yeux, l'autre s'enfuit, l'autre fit un cri. La maîtresse du logis dit que c'était pour la chasser qu'on lui amenait un tel monstre; qu'il y avait longtemps que le philosophe se lassait d'elle. De parole en parole, le différend s'échauffa jusques à tel point que la femme demanda son bien et voulut se retirer chez ses parents. Xantus fit tant par sa patience, et Ésope par son esprit, que les choses s'accommodèrent. On ne parla plus de s'en aller, et peut-être que l'accoutumance[5] effaça à la fin une partie
140 de la laideur du nouvel esclave.

[...]

Apologue de la bonne amie

Il arriva, quelque temps après, un grand différend entre le philosophe et sa femme. Le philosophe, étant de festin, mit à part quelques friandises, et dit à Ésope : « Va porter ceci à ma bonne amie. » Ésope l'alla donner à une petite chienne qui était les délices de son maître.

1. La modestie ironique d'Ésope annonce celle de Socrate, « le plus savant des hommes », parce qu'il savait qu'il ne savait rien. — 2. La Fontaine modernise les termes. Remettre *le sou pour livre*, c'est dispenser Xantus de payer la taxe d'un sou par livre (équivalent du franc) que devait acquitter l'acheteur. Les prédécesseurs de La Fontaine emploient des expressions moins précises : Nevelet traduit simplement le grec par *publicani* (publicains) et *vectigalia* (redevances); Corrozet parle de *péagers* et Boiscat de *fermiers*. — 3. Le tour serait incorrect aujourd'hui; comprendre : *sans* qu'il eût *rien* à *payer*. — 4. *Il n'y avait pas* de vraisemblance, de probabilité. — 5. L'habitude.

145 Xantus, de retour, ne manqua pas de demander des nouvelles de son présent, et si on l'avait trouvé bon. Sa femme ne comprenait rien à ce langage; on fit venir Ésope pour l'éclaircir. Xantus, qui ne cherchait qu'un prétexte pour le faire battre, lui demanda s'il ne lui avait pas dit expressément : « Va-t'en porter de ma part ces friandises à ma bonne amie. » Ésope répondit là-dessus que la bonne amie n'était pas la femme, qui, pour la moindre parole, menaçait de faire un divorce : c'était la chienne, qui endurait tout et qui revenait faire caresses après qu'on l'avait battue. Le philosophe demeura court, mais sa femme entra dans une telle colère qu'elle se retira d'avec lui. Il n'y eut parent ni ami par qui Xantus ne lui fît parler, sans 155 que les raisons ni les prières y gagnassent rien. Ésope s'avisa d'un stratagème. Il acheta force gibier, comme pour une noce considérable, et fit tant qu'il fut rencontré par un des domestiques de sa maîtresse. Celui-ci lui demanda pourquoi tant d'apprêts. Ésope lui dit que son maître, ne pouvant obliger sa femme de revenir, en allait épouser une autre. Aussitôt que la dame sut cette nouvelle, elle retourna chez son mari, par esprit de contradiction[1] ou par jalousie. Ce ne fut pas sans la garder bonne[2] à Ésope, qui tous les jours faisait de nouvelles pièces[3] à son maître, et tous les jours se sauvait du châtiment par quelque trait de subtilité[4]. Il n'était pas possible au philosophe de le confondre.

Apologue des langues

165 Un certain jour de marché, Xantus, qui avait dessein de régaler quelques-uns de ses amis, lui commanda d'acheter ce qu'il y aurait de meilleur, et rien autre chose. « Je t'apprendrai, dit en soi-même le Phrygien, à spécifier ce que tu souhaites, sans t'en remettre à la discrétion d'un esclave. » Il n'acheta que des langues, lesquelles il fit accommoder à toutes les sauces : l'entrée, le second[5], l'entremets, tout ne fut que langues. Les conviés louèrent d'abord le choix de ce mets; à la fin, ils s'en dégoûtèrent. « Ne t'ai-je pas commandé, dit Xantus, d'acheter ce qu'il y aurait de meilleur? — Et qu'y a-t-il de meilleur que la langue? reprit Ésope. 175 C'est le lien de la vie civile, la clef des sciences, l'organe de la vérité et de la raison. Par elle on bâtit les villes et on les police[6]; on instruit, on persuade; on règne dans les assemblées; on s'acquitte du premier de tous les devoirs, qui est de louer les dieux. — Eh bien! dit Xantus, qui prétendait l'attraper, achète-moi demain ce qui est de pire : ces mêmes personnes viendront chez moi, et je veux diversifier. » Le lendemain Ésope ne fit servir que le même mets, disant que la langue est la pire chose qui soit au monde. « C'est

1. L'*esprit de contradiction* des femmes est maintes fois plaisanté dans les *fabliaux* du Moyen Age et dans les *Fables*; cf. *la Femme noyée* (III, 16) :

> L'esprit de contradiction
> L'aura fait flotter d'autre sorte.

De même, *l'Homme entre deux âges* (I, 17), *le Mal Marié* (VII, 2).

la mère de tous débats, la nourrice des procès, la source des divisions et des guerres. Si l'on dit qu'elle est l'organe de la vérité, c'est aussi celui de l'erreur, et, qui pis est, de la calomnie. Par elle on détruit les villes, on
185 persuade de méchantes choses. Si d'un côté elle loue les dieux, de l'autre elle profère des blasphèmes contre leur puissance. » Quelqu'un de la compagnie dit à Xantus que véritablement ce valet lui était fort nécessaire; car il savait le mieux du monde exercer la patience d'un philosophe. [...]

La promenade sans but Or, ce n'était pas seulement avec son maître qu'Ésope trouvait occasion de rire et de dire de bons mots. Xantus l'avait envoyé en certain endroit; il rencontra en chemin le magistrat, qui lui demanda où il allait. Soit qu'Ésope fût distrait, ou pour une autre raison, il répondit qu'il n'en savait rien. Le magistrat, tenant à mépris et irrévérence cette réponse, le fit mener en prison. Comme les huissiers le conduisaient :
195 « Ne voyez-vous pas, dit-il, que j'ai très bien répondu? Savais-je qu'on me ferait aller où je vas[1]? » Le magistrat le fit relâcher, et trouva Xantus heureux d'avoir un esclave si plein d'esprit.

Apologue de la mer à boire Xantus, de sa part[2], voyait par là de quelle importance il lui était de ne point affranchir Ésope, et combien la possession d'un tel esclave lui faisait d'honneur. Même un jour, faisant la débauche[3] avec ses disciples, Ésope, qui les servait, vit que les fumées leur échauffaient déjà la cervelle, aussi bien au maître qu'aux écoliers. « La débauche de vin, leur dit-il, a trois degrés : le premier, de volupté; le second, d'ivrognerie; le troisième, de fureur[4]. » On se moqua de son observation et on continua
205 de vider les pots. Xantus s'en donna jusqu'à perdre la raison et à se vanter qu'il boirait la mer. Cela fit rire la compagnie. Xantus soutint ce qu'il avait dit, gagea sa maison qu'il boirait la mer toute[5] entière; et pour assurance de la gageure, il déposa l'anneau qu'il avait au doigt. Le jour suivant, que les vapeurs de Bacchus furent dissipées, Xantus fut extrêmement surpris de ne plus trouver son anneau, lequel il tenait[6] fort cher. Ésope lui dit qu'il était perdu, et que sa maison l'était aussi par la gageure qu'il avait faite. Voilà le philosophe bien alarmé. Il pria Ésope de lui enseigner une défaite[7]. Ésope s'avisa de celle-ci.

Quand le jour que l'on avait pris pour l'exécution de la gageure fut arrivé,
215 tout le peuple de Samos accourut au rivage de la mer pour être témoin de la honte du philosophe. Celui de ses disciples qui avait gagé contre lui triomphait déjà. Xantus dit à l'assemblée : « Messieurs, j'ai gagé véri-

1. Forme ancienne; cf. *le Loup et l'Agneau* (v. 13) « considère — Que je me vas désaltérant... » — 2. De son côté. — 3. *Faisant* des excès de table. L'emploi du participe présent *faisant*, se rapportant à un autre sujet que celui du verbe principal *(Ésope)*, est fréquent au XVIIe s. : alors que Xantus faisait *la débauche...* — 4. Folie furieuse. — 5. Considéré aujourd'hui comme adverbe devant un adjectif, *tout*, au XVIIe s., était adjectif et s'accordait; cf. La Fontaine : « Une corne toute usée » (*l'Ane et le Petit Chien*, IV, 5). — 6. Il estimait. — 7. Une excuse.

tablement que je boirais toute la mer, mais non pas les fleuves qui entrent dedans. C'est pourquoi que celui qui a gagé contre moi détourne leurs cours, et puis je ferai ce que je me suis vanté de faire. » Chacun admira l'expédient que Xantus avait trouvé pour sortir à son honneur d'un si mauvais pas. Le disciple confessa qu'il était vaincu et demanda pardon à son maître. Xantus fut reconduit jusqu'en son logis avec acclamations.

Apologue des corneilles Pour récompense, Ésope lui demanda la liberté. Xantus la 225 lui refusa, et dit que le temps de l'affranchir n'était pas encore venu; si toutefois les dieux l'ordonnaient ainsi, il y consentait : partant, qu'il prît garde au premier présage qu'il aurait étant sorti du logis; s'il était heureux, et que, par exemple, deux corneilles se présentassent à sa vue, la liberté lui serait donnée; s'il n'en voyait qu'une, qu'il ne se lassât point d'être esclave. Ésope sortit aussitôt. Son maître était logé à l'écart, et apparemment vers un lieu couvert de grands arbres. A peine notre Phrygien fut hors, qu'il aperçut deux corneilles qui s'abattirent sur le plus haut. Il en alla avertir son maître, qui voulut voir lui-même s'il disait vrai. Tandis que Xantus venait, l'une des corneilles s'envola. « Me tromperas-tu tou-235 jours? dit-il à Ésope. Qu'on lui donne les étrivières[1]. » L'ordre fut exécuté. Pendant le supplice du pauvre Ésope, on vint inviter Xantus à un repas : il promit qu'il s'y trouverait. « Hélas! s'écria Ésope, les présages sont bien menteurs. Moi, qui ai vu deux corneilles, je suis battu; mon maître, qui n'en a vu qu'une, est prié de noces. » Ce mot plut tellement à Xantus qu'il commanda qu'on cessât de fouetter Ésope; mais quant à la liberté, il ne se[2] pouvait résoudre à la lui donner, encore qu'il la lui promît en diverses occasions.

Apologue du trésor Un jour ils se promenaient tous deux parmi de vieux monuments, considérant avec beaucoup de plaisir les inscriptions qu'on y 245 avait mises. Xantus en aperçut une qu'il ne put entendre[3], quoiqu'il demeurât longtemps à en chercher l'explication. Elle était composée des premières lettres de certains mots. Le philosophe avoua ingénument que cela passait son esprit. « Si je vous fais trouver un trésor par le moyen de ces lettres, lui dit Ésope, quelle récompense aurai-je? » Xantus lui promit la liberté et la moitié du trésor. « Elles signifient, poursuivit Ésope, qu'à quatre pas de cette colonne nous en rencontrerons un. » En effet, ils le trouvèrent, après avoir creusé quelque peu dans la terre. Le philosophe fut sommé de tenir parole; mais il reculait toujours. « Les dieux me gardent de t'affranchir, dit-il à Ésope, que tu ne m'aies donné avant cela l'intelligence[4] de ces 255 lettres! ce me sera un autre trésor plus précieux que celui lequel[5] nous avons trouvé. — On les a ici gravées, poursuivit Ésope, comme étant les premières lettres de ces mots : 'Αποβὰς βήματα, etc.; c'est-à-dire : *Si vous reculez quatre pas et que vous creusiez, vous trouverez un trésor.*

1. L'étrivière est une courroie à laquelle est suspendu l'étrier. Donner *les étrivières :* fouetter. — 2. Au XVIIe s., le pronom complément se place non devant l'infinitif, mais devant le verbe personnel : « Il se faut entr'aider » (*l'Ane et le Chien*, VIII, 17). — 3. Comprendre. — 4. La signification. — 5. *Lequel*, employé à la place de *que*, forme un tour assez fréquent au XVIIe s.

— Puisque tu es si subtil, repartit Xantus, j'aurais tort de me défaire de toi; n'espère donc pas que je t'affranchisse. — Et moi, répliqua Ésope, je vous dénoncerai au roi Denys[1]; car c'est à lui que le trésor appartient, et ces mêmes lettres commencent d'autres mots qui le signifient. » Le philosophe intimidé dit au Phrygien qu'il prît sa part de l'argent et qu'il n'en dît mot; de quoi Ésope déclara ne lui avoir aucune obligation, ces lettres ayant
265 été choisies de telle manière qu'elles enfermaient un triple sens[2], et signifiaient encore : *En vous en allant, vous partagerez le trésor que vous aurez rencontré.* Dès qu'ils furent de retour, Xantus commanda que l'on enfermât le Phrygien, et que l'on lui mît les fers aux pieds, de crainte qu'il n'allât publier cette aventure. « Hélas! s'écria Ésope, est-ce ainsi que les philosophes s'acquittent de leurs promesses? Mais faites ce que vous voudrez, il faudra que vous m'affranchissiez malgré vous. »

Apologue de l'aigle

Sa prédiction se trouva vraie. Il arriva un prodige qui mit fort en peine les Samiens. Un aigle enleva l'anneau public (c'était apparemment quelque sceau que l'on apposait aux délibérations du conseil)
275 et le fit tomber au sein d'un esclave. Le philosophe fut consulté là-dessus, et comme étant philosophe, et comme étant un des premiers de la république. Il demanda temps, et eut recours à son oracle ordinaire : c'était Ésope. Celui-ci lui conseilla de le produire en public, parce que, s'il rencontrait[3] bien, l'honneur en serait toujours à son maître; sinon, il n'y aurait que l'esclave de blâmé. Xantus approuva la chose, et le fit monter à la tribune aux harangues. Dès qu'on le vit, chacun s'éclata de rire[4]; personne ne s'imagina qu'il pût rien partir de raisonnable d'un homme fait de cette manière. Ésope leur dit qu'il ne fallait pas considérer la forme du vase, mais la liqueur qui y était enfermée. Les Samiens lui crièrent qu'il dît donc
285 sans crainte ce qu'il jugeait de ce prodige. Ésope s'en excusa sur ce qu'il n'osait le faire. « La Fortune, disait-il, avait mis un débat de gloire entre le maître et l'esclave : si l'esclave disait mal, il serait battu; s'il disait mieux que le maître, il serait battu encore. » Aussitôt on pressa Xantus de l'affranchir. Le philosophe résista longtemps. A la fin, le prévôt de ville[5] le menaça de le faire de son office[6], et en vertu du pouvoir qu'il en avait comme magistrat : de façon que le philosophe fut obligé de donner les mains[7]. Cela fait, Ésope dit que les Samiens étaient menacés de servitude par ce prodige, et que l'aigle enlevant leur sceau ne signifiait autre chose qu'un roi puissant qui voulait les assujettir.

---

1. De quel *Denys* s'agit-il? Samos était une république depuis le VIIe s. Planude donne Denys comme *roi de Byzance*, ce qui n'est pas plus vraisemblable. — 2. Nevelet donne le texte grec de la *Vie d'Ésope :* il s'agit de trois phrases commençant par la même suite d'initiales, et non pas d'une seule phrase à trois sens comme on pourrait le croire d'après le texte de La Fontaine. — 3. S'il trouvait. *Rencontrer* est ici employé absolument. — 4. Emploi fréquent du pronom réfléchi devant un verbe intransitif. Cf. *le Meunier, son Fils, et l'Ane* (III, 1) : « Le premier qui les vit, *de rire s'éclata.* » — 5. *Le prévôt de ville* est le premier magistrat, responsable de l'ordre public. Ici encore, La Fontaine modernise les termes. — 6. De l'affranchir lui-même. — 7. Consentir.

95 **Apologue des deux chemins** Peu de temps après, Crésus, roi des Lydiens[1], fit dénoncer[2] à ceux de Samos qu'ils eussent à se rendre ses tributaires; sinon, qu'il les y forcerait par les armes. La plupart étaient d'avis qu'on lui obéît. Ésope leur dit que la Fortune présentait deux chemins aux hommes : l'un, de liberté, rude et épineux au commencement, mais dans la suite très agréable; l'autre, d'esclavage, dont les commencements étaient plus aisés, mais la suite laborieuse. C'était conseiller assez intelligiblement aux Samiens de défendre leur liberté. Ils renvoyèrent l'ambassadeur de Crésus avec **Les loups, les brebis et le chien** (cf. III, 13) peu de satisfaction. Crésus se mit en état de les attaquer. L'ambassadeur lui dit que, tant qu'ils auraient 305 Ésope avec eux, il aurait peine à les réduire à ses volontés, vu la confiance qu'ils avaient au bon sens[3] du personnage. Crésus le leur envoya demander, avec la promesse de leur laisser la liberté s'ils le lui livraient. Les principaux de la ville trouvèrent ces conditions avantageuses, et ne crurent pas que leur repos leur coûtât trop cher quand ils l'achèteraient aux dépens d'Ésope. Le Phrygien leur fit changer de sentiment en leur contant que, les loups et les brebis ayant fait un traité de paix, celles-ci donnèrent leurs chiens pour otages. Quand elles n'eurent plus de défenseurs, les loups les étranglèrent avec moins de peine qu'ils ne faisaient. Cet apologue[4] fit son effet : les Samiens prirent une délibération toute contraire à celle qu'ils avaient 315 prise. Ésope voulut toutefois aller vers Crésus, et dit qu'il les servirait plus utilement étant près du Roi, que s'il demeurait à Samos. Quand Crésus **Les sauterelles et la cigale** le vit, il s'étonna qu'une si chétive créature lui eût été un si grand obstacle. « Quoi! voilà celui qui fait qu'on s'oppose à mes volontés? » s'écria-t-il. Ésope se prosterna à ses pieds. « Un homme » prenait des sauterelles, dit-il; une cigale lui tomba aussi sous la main. » Il s'en allait la tuer comme il avait fait les sauterelles. Que vous ai-je » fait? dit-elle à cet homme; je ne ronge point vos blés, je ne vous procure » aucun dommage; vous ne trouverez en moi que la voix, dont je me sers » fort innocemment. Grand Roi, je ressemble à cette cigale : je n'ai que 325 » la voix, et ne m'en suis point servi pour vous offenser. » Crésus, touché d'admiration et de pitié, non seulement lui pardonna, mais il laissa en repos les Samiens à sa considération.

En ce temps-là, le Phrygien composa ses fables, lesquelles il laissa au roi de Lydie, et fut envoyé par lui vers les Samiens, qui décernèrent à Ésope de grands honneurs. Il lui prit aussi envie de voyager et d'aller par le monde, s'entretenant de diverses choses avec ceux que l'on appelait philosophes. Enfin il se mit en grand crédit près de Lycérus[5], roi de Babylone. Les rois d'alors s'envoyaient les uns aux autres des problèmes à soudre[6] sur toutes sortes de matières, à condition de se payer une espèce de tribut ou d'amende,

1. *Crésus,* roi de Lydie (560-546 av. J.-C.), resté célèbre pour ses richesses, fut à son tour vaincu par Cyrus, roi de Perse. — 2. Aujourd'hui : annoncer. — 3. Dans le *bon sens.* L'emploi de *à* était alors très étendu. — 4. La Fontaine l'a repris dans *les Loups et les Brebis* (III, 13). — 5. Ce roi est inconnu des historiens. — 6. Ancien verbe (venu du latin *solvere*) remplacé par : résoudre.

335 selon qu'ils répondraient bien ou mal aux questions proposées : en quoi Lycérus, assisté d'Ésope, avait toujours l'avantage et se rendait illustre parmi les autres, soit à résoudre, soit à proposer.

Cependant notre Phrygien se maria; et, ne pouvant avoir d'enfants, il adopta un jeune homme d'extraction noble, appelé Ennus. Celui-ci le paya d'ingratitude, et fut si méchant que d'oser souiller le lit de son bienfaiteur. Cela étant venu à la connaissance d'Ésope, il le chassa. L'autre, afin de s'en venger, contrefit des lettres par lesquelles il semblait qu'Ésope eût intelligence avec les rois qui étaient émules de Lycérus. Lycérus, persuadé par le cachet et par la signature de ces lettres, commanda à un de ses officiers, 345 nommé Hermippus, que, sans chercher de plus grandes preuves, il fît mourir promptement le traître Ésope. Cet Hermippus, étant ami du Phrygien, lui sauva la vie et, à l'insu de tout le monde, le nourrit longtemps dans un sépulcre, jusqu'à ce que Necténabo[1], roi d'Égypte, sur le bruit de la mort

La tour bâtie en l'air

d'Ésope, crut à l'avenir rendre Lycérus son tributaire. Il osa le provoquer, et le défia de lui envoyer des architectes qui sussent bâtir une tour en l'air, et par même moyen un homme prêt à répondre à toutes sortes de questions. Lycérus ayant lu les lettres et les ayant communiquées aux plus habiles de son État, chacun d'eux demeura court; ce qui fit que le roi regretta Ésope, quand Hermippus lui dit qu'il n'était pas mort, 355 et le fit venir. Le Phrygien fut très bien reçu, se justifia, et pardonna à Ennus. Quant à la lettre du roi d'Égypte, il n'en fit que rire, et manda qu'il enverrait au printemps les architectes et le répondant[2] à toutes sortes de questions. Lycérus remit Ésope en possession de tous ses biens, et lui fit livrer Ennus pour en faire ce qu'il voudrait. Ésope le reçut comme son enfant; et pour toute punition, lui recommanda d'honorer les dieux et son prince; se rendre terrible à ses ennemis, facile et commode aux autres; bien traiter sa femme, sans pourtant lui confier son secret; parler peu et chasser de chez soi les babillards; ne se point laisser abattre aux[3] malheurs; avoir soin du lendemain, car il vaut mieux enrichir ses ennemis par sa mort que d'être importun 365 à ses amis pendant son vivant; surtout n'être point envieux du bonheur ni de la vertu d'autrui, d'autant que c'est se faire du mal à soi-même. Ennus, touché de ces avertissements et de la bonté d'Ésope, comme d'un trait qui lui aurait pénétré le cœur, mourut peu de temps après.

Pour revenir au défi de Necténabo, Ésope choisit des aiglons, et les fit instruire (chose difficile à croire); il les fit, dis-je, instruire à porter en l'air chacun un panier, dans lequel était un jeune enfant. Le printemps venu, il s'en alla en Égypte avec tout cet équipage, non sans tenir en grande admiration et en attente de son dessein les peuples chez qui il passait. Necténabo, qui sur le bruit de sa mort avait envoyé l'énigme, fut extrê- 375 mement surpris de son arrivée. Il ne s'y attendait pas, et ne se fût jamais

1. Ce roi d'Égypte aurait régné deux cents ans après la mort d'Ésope. La Fontaine suit Planude, sans se soucier de la chronologie. — 2. Participe actif employé comme substantif; tour fréquent chez La Fontaine et ses contemporains : *les regardants* (III, 10); *les consultants* (IV, 18), etc. — 3. Par les.

engagé dans un tel défi contre Lycérus s'il eût cru Ésope vivant. Il lui demanda s'il avait amené les architectes et le répondant. Ésope dit que le répondant était lui-même, et qu'il ferait voir les architectes quand il serait sur le lieu. On sortit en pleine campagne, où les aigles enlevèrent les paniers avec les petits enfants, qui criaient qu'on leur donnât du mortier, des pierres et du bois. « Vous voyez, dit Ésope à Necténabo, je vous ai trouvé les ouvriers; fournissez-leur des matériaux. » Necténabo avoua que Lycérus était le vainqueur. Il proposa toutefois ceci à Ésope : « J'ai des cavales en Égypte qui conçoivent au hannissement[1] des chevaux qui sont devers[2] Babylone. Qu'avez-vous à répondre là-dessus? » Le Phrygien remit sa réponse au lendemain, et, retourné qu'il fut au logis, il commanda à des enfants de prendre un chat et de le mener fouettant par les rues. Les Égyptiens, qui adorent cet animal[3], se trouvèrent extrêmement scandalisés du traitement que l'on lui faisait. Ils l'arrachèrent des mains des enfants et allèrent se plaindre au Roi. On fit venir en sa présence le Phrygien. « Ne savez-vous pas, lui dit le roi, que cet animal est un de nos dieux? Pourquoi donc le faites-vous traiter de la sorte? — C'est pour l'offense qu'il a commise envers Lycérus, reprit Ésope; car, la nuit dernière, il lui a étranglé un coq extrêmement courageux et qui chantait à toutes les heures. — Vous êtes un menteur, repartit le roi; comment serait-il possible que ce chat eût fait en si peu de temps un si long voyage? — Et comment est-il possible, reprit Ésope, que vos juments entendent de si loin nos chevaux hannir, et conçoivent pour les entendre? » [...]

Les cavales et les chevaux

385

395

Le séjour qu'il fit en Égypte est peut-être cause que quelques-uns ont écrit qu'il fut esclave avec Rhodopé, celle-là qui, des libéralités de ses amants, fit élever une des trois pyramides qui subsistent encore, et qu'on voit avec admiration : c'est la plus petite, mais celle qui est bâtie avec le plus d'art.

Ésope, à son retour dans Babylone, fut reçu de Lycérus avec de grandes démonstrations de joie et de bienveillance : ce roi lui fit ériger une statue. L'envie de voir et d'apprendre le fit renoncer à tous ces honneurs. Il quitta la cour de Lycérus, où il avait tous les avantages qu'on peut souhaiter, et prit congé de ce prince pour voir la Grèce encore une fois. Lycérus ne le laissa point partir sans embrassements et sans larmes, et sans le faire promettre sur les autels qu'il reviendrait achever ses jours auprès de lui.

405

Entre les villes où il s'arrêta, Delphes fut une des principales. Les Delphiens l'écoutèrent fort volontiers, mais ils ne lui rendirent point d'honneurs. Ésope, piqué de ce mépris, les compara aux bâtons qui flottent sur l'onde : on s'imagine de loin que c'est quelque chose de considérable; de près, on trouve que ce n'est rien[4]. La comparaison lui coûta cher. Les Delphiens en conçurent une telle haine et un si violent désir de vengeance (outre qu'ils craignaient d'être décriés par lui), qu'ils résolurent de l'ôter du monde.

415

1. Hennissement. Les formes *hannir* (l. 483), *hannissement* se trouvent dans le *Dict.* de Richelet (1680) et sont usuelles au XVIIe s. — 2. Vers; *devers* est fréquent chez Corneille et dans les *Fables :* cf. *le Lièvre et les Grenouilles* (II, 14) : « Pour s'enfuir, *devers* sa tanière. » — 3. Fait historique.— 4. Thème repris dans *le Chameau et les Bâtons flottants* (IV, 10).

Pour y parvenir, ils cachèrent parmi ses hardes un de leurs vases sacrés, prétendant que par ce moyen ils convaincraient Ésope de vol et de sacrilège, et qu'ils le condamneraient à la mort.

Comme il fut sorti de Delphes et qu'il eut pris le chemin de la Phocide, les Delphiens accoururent comme gens qui étaient en peine. Ils l'accusèrent d'avoir dérobé leur vase. Ésope le nia avec des serments. On chercha dans son équipage, et il fut trouvé. Tout ce qu'Ésope put dire n'empêcha point qu'on ne le traitât comme un criminel infâme. Il fut ramené à Delphes
425 chargé de fers, mis dans les cachots, puis condamné à être précipité. Rien ne lui servit de se défendre avec ses armes ordinaires et de raconter des apologues : les Delphiens s'en moquèrent. « La Grenouille, leur dit-il,

La grenouille et le rat (cf. IV, 11)

avait invité le Rat à la venir voir. Afin de lui faire traverser l'onde, elle l'attacha à son pied. Dès qu'il fut sur l'eau, elle voulut le tirer au fond, dans le dessein de le noyer, et d'en faire ensuite un repas. Le malheureux Rat résista quelque peu de temps. Pendant qu'il se débattait sur l'eau, un oiseau de proie l'aperçut, fondit sur lui, et, l'ayant enlevé avec la Grenouille, qui ne se put détacher, il se reput de l'un et de l'autre. C'est ainsi, Delphiens abominables, qu'un plus
435 puissant que vous me vengera : je périrai, mais vous périrez aussi. »

L'aigle, l'escarbot et le lièvre (cf. II, 8)

Comme on le conduisait au supplice, il trouva moyen de s'échapper, et entra dans une petite chapelle dédiée à Apollon. Les Delphiens l'en arrachèrent. « Vous violez cet asile, leur dit-il, parce que ce n'est qu'une petite chapelle; mais un jour viendra que votre méchanceté ne trouvera point de retraite sûre, non pas même dans les temples. Il vous arrivera la même chose qu'à l'Aigle, laquelle, nonobstant les prières de l'Escarbot, enleva un Lièvre qui s'était réfugié chez lui. La génération de l'Aigle en fut punie jusque dans le giron de Jupiter. » Les Delphiens, peu touchés de tous ces exemples, le précipitèrent.

445 Peu de temps après sa mort, une peste très violente exerça sur eux ses ravages. Ils demandèrent à l'oracle par quels moyens ils pourraient apaiser le courroux des dieux. L'oracle leur répondit qu'il n'y en avait point d'autre que d'expier leur forfait, et satisfaire aux mânes d'Ésope. Aussitôt une pyramide fut élevée. Les dieux ne témoignèrent pas seuls combien ce crime leur déplaisait : les hommes vengèrent aussi la mort de leur sage. La Grèce envoya des commissaires pour en informer, et en fit une punition rigoureuse.

Table des matières

Fables

Imprimerie Berger-Levrault, Nancy — 715275-11-1989.
Dépôt légal : janvier 1990 — Dépôt légal 1re édition : 1964

Imprimé en France